HOMÉLIES
SUR LE LÉVITIQUE

SOURCES CHRÉTIENNES

Fondateurs: H. de Lubac, s.j., et † J. Daniélou, s.j.
Directeur: C. Mondésert, s.j.

N° 287

ORIGÈNE

HOMÉLIES
SUR LE LÉVITIQUE

TOME II
(Homélies VIII-XVI)

TEXTE LATIN
TRADUCTION, NOTES ET INDEX

PAR

Marcel BORRET, s.j.

Ouvrage publié
avec le concours du Centre National des Lettres

LES ÉDITIONS DU CERF, 29, Bd DE LATOUR-MAUBOURG, PARIS
1981

*La publication de cet ouvrage a été préparée avec le concours
de l'Institut des Sources Chrétiennes
(E.R.A. 645 du Centre National de la Recherche Scientifique)*

TEXTE ET TRADUCTION

HOMILIA VIII

De eo, quod scriptum est : *Mulier quaecumque conceperit semen et pepererit masculum, immunda erit septem diebus*[a] et de diversitatibus leprae ac purificationibus leprosi[b].

1. Medicum dici in Scripturis divinis Dominum nostrum Iesum Christum etiam ipsius Domini sententia perdocemur, sicut dicit in Evangeliis : *Non indigent sani medico, sed qui male habent. Non enim veni iustos vocare, sed peccatores* 5 *in paenitentiam*[a].

Omnis autem medicus ex herbarum sucis vel arborum vel etiam metallorum venis aut animantium naturis profutura corporibus medicamenta componit. Sed herbas istas si qui forte, antequam pro ratione artis componantur, 10 adspiciat, si quidem in agris aut montibus, velut fenum vile conculcat et praeterit. Si vero eas intra medici scholam dispositas per ordinem viderit, licet odorem tristem forte

---

Tit. a. Lév. 12, 2 ǁ b. Cf. Lév. 13 et 14
1 a. Matth. 9, 12-13

---

1. Plus ou moins complète, la citation matthéenne fonde le titre de médecin donné à Jésus : « Or le Logos Dieu a été envoyé, médecin aux pécheurs, maître des divins mystères à ceux qui, déjà purs, ne pèchent plus. » *CC*, 3, 63, 7 ; cf. 61, 8. « Et le Seigneur vient en Sauveur comme un bon médecin, plutôt pour nous pleins de péchés que pour les justes. » *Id.*, 2, 67 fin ; cf. 1, 9 fin. Jésus fut certes médecin des corps : « D'innombrables infirmités ont été guéries » par lui, *Id.*, 8, 45, 25. Mais il fut et reste médecin des âmes, et le titre et les termes médicaux symbolisent des réalités d'ordre spirituel :

VIII

< PURIFICATION DE LA FEMME QUI CONÇOIT ET ENFANTE. LÈPRE HUMAINE >

Sur la parole : « Toute femme qui reçoit dans son sein une semence et enfante un enfant mâle sera impure pendant sept jours[a]. » Variétés de la lèpre et purifications du lépreux[b].

Jésus médecin   **1.** Médecin est un titre que les divines Écritures donnent à notre Seigneur Jésus-Christ[1], comme nous l'enseigne la sentence du Seigneur lui-même dans les Évangiles : « Ce ne sont pas les bien-portants qui ont besoin de médecin, mais les malades. Car je ne suis pas venu appeler les justes à la pénitence, mais les pécheurs[a]. »

Or tout médecin, au moyen de sucs d'herbes ou d'arbres, ou encore de veines de minéraux ou d'organes d'animaux, compose des remèdes qui seront utiles aux corps. Mais ces herbes, si d'aventure on les aperçoit avant qu'elles soient méthodiquement traitées, du moins dans la plaine ou la montagne, on les foule aux pieds comme un foin vil et l'on passe. Mais quand on les voit dans l'officine du médecin rangées en bon ordre, bien qu'elles exhalent peut-être une

---

ainsi la guérison du lépreux, sensible et intelligible, *Id.*, 1, 48, 51 ; celle de « la femme que Satan tenait courbée », *Id.*, 8, 54, 14 s. Cf. *De princ.* 2, 10, 6, *SC* 252, p. 386 s. *In Jer. hom.* 12, 5, *SC* 238, p. 26, 35 s. L'image était traditionnelle : IGNACE, *Ephes.* 5, 2 ; CLEM. ALEX., *Protr.* 1, 8 ; *Paed.* 1, 1, 1, etc. Sur Yahvé médecin, cf. G. VON RAD, *Théologie de l'Ancien Testament*[2], t. I, tr. E. de Payer, p. 241-242.

et austerum reddant, tamen suspicabitur eas curae vel
remedii aliquid continere, etiamsi nondum, quae vel
15 qualis in eis sit sanitatis ac remedii virtus, agnoverit.
Haec de communibus medicis diximus.

Veni nunc ad Iesum caelestem medicum, intra ad hanc
stationem medicinae eius Ecclesiam, vide ibi languentium
iacere multitudinem. Venit mulier, quae ex partu *immunda*
20 effecta est[b], venit *leprosus*, qui *extra castra* separatus est
pro immunditia leprae[c], quaerunt a medico remedium,
quomodo sanentur, quomodo mundentur; et quia Iesus
hic, qui medicus est, ipse est et Verbum Dei, aegris suis
non herbarum sucis, sed verborum sacramentis medi-
25 camenta conquirit. Quae verborum medicamenta si qui
incultius per libros tamquam per agros videat esse dispersa,
ignorans singulorum dictorum virtutem ut vilia haec et
nullum sermonis cultum habentia praeteribit. Qui vero
parte ex aliqua didicerit animarum apud Christum esse
30 medicinam, intelliget profecto ex his libris, qui in Ecclesia
recitantur, tamquam ex agris et montibus salutares herbas
adsumere unumquemque debere, sermonum dumtaxat
vim; ut, si qui ille est in anima languor, non tam exterioris
frondis et corticis, quam suci interioris hausta virtute
35 sanetur. Videamus ergo adversum immunditiam partus
et contagionem leprae praesens haec lectio quam diversa
et quam varia purificationum medicamenta conficiat.

2. *Et locutus est* inquit *Dominus ad Moysen dicens:
loquere filiis Istrahel et dices ad eos: mulier quaecumque
conceperit semen et pepererit masculum, immunda erit
septem diebus*[a]. Primo consideremus secundum historiam,
5 si non videtur quasi ex superfluo additum : *Mulier quae
conceperit semen et pepererit masculum*, quasi possit aliter

1 b. Cf. Mc 5, 25 ; Lév. 12, 2 s. ∥ c. Cf. Mc 1, 40 ; Lév. 13, 46
2 a. Lév. 12, 1-2

odeur forte et désagréable, on devinera pourtant qu'elles contiennent une vertu curative ou thérapeutique, même si on ne connaît pas encore leurs propriétés hygiéniques et médicinales. Voilà pour les médecins ordinaires.

Or viens auprès de Jésus, le médecin céleste ; entre dans cet institut médical qu'est son Église ; regarde, étendue là, une foule de malades. Voici une femme que son accouchement a rendue impure[b] ; voici un lépreux qui fut mis à part « hors du camp » en raison de l'impureté de sa lèpre[c] : ils demandent au médecin un remède, un traitement pour guérir, pour être purifiés. Et parce que Jésus, qui est ce médecin, est en personne aussi le Verbe de Dieu, il rassemble pour ses malades des remèdes tirés, non pas des sucs d'herbes, mais des sens mystérieux de ses paroles. Ces remèdes de paroles, à négligemment les voir dispersés à travers livres, comme à travers champs, dans l'ignorance de la vertu de chacune des sentences, on les laissera de côté comme dépourvus de valeur et d'élégance. Mais pour peu qu'on ait appris que la médecine des âmes est auprès du Christ, on comprendra sûrement que chacun doit tirer de ces livres lus à l'Église, comme de la plaine ou de la montagne, des herbes salutaires, à savoir le sens des paroles : cela, pour que, s'il est dans l'âme une langueur, elle soit guérie par la vertu puisée, moins dans le feuillage extérieur et l'écorce, que dans le suc intérieur. Ainsi, contre l'impureté de l'enfantement et l'infection de la lèpre, voyons quelle diversité et quelle variété de remèdes purifiants constitue la leçon présente.

2. « Le Seigneur parla à Moïse en

La Vierge entre les femmes

ces termes : Parle aux fils d'Israël, et tu leur diras : Toute femme qui reçoit dans son sein une semence et enfante un enfant mâle sera impure durant sept jours[a]. » D'abord, examinons selon l'histoire s'il ne semble pas y avoir une addition superflue : « La femme qui reçoit dans son sein une semence et enfante un enfant mâle » : comme si elle pouvait enfanter

masculum parere nisi semine concepto. Sed non ex superfluo additur.

Ad discretionem namque illius, quae sine semine *concepit*
10 *et peperit*, istum sermonem pro ceteris mulieribus legislator
adiecit, ut non omnem mulierem, quae peperisset, desi-
gnaret *immundam*, sed eam, quae *concepto semine peperisset*.
Addi quoque ad hoc etiam illud potest, quod lex ista, quae
de immunditia scribitur, ad mulieres pertinet; de Maria
15 autem dicitur quia *Virgo*[b] concepit et peperit. Ferant ergo
legis onera mulieres, virgines vero ab his habeantur
immunes.

Sed si nobis aliquis occurrat argutus et dicat quia et
Maria *mulier* in Scripturis nominatur — sic enim dicit
20 Apostolus : *Ubi autem venit plenitudo temporum, misit*
Deus Filium suum, factum ex muliere, factum sub lege, ut
eos, qui sub lege erant, redimeret[c] —, respondebimus ei
quia in hoc Apostolus *mulierem* non pro corruptela, sed pro
sexus indicio nominavit; ut, quia dicebat *Filium Deum*
25 *missum*, simul et illud, quod communi omnium ingressu
in hunc mundum venisset, exponeret.

Est porro et aetatis istud vocabulum, eius scilicet, qua
feminino sexui de annis pubertatis exceditur et ad id
temporis, quo habilis viro videatur esse, transitur. Sicut
30 et econtra vir appellatur is, qui adolescentiae tempus
excesserit, etiamsi uxorem nondum habeat, cuius vir esse
dicatur; quo nomine appellari solent etiam hi, quos

---

18 s. Cf. Procop., Comm. in Lev. 12, 2 (729 - 730 M. =
cod. Monac. graec. 358 fol. 263ᵛ) : Ἡλικίας γὰρ ἡ κλῆσις
[sc. γυναικός] τῆς οὐκέτι παιδίου ὡς καὶ ἡ τοῦ ἀνδρός,
κἂν τὴν ἐν τῷ σπείρειν μὴ ἔχῃ πρᾶξιν. Διὸ καὶ Παῦλός
5 φησιν · « ἐξαπέστειλεν ὁ Θεὸς τὸν υἱὸν αὐτοῦ γενόμενον
ἐκ γυναικός ». Καὶ Ἀβραὰμ τῷ πεμφθέντι παιδὶ πρὸς τὸν
Βαθουὴλ οὐκ εἶπε · « λήψῃ » παρθένον, ἀλλά · « γυναῖκα
τῷ υἱῷ μου ».

un enfant mâle autrement qu'après avoir reçu une semence !
Mais l'addition n'est pas superflue.

C'est en vue de distinguer celle qui a conçu sans semence
et enfanté que le législateur ajouta cette parole à propos
des autres femmes, pour qualifier d'impure, non pas toute
femme qui a enfanté, mais celle qui a enfanté après avoir
reçu une semence. A quoi on peut encore ajouter ceci :
cette loi, écrite au sujet de l'impureté, concerne les femmes ;
or de Marie, il est dit : « La Vierge[b] » a conçu et enfanté.
Que les femmes portent donc le fardeau de la Loi, mais
que les vierges en soient exemptes !

Un esprit pointilleux peut nous objecter que Marie
aussi est nommée femme dans les Écritures ; ainsi en effet
l'Apôtre déclare : « Mais quand vint la plénitude des
temps, Dieu envoya son Fils, né d'une femme, né sous la
Loi, pour racheter ceux qui étaient sous la Loi[c]. » Nous
lui répondrons qu'ici l'Apôtre l'a nommée femme, non à
cause d'une corruption, mais pour indiquer le sexe ; ainsi,
disant « Dieu le Fils envoyé », il révélerait en même temps
que le Fils était venu dans ce monde par une entrée
commune à tous.

D'autre part, ce terme désigne encore un âge, celui où le
sexe féminin sort des années de la puberté et passe au temps
où il paraît apte au mariage. De même, en regard, on
appelle homme celui qui a dépassé le temps de l'adolescence,
même s'il n'a pas encore une épouse dont il serait dit le
mari ; et c'est la coutume d'appeler de ce nom même ceux

---

2 b. Cf. Matth. 1, 23 ‖ c. Gal. 4, 4-5

femineae admixtionis macula nulla perstrinxit. Si ergo
recte dicitur vir pro sola virili aetate etiam is, qui nullius
35 admixtionem feminae noverit, quomodo non eadem consequentia etiam virgo, quae intemerata permansit, pro sola
aetatis maturitate mulier nominetur ? Denique et Abraham
cum puerum mitteret Mesopotamiam in domum Bathuelis,
ut *inde acciperet Isaac filio suo uxorem* et *puer* curiosius
40 percontaretur, *ait ad eum : Quod si noluerit mulier sequi me,
reducam filium tuum illuc*ᵈ*?* et non dixit : quod si noluerit
virgo sequi me.

Haec ergo dicta sint nobis de eo, quod observavimus
scriptum quia non superfluo addidit legislator : *Mulier*
45 *si conceperit semen et pepererit filium*ᵉ, sed esse exceptionem
mysticam, quae solam Mariam a reliquis mulieribus
segregaret, cuius partus non ex conceptione seminis, sed
ex praesentia *sancti Spiritus et virtute Altissimi*ᶠ fuerit.

3. Nunc ergo requiramus etiam illud, quid causae sit,
quod mulier, quae in hoc mundo nascentibus ministerium
praebet, non solum, cum *semen suscepit, immunda* fieri
dicitur, sed et cum *peperit*ᵃ. Unde et pro purificatione
5 sua iubetur offerre *pullos columbinos aut turtures pro
peccato ad ostium tabernaculi testimonii*ᵇ, ut *repropitiet pro
ipsa sacerdos*, quasi quae repropitiationem debeat et
purificationem peccati pro eo, quod nascenti in hoc mundo
homini ministerium praebuit. Sic enim scriptum est : *Et
10 repropitiabit pro ipsa sacerdos, et mundabitur*ᶜ. Ego in

---

2 d. Cf. Gen. 24, 4-5 ‖ e. Lév. 12, 2 ‖ f. Cf. Lc 1, 35
3 a. Cf. Lév. 12, 2 ‖ b. Cf. Lév. 12, 6 ‖ c. Cf. Lév. 12, 7

---

1. Marie est nommée femme selon deux acceptions communes :
personne du sexe féminin et, sortie de la puberté, nubile ; bref,

que n'a effleurés aucune tache d'union avec une femme. Si donc c'est à juste titre qu'on appelle homme, en raison du seul âge viril, même celui qui n'a connu l'union d'aucune femme, comment n'y aurait-il pas la même logique à nommer femme, en raison de la seule maturité de son âge, même la vierge demeurée intacte[1]? Ainsi, par exemple, quand Abraham a envoyé un esclave en Mésopotamie dans la maison de Bathuel, pour « y prendre une femme pour son fils Isaac », l'esclave s'enquiert avec soin et lui dit : « Si la femme ne veut pas me suivre, ramènerai-je ton fils là-bas[d] ? » Il n'a pas dit : Si la vierge ne veut pas me suivre.

Voilà pour expliquer notre observation que le législateur n'a pas fait d'addition superflue en écrivant : « Si une femme reçoit dans son sein une semence et enfante un fils[e] », mais qu'il y a une exception mystérieuse qui met à part du reste des femmes la seule Marie, dont l'enfantement ne provint pas de la réception d'une semence, mais de la présence « du Saint-Esprit et de la puissance du Très-Haut[f] ».

Impureté de la naissance **3.** Or donc cherchons aussi pourquoi une femme qui prête son concours à ceux qui naissent en ce monde est qualifiée d'impure, non seulement quand elle reçoit la semence, mais aussi quand elle enfante[a]. D'où encore la prescription d'offrir pour sa purification « deux petits de colombes ou tourterelles pour le péché, à l'entrée de la tente du témoignage[b] », afin que le prêtre fasse pour elle le rite propitiatoire, comme si elle devait une propitiation et une purification du péché, du fait qu'elle a prêté son concours à la naissance d'un homme dans ce monde. Car il est écrit : « Le prêtre fera le rite propitiatoire pour elle et elle sera purifiée[c]. » Pour moi, en de telles matières, je

apte à la maternité. La théologie mariale d'Origène est exposée dans *Homélies sur saint Luc, SC 67, Introduction.*

talibus nihil audeo dicere, sentio tamen occulta in his
quaedam mysteria contineri et esse aliquid latentis arcani,
pro quo et *mulier, quae conceperit ex semine et pepererit,
immunda* dicatur et tamquam peccati rea offerre iubeatur
15 hostiam *pro peccato* et ita purificari[d].

Sed et ille ipse, qui nascitur, sive virilis sive feminei
sexus sit, pronuntiat de eo Scriptura quia non sit *mundus
a sorde, etiamsi unius diei sit vita eius*[e]. Et ut scias esse in
hoc grande nescio quid et tale quod nulli sanctorum ex
20 sententia venerit, nemo ex omnibus sanctis invenitur diem
festum vel convivium magnum egisse in die natalis sui,
nemo invenitur habuisse laetitiam in die natalis filii vel
filiae suae; soli peccatores super huiusmodi nativitate
laetantur. Invenimus etenim in Veteri quidem Testamento
25 Pharaonem, regem Aegypti, diem natalis sui cum festivitate
celebrantem[f], in Novo vero Testamento Herodem[g]. Uterque
tamen eorum ipsam festivitatem natalis sui profusione
humani sanguinis cruentavit. Ille enim *praepositum pisto-
rum*[h], hic sanctum prophetam Iohannem obtruncavit *in
30 carcere*[i]. Sancti vero non solum non agunt festivitatem in
die natalis sui, sed et Spiritu sancto repleti exsecrantur
hunc diem.

Neque enim tantus ac talis propheta — Ieremiam dico,
qui *in utero* matris *sanctificatus est* et *propheta in gentibus
35 consecratus*[j] — libris in aeternum mansuris aliquid inaniter
condidisset, nisi secretum quid contineret et ingentibus

---

3 d. Cf. Lév. 12, 7 ‖ e. Job 14, 4.5 ‖ f. Cf. Gen. 40, 20 ‖ g. Cf. Mc
6, 21 ‖ h. Cf. Gen. 40, 22 ‖ i. Cf. Mc 6, 27 ‖ j. Cf. Jér. 1, 5

---

1. « Il est dit, en effet, que c'est 'le jour anniversaire de la
naissance du Pharaon' qu'il envoya chercher en prison son grand
échanson pour faire une libation. Le propre de celui qui aime la
passion, c'est de croire éclatant de lumière ce qui est créé et péris-
sable, parce qu'il vit dans une nuit et une obscurité en ce qui concerne

n'ose rien dire ; je pense toutefois que là sont contenus
certains mystères cachés et qu'il y a quelque secret
mystérieux, en raison de quoi « la femme qui conçoit
d'une semence et enfante » est dite « impure » et, comme
coupable d'un péché, reçoit l'ordre d'offrir une victime
« pour le péché » et d'être ainsi purifiée[d].

De plus, celui-là même qui naît, qu'il soit du sexe
masculin ou féminin, l'Écriture déclare de lui : « Il n'est
pas pur de souillure, sa vie fût-elle d'un jour[e]. » Il faut
savoir qu'il y a dans cet événement je ne sais quoi de grave
et de tel qu'il n'est arrivé à aucun des saints selon ses
vœux : de tous les saints on ne trouve personne qui ait
célébré un jour de fête ou un grand banquet pour l'anniversaire de sa naissance, on ne trouve personne qui ait eu
de l'allégresse pour l'anniversaire de son fils ou de sa
fille ; seuls les pécheurs se réjouissent d'une telle naissance.
Ainsi trouvons-nous dans l'Ancien Testament le Pharaon[1],
souverain de l'Égypte, célébrant avec solennité son anniversaire[f], et dans le Nouveau Testament, Hérode[g]. L'un et
l'autre, toutefois, ensanglantèrent la solennité même de
leur anniversaire en faisant couler le sang humain. Celui-là
fit décapiter « le chef des panetiers[h] », celui-ci, le saint
prophète Jean « dans sa prison[i] ». Les saints, au contraire,
non seulement ne célèbrent pas le jour de leur naissance,
mais encore, remplis de l'Esprit Saint, ils maudissent ce
jour.

Car un prophète si éminent — je veux dire Jérémie qui,
« dans le sein » de sa mère, « fut sanctifié » et « consacré
prophète pour les nations[j] » —, dans des livres qui vont
demeurer pour toujours, n'aurait pas composé une sentence
vaine qui ne contînt un secret plein de profonds mystères,

la connaissance des objets incorruptibles. C'est à cause de cela qu'il
accueille volontiers l'ivresse qui introduit au plaisir et celui qui en est
le ministre. » PHILON, *De ebr.* 208-209, tr. J. Gorez. Cf. *Sel. in
Gen.* 40, *P G* 12, 129 D s.

mysteriis plenum, ubi dicit : *Maledictus dies, in quo natus sum, et nox, in qua dixerunt: ecce masculus. Maledictus, qui adnuntiavit patri meo dicens: natus est tibi masculus.*
40 *Laetetur homo ille sicut civitates, quas Dominus destruxit in furore, et non paenituit*[k]. Videturne tibi haec tam gravia et tam onerosa imprecari propheta potuisse, nisi sciret esse aliquid in ista nativitate corporea, quod et huiusmodi dignum maledictionibus videretur et pro quo legislator
45 tot immunditias accusaret, quibus congruas purificationes consequenter imponeret ? Longum est autem et alterius temporis, ut testimonia, quae de propheta adsumpsimus, explanemus ; quia nunc non Ieremiae, sed Levitici nobis propositum est disserere lectionem.
50   Sed et Iob non sine Spiritu sancto loquens *maledicebat diem nativitatis suae dicens*[l]*: Maledicta dies, in qua natus sum, et nox, in qua dixerunt: ecce, masculus. Nox illa sit tenebrae, et non requirat eam Dominus denuo, neque veniat in dies anni, nec numeretur inter dies mensuum*[m]. Quod si
55 non tibi videtur haec Iob divino et prophetico Spiritu loqui, ex his considera, quae sequuntur ; addit enim : *Sed maledicat eam, qui maledixit illum diem, in quo magnum cetum interempturus est*[n]. Vides ergo, quomodo in Spiritu sancto praedixit de *magno ceto*, quem *interfecturus*
60 *esset* Dominus, cuius typus erat *cetus* ille Ionae. Unde et Dominus, qui *interfecturus erat cetum* istum diabolum, dicit : *Sicut enim Ionas tres dies et tres noctes fuit in ventre*

---

3 k. Cf. Jér. 20, 14-16 ; Job 3, 3 ‖ l. Job 3, 1.2 ‖ m. Job 3, 3.4.6 ‖ n. Job 3, 8

---

1. « En outre, qui sait de quel monstre la bête qui a avalé Jonas est le symbole comprend cette parole de Job : ' Que l'exècrent ceux qui maudissent le jour, celui qui veut terrasser la terrible bête ! ' Si jamais il vient à tomber par quelque désobéissance dans le ventre de cette bête, qu'il se repente, qu'il prie : il en sera délivré. » *De or.* 13, 4, *GCS* 2, p. 329, 1 s. Ailleurs, la bête qui a absorbé Jonas est identifiée avec le monstre marin de Job, le Rahab de la Bible.

où il déclare : « Maudit soit le jour où je suis né, et la nuit
où on a dit : voici un enfant mâle. Maudit l'homme qui
annonça à mon père cette nouvelle : Il t'est né un enfant
mâle. Que cet homme se réjouisse comme ces villes que le
Seigneur a détruites dans sa fureur, sans se repentir[k]. »
Crois-tu que le prophète ait pu proférer des imprécations
si violentes et si graves, s'il ne savait qu'il y a dans cette
naissance corporelle quelque chose qui semble mériter des
malédictions de cette sorte, et qui pousse le législateur à
dénoncer tant d'impuretés et imposer en conséquence des
purifications proportionnées ? Mais il faudrait du temps et
une autre occasion pour expliquer ces témoignages tirés
du prophète ; car notre propos actuel est de commenter la
leçon non pas de Jérémie, mais du *Lévitique*.

De plus Job, non sans être inspiré de l'Esprit Saint,
« maudissait le jour de sa naissance en disant[l] » : « Maudit
soit le jour où je suis né, et la nuit où on annonça : voici
un enfant mâle. Cette nuit, qu'elle soit ténèbres et que
Dieu, d'en haut, n'en ait cure, qu'elle ne s'ajoute pas aux
jours de l'année, qu'elle n'entre pas dans le compte des
jours des mois[m]. » Que si tu ne crois pas que Job le dit de
par l'Esprit divin et prophétique, considère ce qui lui
fait suite ; car il ajoute : « Qu'il la maudisse, celui qui a
maudit le jour où il allait faire périr le grand monstre[l]
marin[n]. » Tu vois donc qu'il a prédit dans l'Esprit Saint
au sujet du « grand monstre marin » que le Seigneur
« mettrait à mort » et dont le type était le fameux monstre
de Jonas. Aussi, le Seigneur qui « allait mettre à mort ce
monstre », le diable, dit-il : « Car, de même que Jonas fut
trois jours et trois nuits dans le ventre du monstre marin,

C'est à la fois la mort et « le tyran injuste », le diable, contre lequel
le Christ doit lutter. Comme Jonas, les pêcheurs sont tombés dans
le ventre même de la baleine, au pouvoir du fort armé de l'Évangile.
Mais le Christ a pénétré dans la maison du fort, dans la maison de
la mort, dans l'enfer, pour en délivrer les âmes qui y étaient mainte-
nues. *In Ep. ad Rom.* 5, 10, *PG* 14, 1051 A s.

*ceti, ita oportet et Filium hominis esse tribus diebus et
tribus noctibus in corde terrae°.*

65   Quod si placet audire, quid etiam alii sancti de ista
nativitate senserint, audi David dicentem : *In iniquitatibus*
inquit *conceptus sum, et in peccatis peperit me mater mea*[p],
ostendens quod quaecumque anima in carne nascitur,
iniquitatis et peccati sorde polluitur; et propterea dictum
70   esse illud, quod iam superius memoravimus quia : *Nemo
mundus a sorde, nec si unius diei sit vita eius*[q]. Addi his
etiam illud potest, ut requiratur, quid causae sit, cum
baptisma Ecclesiae pro remissione peccatorum detur,
secundum Ecclesiae observantiam etiam parvulis baptis-
75   mum dari; cum utique, si nihil esset in parvulis, quod
ad remissionem deberet et indulgentiam pertinere, gratia
baptismi superflua videretur.

*Mulier ergo quaecumque conceperit semen et pepererit
masculum, immunda erit septem diebus,* sicut et illa, quae
80   *secundum dies purgationis suae septem diebus* segregatur ab
omni mundo[r]. Quia *in sanguine immundo* facit septem
dies, *in sanguine* autem *mundo triginta et tres dies*[s]. Sed
hoc in *masculi* nativitate; duplos autem dies facit in
nativitate *feminae*[t]. Incipit ergo esse in sanguine mundo ab
85   octava die et est in sanguine mundo diebus triginta tribus,
hoc est tribus decadis et tribus monadis. Et cum coeperit
esse in sanguine mundo illa, *quae peperit,* tunc circumcidit
infantem : *Octava enim die circumcides* inquit *carnem
praeputii eius*[u].

90   Haec est lex litterae, sed require tu, quam circumcisionem Apostolus praedicet, quam nos et suscipere et

---

3 o. Matth. 12, 40 ‖ p. Ps. 50, 7 ‖ q. Job 14, 4.5 ‖ r. Cf. Lév. 12,
2 ; Nombr. 12, 15 ‖ s. Cf. Lév. 12, 4 ‖ t. Cf. Lév. 12, 2.5 ‖ u. Lév. 12, 3

---

1. Le malheur de la génération est pareillement dénoncé dans
CC 7, 50, *SC* 150, p. 130 s.

ainsi faut-il que le Fils de l'homme soit trois jours et trois nuits dans le sein de la terre[o]. »

Veut-on savoir ce que d'autres saints encore ont pensé de cette naissance[1], qu'on écoute David : « Dans l'iniquité j'ai été conçu, dans le péché ma mère m'a enfanté[p]. » Il montre ainsi que toute âme qui naît dans la chair contracte une souillure « d'iniquité et de péché » ; et c'est pourquoi fut dite la parole déjà rappelée plus haut : « Personne n'est pur de souillure, sa vie fût-elle d'un jour[q]. » On peut aussi ajouter qu'il faut chercher pour quelle raison, alors que le baptême de l'Église est donné pour la rémission des péchés, il est donné selon la pratique de l'Église même aux petits enfants ; puisque, assurément, s'il n'y avait rien chez les petits enfants qui doive relever de la rémission et de l'indulgence, la grâce du baptême paraîtrait superflue[2].

Impureté de la femme ; circoncision « Toute femme qui reçoit dans son sein une semence et enfante un enfant mâle sera impure durant sept jours », comme celle qui, « durant les jours de sa purification, pendant sept jours » est séparée de tout ce qui est pur[r]. Car elle passe sept jours « dans un sang impur », et « trente-trois jours dans un sang pur[s] ». Cela, pour la naissance d'un enfant mâle ; pour la naissance d'une fille, les jours sont doublés[t]. Elle commence donc à être dans un sang pur à partir du huitième jour, et elle est dans un sang pur trente-trois jours, trois décades et trois unités. Puis, quand a commencé à être dans le sang pur celle qui a enfanté, alors on circoncit l'enfant : « Au huitième jour, tu circonciras la chair de son prépuce[u]. »

Telle est la loi selon la lettre, mais toi, cherche quelle circoncision l'Apôtre prêche, et qu'il nous ordonne de

---

2. Même justification du baptême des enfants, *In Luc. hom.* 14, *SC* 87, p. 22 s. et n. 2 ; *In Ep. ad Rom.* 5, 9, *PG* 14, 1047 B.

habere iubet. *Nos enim* inquit *sumus circumcisio, qui spiritu Deo servimus* [v]. Sed et quod ait in Psalmo : *Alienati sunt peccatores a vulva* [w], considera, si non de illis hoc dicit,
95 qui illam circumcisionem suscipiunt, qua nos circumcidi Apostolus vetat, et tunc est quando *alienantur peccatores a vulva*, cum non spiritu, sed carne circumciduntur. Quia *qui in lege circumciduntur, a gratia exciderunt* [x].

Igitur *immunda* fieri *mulier* dicitur, *quae concepto semine*
100 *peperit masculum; quae autem feminam pepererit*, non solum immunda erit, sed dupliciter immunda. *Bis* enim *septenis diebus in immunditia* [y] scribitur permanere.

4. Sed interim *quae peperit masculum, octava die* et qui natus est circumciditur et illa fit munda. Satis operosa res est in hac brevitate temporis ista contingere, tamen ut in transcursu aliqua dicamus, septimana haec prae-
5 sentis vitae tempus videri potest; in septimana namque dierum consummatus est mundus. In quo donec sumus in carne positi, ad liquidum puri esse non possumus, nisi octava venerit dies, id est nisi futuri saeculi tempus affuerit. In quo tamen die qui masculus est et viriliter
10 egerit, statim in ipso adventu futuri saeculi purgatur et statim munda efficitur mater, quae genuit eum; purgatam namque vitiis carnem ex resurrectione recipiet. Si vero nihil in se habuit virile adversum peccatum, sed remissus et effeminatus fuit in actibus suis, cuius peccatum tale
15 est, quod *non remittatur neque in praesenti saeculo neque in futuro* [a] : iste transit et unam et alteram septimanam

---

3 v. Phil. 3, 3 ‖ w. Ps. 57, 4 ‖ x. Cf. Gal. 5, 2.4 ‖ y. Cf. Lév. 12, 2.5
4 a. Cf. Matth. 12, 32

---

1. Sur le symbolisme des jours, voir la note complémentaire 21.

recevoir et de garder : « C'est nous qui sommes la circoncision, nous qui servons Dieu en esprit[v]. » De plus, considère
la parole du Psaume : « Les pécheurs sont dévoyés dès le
sein maternel[w]. » N'est-elle pas dite de ceux qui reçoivent
cette circoncision dont l'Apôtre nous défend d'être
circoncis ? Et le moment où « les pécheurs sont dévoyés
dès le sein maternel » est celui de leur circoncision, non
dans l'esprit, mais dans la chair. Car « ceux qui sont
circoncis sous la Loi sont déchus de la grâce[x] ».

Devient donc impure « la femme qui reçoit dans son sein
une semence et enfante un enfant mâle ; et celle qui enfante
une fille » sera non seulement impure, mais doublement
impure. Car il est écrit qu'elle reste « deux fois sept jours
dans l'impureté[y] ».

4. Mais pour l'instant, il s'agit de « celle qui enfante un
enfant mâle » : « le huitième jour », le nouveau-né est
circoncis, et elle devient pure. Il est assez difficile, en ce
peu de temps qui reste, d'aborder ce sujet ; en voici
pourtant un aperçu rapide. Dans cette semaine, on peut
voir le temps de la vie présente ; car c'est en une semaine
de jours que le monde fut achevé[1]. En lui, tant que nous
sommes établis dans la chair, nous ne pouvons être d'une
pureté limpide, avant que vienne le huitième jour, c'est-à-
dire avant qu'arrive le temps du siècle futur. En ce jour
toutefois, celui qui est mâle et dont la conduite fut virile, à
l'arrivée même du siècle futur est aussitôt purifié, et
aussitôt rendue pure la mère qui l'a enfanté ; car c'est une
chair purifiée de vices qu'il recevra par la résurrection.
Mais quand on n'a rien eu de viril contre le péché, qu'on a
été sans vigueur et mou dans ses actes, qu'on a un péché
tel qu'il « n'est remis ni dans le siècle présent ni dans le
futur[a] », on passe encore une semaine et une autre dans

Dans les lignes suivantes n'est pas envisagée une éternité des peines
de l'enfer. Cf. *hom.* 14, 3

in immunditia sua et tertia demum incipiente oboriri
septimana purgatur ab immunditia, quam feminam
pariendo contraxit.

20   Hostiae vero, quae pro huiusmodi immunditia iubentur
adhiberi, dupliciter distinguuntur. Primo iubetur *agnus
offerri anniculus sine macula in holocaustum et pullus
columbinus aut turtur pro peccato*[b]. Secunda vero mandatur
hostia : *Si* inquit *non invenerit manus eius quod sufficiat
25 ad agnum, accipiet duas turtures aut duos pullos columbarum,
unum ad holocaustum et alium pro peccato*[c].

Unde et mirum videtur quod oblatio Mariae non
habuerit hostiam primam, id est *agnum anniculum*, sed
secundam, tamquam cuius *manus non suffecerit*[d] ad
30 primam. Sic enim scriptum est de ea : venerunt, inquit,
parentes eius, *ut offerrent* pro eo *hostiam, secundum quod
scriptum est in lege Domini, par turturum aut duos pullos
columbarum*[e]. Sed et in hoc ostenditur verum esse illud,
quod scriptum est quia Christus Iesus *cum dives esset,
35 pauper factus est*[f]. Ideo ergo et matrem, de qua nasceretur,
elegit pauperem et patriam pauperem, de qua dicitur :
Et tu, Bethleem, minima es in milibus Iuda[g] et reliqua.
Verum haec breviter transcurrere cogimur nec singula,
quae sunt scripta, discutere, quoniam quidem festinamus
40 aliquid etiam de legibus leprae, quae recitatae sunt,
pertractare.

5. Invenimus ergo sex species propositas esse de hominum lepra, quae sex species hoc modo describuntur. Aut
enim in *cute corporis fit cicatrix et signum exalbidum fit in*

---

4 b. Cf. Lév. 12, 6 ‖ c. Lév. 12, 8 ‖ d. Cf. Lév. 5, 7 ‖ e. Lc 2, 23.
24 ‖ f. Cf. II Cor. 8, 9 ‖ g. Mich. 5, 2

---

1. La pauvreté de Marie est mentionnée comme un état de fait
plutôt que comme une vertu propre. Mais un état de fait dû au choix
divin qui l'associe à la générosité du Christ Jésus, dont Paul célèbre

son impureté, et c'est seulement à l'aube de la troisième semaine qu'on est purifié de l'impureté que l'on a contractée en enfantant un enfant du sexe féminin.

Offrandes Les victimes qu'on a ordre d'offrir pour ce genre d'impureté se divisent en deux sortes. D'abord, il est ordonné d'offrir « un agneau d'un an, sans tache, pour un holocauste, et un petit de colombe ou une tourterelle en sacrifice pour le péché[b] ». Puis est prescrite une seconde victime : « Si elle ne trouve pas de quoi se procurer un agneau, elle prendra deux tourterelles ou deux petits de colombes, l'un pour l'holocauste, l'autre en sacrifice pour le péché[c]. »

Aussi semble-t-il admirable que l'offrande de Marie n'ait pas comporté la première victime, « un agneau d'un an », mais la seconde, comme si elle n'avait pas eu de quoi offrir la première[d]. Car voici ce qui est écrit d'elle : Ses parents vinrent « offrir pour lui en sacrifice, comme il est écrit dans la Loi du Seigneur, une paire de tourterelles et deux petits de colombes[e] ». De plus, là se manifeste la vérité de ce qui est écrit : le Christ Jésus, « de riche qu'il était, s'est fait pauvre[f] ». C'est pourquoi, la mère dont il naîtrait, il l'a choisie pauvre[1], ainsi qu'une patrie pauvre dont il est dit : « Et toi, Bethléem, tu es le moindre des clans de Judas[g] », etc. Voilà ce que nous sommes contraints d'effleurer brièvement sans examiner une à une les paroles scripturaires, dans notre hâte de commenter quelque peu aussi les lois de la lèpre qu'on vient de lire.

Six espèces de lèpres **5.** Nous trouvons donc présentées six espèces de lèpre humaine, six espèces ainsi décrites. Ou bien « il se forme sur la peau du corps une cicatrice, et une tache blanche se forme sur la peau de son corps, plaie de la

---

1. l'appauvrissement volontaire pour nous. Par sa pauvreté, Marie participe donc à l'exécution du vaste dessein sauveur.

cute corporis eius contagio leprae[a]. Aut *efflorens efflorebit*
5 *lepra et conteget omnem cutem contagio a capite usque ad
pedes eius*[b]. Vel tertia species : *In carnis cute fit ulcus et
sanatur; et fit in loco ipso ulceris cicatrix alba*[c]. Aut *in
carnis cute fit adustio ignis, et* post haec *sanata adustio erit
lucida alba aut cum rubore candida*[d]. Quinta species, *cum
10 viro aut mulieri fit in capite aut in barba contagio leprae*[e].
Ultima vero scribitur species, *cum fit in calvitie vel in
recalvatione contagio leprae rubicundae*, quae est *lepra
efflorens in calvitio vel in recalvatione*[f].

Haec, ut compendio expositionis utamur (quoniam-
15 quidem nunc propositum nobis est breviter auditores ex
his, quae recitata sunt, admonere nec est temporis ad
liquidum singula quaeque discutere), referenda mihi
videntur ad unamquamque speciem peccatorum et in
his animae maculae, quae ex peccatis ei accidunt, intuendae.
20 Dicendum igitur primo est designari per haec peccata,
quae in hac vita positi committimus; ex quibus aliqua
curari nunc possunt, aliqua vero non possunt. Secundo vero
et de illis ipsis, quae post hanc vitam nobiscum transeunt,
significari intelligendum est, esse et in ipsis quaedam ita
25 animabus infixa, ut nequeant aboleri; alia vero esse,
quae purgationem possint recipere secundum inspectionem
et iudicium pontificis illius, quem occulta latere non
possunt, quique dispensabit animas singulorum secundum
hoc, quod in iis maculas leprae aut expiabiles aut inex-
30 piabiles viderit.

Cuius rei differentias de praesenti lectione colligere et
per singula, secundum Scripturae huius indicium, quae
possunt nos movere, rimari extemporaneus, ut iam
superius dixi, iste sermo non patitur. Vix enim haec

---

5 a. Cf. Lév. 13, 2 ‖ b. Cf. Lév. 13, 12 ‖ c. Cf. Lév. 13, 18-19 ‖
d. Cf. Lév. 13, 24 ‖ e. Cf. Lév. 13, 29 ‖ f. Cf. Lév. 13, 42

lèpre[a] ». Ou bien « la lèpre bourgeonne et la plaie recouvre toute la peau de la tête aux pieds[b] ». Ou, troisième espèce, « sur la peau de la chair se forme un ulcère et il guérit ; et à la place de l'ulcère, se forme une cicatrice blanche[c] ». Ou bien « sur la peau de la chair, se forme une brûlure par le feu, et ensuite la brûlure guérie sera d'un blanc brillant ou d'un blanc rougeâtre[d] ». Cinquième espèce : « quand chez l'homme ou la femme, se forme sur la tête ou dans la barbe une plaie de lèpre[e] ». Enfin la dernière espèce : « quand il se forme sur la calvitie ou la demi-calvitie une plaie de lèpre rouge », c'est « une lèpre qui bourgeonne sur la calvitie ou la demi-calvitie[f] ».

Les lèpres figurent les péchés

Résumons l'explication ; aussi bien, notre propos actuel est-il de faire un bref rappel aux auditeurs de ce qu'on a lu, et n'est-ce pas le moment de tirer au clair chaque détail. On doit, il me semble, rapporter ces lèpres à chaque espèce de péchés, et voir en elles les taches de l'âme, qui résultent pour elle de ses péchés. D'abord, on doit dire qu'elles figurent ces péchés que nous commettons tant que nous sommes en cette vie, dont certains peuvent être guéris maintenant, mais certains ne le peuvent pas. En second lieu, de ceux qui nous accompagnent après cette vie, il faut comprendre ce qu'on indique : il y en a qui sont fixés dans les âmes au point de ne pouvoir être anéantis ; mais il y en a d'autres qui peuvent recevoir une purification, suivant l'examen et le jugement du Pontife à qui les choses cachées ne peuvent échapper, et qui rétribuera l'âme de chacun dans la mesure où il verra en elle des taches de lèpre aptes ou non à être purifiées.

Principe d'interprétation

Recueillir les caractéristiques de cette distinction à propos de la lecture présente, scruter une à une, selon l'indication de ce passage scripturaire, celles qui peuvent nous émouvoir, ce discours improvisé, comme je l'ai dit plus haut, ne le permet pas. A peine pourraient-elles être

35 multis possent voluminibus digesta componi ab his,
quibus Dominus de lectione Veteris Testamenti *velamen*
abstraxit[g]. Nos ergo pro viribus nostris, quantum proferri
in medium convenit, exsequemur, Apostolo nobis Paulo
pandente intelligentiae viam, qua dicit *legem umbram*
40 *habere futurorum bonorum, non ipsam imaginem rerum*[h],
et secundum id, quod ea, quae de bobus in lege videntur
scripta, non de *bobus, quorum Deo cura non sit*[i], sed de
Apostolis advertenda pronuntiat. In quo consequenti
utique ratione edocemur quod et ea, quae de lepra scribun-
45 tur, *umbra* sit in aliis habens imaginem veritatis. Igitur
adhibeamus primo, si videtur, ipsam Scripturae *umbram*
et tunc de eius veritate requiramus.

In vulneribus corporum, posteaquam curata fuerint,
remanet interdum ipsius vulneris signum, quod cicatrix
50 appellatur. Vix enim est, qui ita curetur, ut nullum
suscepti vulneris residere videatur indicium. Transi nunc
ab ista *legis umbra* ad veritatem eius et intuere, quomodo
anima, quae peccati vulnus acceperit, etiamsi curetur,
tamen habet *cicatricem in loco vulneris*[j] residentem. Quae
55 *cicatrix* non solum a Deo videtur, sed et ab his, qui acce-
perunt ab eo gratiam, qua pervidere possint animae
languores et discernere, quae sit anima ita curata, ut
omni genere vestigium illati vulneris abiecerit, et quae
curata sit quidem, sed ferat adhuc veteris morbi in ipso
60 vestigio cicatricis indicia.

---

48 s. Cf. Procop. (733 Migne = Cod. Monac. 358
fol. 264[v]) : Ὡς γὰρ ἐπὶ τῶν τοῦ σώματος τραυμάτων μετὰ
τὴν θεραπείαν ἡ οὐλὴ τοῦ παθόντος μέρους ἴχνος ἐστίν,
οὕτως ἐπὶ ψυχῆς ἁμαρτούσης, κἂν θεραπευθῇ, λείπεταί τις
5 οἷον οὐλὴ ὑπὸ Θεοῦ θεωρουμένη καὶ τῶν ταῦτα βλέπειν

5 g. Cf. II Cor. 3, 16 ‖ h. Cf. Hébr. 10, 1 ‖ i. Cf. I Cor. 9, 9 ‖ j.
Cf. Lév. 13, 19

mises en ordre dans plusieurs volumes par ceux pour qui
le Seigneur a enlevé « le voile[g] » de la lecture de l'Ancien
Testament. Pour nous, selon nos forces, dans la mesure
où il convient de l'exposer, nous suivrons la voie de
l'intelligence que l'apôtre Paul nous ouvre : « La Loi
possède l'ombre des biens à venir, non l'image même des
réalités[h] » ; et d'après sa sentence : ce qui paraît écrit au
sujet des bœufs dans la Loi ne doit pas être compris « des
bœufs dont Dieu n'a cure[i] », mais des apôtres. En quoi,
par une conséquence à coup sûr logique, nous sommes
instruits que ce qui est écrit de la lèpre aussi est « une
ombre », ayant ailleurs l'image de la vérité. Donc,
appliquons-nous d'abord, si vous voulez bien, à l'ombre de
l'Écriture, et ensuite recherchons-en la vérité[1].

1° : dartre et lèpre, « blessures de l'âme », « cicatrices »
Quand il s'agit de blessures corpo-
relles, après la guérison, il reste
parfois une marque de la blessure,
appelée cicatrice. Il est bien rare d'être
guéri au point de ne laisser paraître
aucune trace de la blessure reçue. Or, passe de cette
« ombre de la Loi » à sa vérité, et considère qu'une âme
qui a reçu la blessure du péché, même si elle est guérie, a
néanmoins une cicatrice qui demeure à la place de la
blessure[j]. Cette cicatrice est vue, non seulement par Dieu,
mais encore par ceux qui ont reçu de lui la grâce de
pouvoir discerner les maladies de l'âme et distinguer
l'âme qui est guérie, au point d'avoir rejeté toute sorte de
trace de la blessure infligée, de celle qui est guérie sans
doute, mais porte encore des marques de l'ancienne
maladie dans la trace même de sa cicatrice.

1. Les six sortes de lèpres vont être expliquées comme autant de
cicatrices qui subsistent après la guérison : elles symbolisent les
traces laissées dans l'âme par des péchés commis après le baptême ;
le pécheur en question n'est donc pas le païen ou le catéchumène,
mais le chrétien. Voir la note complémentaire 22.

Quod autem sint quaedam animae vulnera, Esaias docet
dicens : *A pedibus usque ad caput non est vulnus neque
livor neque plaga cum fervore*ᵏ, de delictis haec procul
dubio populi loquens, quia sint aliqui, quibus possit adhuc
65 medicamentum malagmae imponi. Alii vero quod sint in
tantum peccatores, ut iis nec cura possit adhiberi, hoc
modo idem propheta designat : *Non est* inquit *malagma
imponere neque oleum neque alligaturas*¹.

Quod autem *contritio* et *plaga doloris per correptionem*
70 curae causa imponatur animae, Hieremias docet dicens :
*Sic dixit Dominus : suscitavi contritionem, plaga tua cum
dolore, non est qui iudicet iudicium tuum, cum dolore curata
es, utilitas non est in te. Omnes amici tui obliti sunt tui, nec
iam interrogabunt de te; quia plaga inimici percussi te,*
75 *correptione valida, pro omni iniquitate tua, quoniam multi-
plicata sunt peccata tua. Quid vociferaris super contritione
tua? Violentus est dolor tuus, propter multitudinem iniqui-
tatum tuarum praevaluerunt peccata tua et fecerunt tibi
haec. Propterea omnes, qui devorant te, devorabuntur, et*
80 *omnes inimici tui carnes suas devorabunt; et erunt qui te
afflixerunt in afflictione, et omnes, qui devastaverunt te,
dabo in depraedationem; quoniam revocabo sanitatem tuam,
et a vulneris tui dolore revocabo te, dixit Dominus*ᵐ. Memento

λαβόντων ἀπὸ Θεοῦ. Ὅθεν φιλοτιμητέον πᾶν ἴχνος ἀφανίσαι
τοῦ τραύματος τελείαν αὐτῷ τὴν θεραπείαν προσάγοντας,
περὶ ὧν τραυμάτων Ἡσαΐας φησίν · « ἀπὸ ποδῶν ἕως
κεφαλῆς οὔτε τραῦμα οὔτε μώλωψ οὔτε πληγὴ φλεγμαί-
10 νουσα ». Ὅτι δὲ καὶ προσάγεται τισὶν οἱονεὶ μαλάγματα,
οὐ φθάνοντα ἐπὶ τοὺς ἄγαν ἁμαρτωλούς, παρίστησι διὰ
τοῦ · « οὐκ ἔστι μάλαγμα ἐπιθεῖναι οὔτε ἔλαιον οὔτε
καταδέσμους ». Περὶ δὲ « συντριβῆς » καὶ « ἀλγηρᾶς
πληγῆς » ψυχῆς καὶ « μετὰ πόνου θεραπευομένης ἐν παιδείᾳ
15 στερεᾷ », ἕως παντελῶς ἰαθῇ καὶ συνουλώσῃ τὰ τραύματα,
φησὶν Ἱερεμίας · « οὕτως εἶπε Κύριος · ἀνέστησα σύν-
τριμμα, ἀλγηρὰ ἡ πληγή σου · οὐκ ἔστι κρίνων κρίσιν σου,

Qu'il y ait des blessures de l'âme, Isaïe l'enseigne : « Des pieds à la tête il n'est blessure, ni meurtrissure, ni plaie enflammée[k]... », parlant à n'en pas douter des fautes du peuple, car il y a des gens auxquels on peut encore appliquer le remède de l'onguent. Mais que d'autres soient pécheurs au point qu'on ne peut leur appliquer de soin, le même prophète l'indique en ces termes : « On ne peut y appliquer ni onguent, ni huile, ni pansement[l]. »

Et que « l'affliction » et « la plaie de la douleur par correction » soient infligées à l'âme en vue de sa guérison, Jérémie l'enseigne : « Ainsi a parlé le Seigneur : Je t'ai envoyé l'affliction, douloureuse est ta plaie, nul ne plaide ta cause, tu as été traitée avec la douleur, rien qui vaille en toi. Tous tes amis t'ont oubliée, de toi ils n'auront point souci ; car je t'ai frappée d'un coup d'ennemi, d'une correction cruelle, pour toute ton iniquité, parce que tes péchés se sont multipliés. Pourquoi cries-tu à cause de ton affliction ? Violente est ta douleur, par suite de la multitude de tes iniquités, tes péchés se sont accrus et t'ont valu ces malheurs. Eh bien ! tous ceux qui te dévorent seront dévorés, et tous tes ennemis dévoreront leur chair ; ceux qui t'ont affligée seront dans l'affliction, tous ceux qui t'ont pillée, je les livrerai au pillage ; car je ferai revenir ta santé, je te ferai revenir de la douleur de ta blessure, oracle du Seigneur[m]. » Souviens-toi soigneusement des

5 k. Is. 1, 6 ‖ l. Is. 1, 6 ‖ m. Jér. 37 (30), 12-17

diligentius quae audieris a propheta de vulneribus et de
85 cicatricibus et de tumoribus dici. Haec enim nobis necessa-
ria erunt ad expositionem cicatricum vel vulnerum vel
aliorum huiuscemodi, quae in leprae inspectionibus
memorantur.

Addemus tamen adhuc quae et in alio loco idem
90 Hieremias ad animae vulnera et curas, in quibus tamen
vestigia vulnerum resederint post obductam cicatricem,
his sermonibus memorat : *Ecce, ego adducam cicatricem*
eius, et simul curabo eos et manifestabo iis pacem et fidem;
et convertam captivitatem Iuda et captivitatem Hierusalem[n].
95 Si ergo sufficienter a propheta didicimus de vulneribus
et cicatricibus animarum et curis ac sanitatibus, quae
Deo medicante inferuntur, intuere nunc illam animam, de
qua dicit Deus quia *ego adduxi cicatricem eius.* Post
vulnera sine dubio *cicatricem adducit et sanitatem. Et curavi*
100 *eos, et manifestabo iis pacem et fidem*[o]. Si ergo post cogni-
tionem et medicinam Dei, si post *manifestationem pacis*
et fidei, quam per Christum suscepimus, rursum in ista
cicatrice adscendat aliquod peccati prioris indicium aut
signum aliquod erroris veteris innovetur, tunc *fit in cute*
105 *corporis* nostri *contagio leprae*[p] inspicienda per pontificem,
secundum ea quae legislator exposuit.

εἰς ἀλγηρὸν ἰατρεύθης » καὶ τὰ ἑξῆς ἕως οὗ · « ἀπὸ πληγῆς
ὀδυνηρᾶς ἀνάξω σε, λέγει Κύριος » · ἀνθ' οὗ Ἀκύλας καὶ
20 Σύμμαχος ἐξέδωκαν ὅτι « ἀνάξω συνούλωσίν σοι ». Πάλιν
δὲ ἑτέρωθι καὶ κατὰ τοὺς ἑβδομήκοντα φανερῶς Ἱερεμίας
φησίν · « ἰδοὺ ἐγὼ ἀνάγω αὐτῇ συνούλωσιν καὶ ἴαμα,
ἰατρεύσω αὐτοὺς καὶ φανερώσω αὐτοῖς εἰρήνην καὶ πίστιν ·
καὶ ἀποστρέψω τὴν ἀποικίαν Ἰούδα καὶ τὴν ἀποικίαν
25 Ἱερυσαλήμ ». Οὐκοῦν μετὰ οὐλὴν ἢ οὐ τοσοῦτον μὲν ἔχουσαν
τῶν προημαρτημένων ὡς εἶναι οὐλήν, σημασίαν δέ τινα,
ἢ οὐδὲ σημασίαν τρανήν, ἀλλὰ τὴν καλουμένην « τηλαυγῆ »
« γίνεταί » ποτε « ἐν τῷ δέρματι τοῦ χρωτὸς ἀφὴ λέπρας »,
ἐφ' ᾗ νομοθετεῖται τὰ ἐπιφερόμενα.

paroles que tu viens d'entendre du prophète sur les
blessures, les cicatrices, les tumeurs. Elles nous seront
nécessaires pour expliquer les cicatrices, les blessures et
autres maux de ce genre, rappelés dans l'examen de la
lèpre.

Ajoutons encore ce que le même Jérémie, dans un autre
passage sur les blessures et les traitements de l'âme, qui
laissent néanmoins subsister des traces de blessures après
cicatrisation, rappelle en ces termes : « Voici que moi je
vais cicatriser sa plaie ; en même temps je les guérirai et
leur révélerai la paix et la fidélité ; et je ramènerai les
captifs de Juda et les captifs de Jérusalem[n]. » Si donc nous
en avons suffisamment appris du prophète sur les blessures
et les cicatrices des âmes, les soins et les guérisons apportés
par Dieu jouant le rôle de médecin, considère maintenant
cette âme dont Dieu dit : « Moi j'ai cicatrisé sa blessure ».
Après les blessures, à n'en pas douter, « il apporte cicatrisation et santé ». « Et je les ai guéris, et je leur révélerai la
paix et la fidélité[o]. » Si donc après la connaissance et la
médecine de Dieu, si après « la révélation de la paix et de
la fidélité » que nous avons reçue par le Christ, ressort de
nouveau sur cette cicatrice une trace du péché précédent,
ou se renouvelle un signe de l'ancienne erreur, alors « il se
forme sur la peau de notre corps une plaie de lèpre[p] » qui
exige l'examen du pontife, d'après l'explication du
législateur.

6. Secunda vero species est leprae, si *effloruerit* inquit *in cute, ita ut tegat omnem cutem corporis a capite usque ad pedes, per omnia quaecumque sacerdos inspexerit*[a]. Cum ergo *omnem cutem corporis* obtexerit, tunc *mundum* eum
5 esse sacerdos a contagione pronuntiat[b]. Sed *in quacumque die apparuerit in eo color vivus*[c], rursum *iudicatur immundus* per hoc, quod *color in eo vivus apparuit*, quem ante non habuit.

De hoc quidam etiam ante me dixerunt *colorem vivum*
10 indicare rationem vitae, quae in homine est; qua nondum in anima posita si quid illud peccati fiat, non reputatur, pro eo quod videatur nondum rationis capax esse is, qui delinquit; cum autem ratio in eo locum ac tempus invenerit, si quid iam contra rationem agat, videri eum iure culpa-
15 bilem. Nos autem diligentius, quae scripta sunt, contuentes arbitramur magis haec de illis accipienda, quibus vel phrenesi vel furore vel quocumque ex pacto occupatus vel oppressus est sensus et agunt contra rationem. Mundi ergo isti a lepra, id est immunes appellantur a peccato, quia
20 actus sui vel motus non habent sensum. Quod si forte *apparuerit in eo vivus color* corporis, hoc est sensus sui reparata in eo fuerit sanitas et post haec aliquid contra rationem recti iustique gerat, reputari ei peccatum dicitur

------

6. « Καὶ καλύψῃ ἡ λέπρα πᾶν τὸ δέρμα τῆς ἁφῆς ἀπὸ κεφαλῆς ἕως ποδῶν. » Τῶν παλαιῶν τις « χρῶτα ζῶντα » τὸν λόγον ἐλάμβανεν. Οὗ μὴ παρόντος τῇ ψυχῇ, ὅτι ποτ' οὖν ἐὰν γένηται, ἀνέγκλητος ὁ ἁμαρτών, ἀλόγου φέρων κατά-
5 στασιν · εἰ δὲ παρείη λόγος, ὑπεύθυνος. Τί οὖν τὸ « καθ' ὅλου τοῦ σώματος γίνεσθαι τὴν ἁφήν » ; μήποτε τροπικῶς φρενίτιδας ἢ μελαγχολίας δηλοῖ ; μὴ βοηθοῦντος γὰρ τότε

------

6 a. Cf. Lév. 13, 12 || b. Cf. Lév. 13, 13 || c. Cf. Lév. 13, 14

6. Il y a une deuxième sorte de
lèpre : « Si la lèpre bourgeonne sur la
peau au point de couvrir toute la
peau du corps de la tête aux pieds,
partout où le prêtre porte le regard[a]. » Quand donc elle
couvre toute la peau du corps, alors le prêtre le déclare
pur de l'infection[b]. Mais, « au jour où sur lui apparaît une
couleur vive[c] », de nouveau il est déclaré impur, du fait
qu'est apparue sur lui une couleur vive qu'il n'avait pas
auparavant.

Sur ce point, certains avant moi ont dit que la couleur
vive indique le principe de vie qui est dans l'homme[1] ;
quand il n'est pas encore présent dans l'âme, si quelque
péché se produit, il n'est pas imputé, pour ce motif que
celui qui pèche ne semble pas encore capable de raison ;
mais quand la raison a trouvé en lui lieu et date, s'il fait
alors quelque chose contre la raison, il semble à juste titre
coupable. Mais nous, considérant avec plus d'attention ce
qui est écrit, nous pensons plutôt qu'il faut l'entendre de
ceux dont le jugement est prévenu ou obnubilé par le
délire ou la folie ou n'importe quoi de ce genre, et agissent
contre la raison. Dès lors, on les dit purs de lèpre,
c'est-à-dire exempts de péché, parce que leurs actes ou
mouvements sont dépourvus de jugement. Si d'aventure
« apparaît sur lui la couleur vive » de son corps, c'est-à-dire
est réparée en lui la santé du jugement, et qu'ensuite il
accomplit quelque chose contre la nature du droit ou du
juste, on dit que le péché lui est imputé pour autant que

---

1. « Car la coloration saine et vivante de l'âme, qui apparaît
franchement à sa surface, est une pièce à conviction. Lorsque ce
témoin à charge se montre, il dresse une liste de tous les péchés
de l'âme et ne cesse presque de l'injurier, de lui faire honte et de la
gourmander. Ainsi confondue, l'âme comprend un à un chacun
de ses agissements contraire à la droite raison, et découvre sa folie,
son libertinage, son iniquité et toutes les souillures dont elle est
pleine. » PHILON, *Quod Deus sit immut.* 125-126, tr. A. Mosès.

2° lèpre invétérée,
manque
de jugement

ex ea parte, qua *vivus color*, id est sensus in eo vivae
25 rationis, *apparuit.*

7. Tertia lex de leprosis est, *cum in cute corporis ulcus
efficitur et in loco ulceris cicatrix alba cum rubore invenitur*[a].
Ulceris autem causa est, cum in corpore humor sordidus
abundat et noxius. Ita ergo et in anima ulcera intelliguntur
5 ea, quae ex immundis cupiditatibus vel sordidis cogitationibus effervescunt. Quae si forte per fidei gratiam et
remissionem curata sunt peccatorum et sana facta est
anima, residet tamen *cicatrix* et ipsa *cicatrix* non habet
similem corporis colorem, sed est *albidior, lepra* esse
10 pronuntiatur[b]. Ita enim lucida est et clara cupiditas, ut
etiam porro videntibus peccati in se residentis ostendat
indicia, et fortassis *peccati* talis, quod *ad mortem*[c] sit; et
ideo non solum *alba cicatrix* esse, sed et *rubicunda* describitur[d]. Quod vero *humiliorem* ipsam cicatricem dicit
15 *videri*[e], certum est quia huiusmodi macula peccati humilem
et deiectam animam faciat.

λόγου μηδὲ παρούσης αἰσθήσεως πᾶν τὸ πραχθὲν ἢ λεχθὲν
οὐχ ἁμάρτημα, ἀλλ' ὅτε πάρεστιν αἴσθησις.

7. Procop. (735 A Migne = Cod. Monac. 358 fol.
266ʳ) : « Καὶ σάρξ, ἐὰν γένηται ἐν τῷ δέρματι αὐτοῦ
ἕλκος ». Τρίτος νόμος οὗτος περὶ λέπρας, « ἐὰν ἕλκος
ὑγιασθῇ καὶ ἐν τῷ τόπῳ οὐλὴ λευκὴ εὑρεθῇ ». Ὡς γὰρ ἐν
5 σώματι πολλὰ νοσημάτων αἴτια, οὕτω καὶ ἐν ψυχῇ · καὶ
παυσαμένων τῶν τραυμάτων « οὐλὴ λευκὴ » καὶ λεπρώδης
εὑρίσκεται « ἢ πυρρίζουσα » ὡς « ταπεινοτέραν » εἶναι
τῆς λοιπῆς ψυχῆς τὴν τοιαύτην κατάστασιν.

« la couleur vive », c'est-à-dire le jugement de la raison vivante « est apparu » en lui.

3° : lèpre suite d'ulcère, convoitise

7. Il y a une troisième loi pour les lépreux : « Quand sur la peau du corps se forme un ulcère, puis se trouve à la place de l'ulcère une cicatrice d'un blanc rougeâtre[a] ».

Or l'ulcère a pour cause l'abondance d'une humeur malsaine et nocive dans le corps. Donc, de même aussi dans l'âme les ulcères s'entendent du bouillonnement de désirs impurs et de pensées grossières. S'il arrive qu'elles soient guéries par la grâce de la foi et la rémission des péchés et que l'âme soit devenue saine, il subsiste néanmoins une cicatrice[1], et cette cicatrice n'a pas une couleur semblable à celle du corps, mais elle est « plus blanche », on déclare que c'est la lèpre[b]. La convoitise en effet est si luisante et brillante que, même aux spectateurs éloignés, elle manifeste des traces du péché qui subsiste en elle, péché peut-être tel qu'il « mène à la mort[c] » ; c'est pourquoi la cicatrice est dépeinte non seulement « blanche », mais encore « rougeâtre[d] ». Quant à dire que la cicatrice même apparaît « plus creuse[e] », il est certain que ce genre de péché abaisse et ravale l'âme.

7 a. Cf. Lév. 13, 18-19 ‖ b. Cf. Lév. 13, 20 ‖ c. Cf. I Jn 5, 16 ‖ d. Cf. Lév. 13, 19 ‖ e. Cf. Lév. 13, 20

1. Voir le développement sur « les péchés des saints », *In Num. hom.* 10, 1, *GCS* 7, p. 68-71.

8. Quarta erat lex, ubi dicitur quia *si in cute fiat adustio ignis* et post haec, *cum sanata fuerit adustio, ipsa splendida fiat et alba cum rubore vel certe exalbida, et visio eius humilior a reliqua cute* : et hoc dicit esse *lepram, quae in adustione* 5 *effloruerit*[a].

Vide ergo, si non *adustio* est in omni anima, quaecumque recipit *iacula maligni ignita*[b] ; aut si non *igni aduritur* omnis, qui ardet in amore carnali. Istae sunt ergo *adustiones* et *succensiones ignis*. Sed et ille *adustionem* patitur, qui 10 gloriae humanae cupiditate succenditur et qui irae vel furoris aestibus inflammatur. Quod si forte curetur ab his vulneribus anima per fidem et post sanitatem receptam contempto eo, qui dixit : *Ecce, iam sanus factus es, noli peccare, ne quid tibi deterius contingat*[c], incipiat veteris vitii 15 fructus ex obducta cicatrice proferre nec exaequetur cicatrix ad reliqui corporis cutem, sed sit *humilior* et illum adhuc retineat colorem, quem habuit leprae tempore : *lepra* eius *in adustione refloruit* et ideo *immundus* a sacerdote iudicatur[d].

9. Quinta species leprae est, cum *in capite contagio efficitur aut in barba viri sive mulieris, ita ut visio contagionis ipsius humilior sit a cute corporis ; et haec est lepra capitis vel barbae*[a].

---

8. « Κατάκαυμα πυρός ». Μήποτε κατάκαυμά ἐστιν ἐν παντὶ τῷ δεξαμένῳ « βέλος τοῦ πονηροῦ πεπυρωμένον » ; Ἐρᾷ γὰρ οὗτος σαρκός τε καὶ αἵματος, γυναικὸς ἢ παιδός. Τοιοῦτοι καὶ οἱ πρὸς δόξαν μαινόμενοι καὶ ἀργύριον · ψυχὴ 5 γὰρ ἐμπαθὴς ἐπὶ τοιούτοις ἐκκάεται. Κἂν ἀπαλλαγεῖσα τούτων ὑγιασθῇ καὶ μὴ οὕτως ὁμαλίσῃ τὸν τόπον τοῦ πάθους ὡς πρὸ τοῦ πάθους ἐτύγχανεν, ἀλλ' ἢ κατὰ τοῦτο « ταπεινοτέρα », μιαρὰ τῷ νόμῳ δοκεῖ.

9. « Ἐν τῇ κεφαλῇ ἢ ἐν τῷ πώγωνι ». Ὅρα εἰ δύναται « λέπρα » μὲν λαμβάνεσθαι « κεφαλῆς », ὅτε ἀντὶ τοῦ ἔχειν

8. Il y avait une quatrième loi, où
il est dit : « Si sur la peau se forme
une brûlure par le feu », et ensuite,
« une fois la brûlure assainie, elle
devient luisante et d'un blanc rougeâtre, ou du moins
blanchâtre, et apparaît plus creuse que le reste de la
peau » : et c'est là « une lèpre qui a bourgeonné sur la
brûlure[a]. »

*4° : lèpre
après brûlure,
passions*

Vois donc s'il n'y a pas une brûlure dans toute âme qui
a reçu « les traits enflammés du Malin[b] », ou si n'est pas
brûlé par le feu quiconque est embrasé d'un amour charnel.
Voilà les brûlures et les inflammations du feu. C'est
encore souffrir la brûlure que d'être embrasé du désir de
la gloire humaine, et enflammé des ardeurs de la colère et
de la fureur. Arrive-t-il que l'âme guérie de ses blessures
par la foi, une fois la guérison reçue, dédaignant celui qui
a dit : « Te voilà guéri, ne pèche plus de peur qu'il ne
t'arrive un mal pire[c] », commence à présenter des fruits de
l'ancien vice en provenance de la cicatrice, et que la
cicatrice ne soit plus au même niveau que la peau du
reste du corps, mais plus creuse, et retienne encore cette
couleur qu'elle eut au temps de la lèpre ? C'est que « sa
lèpre a de nouveau bourgeonné sur la brûlure » ; aussi
est-on jugé impur par le prêtre[d].

9. Il y a une cinquième sorte de
lèpre : « Quand il se forme une plaie à
la tête ou à la barbe de l'homme ou
(à la tête) de la femme, au point que sa plaie apparaît
plus creuse que la peau du corps, c'est la lèpre de la tête
ou de la barbe[a]. »

*5° : lèpre de la tête,
défaut de maturité*

---

8 a. Cf. Lév. 13, 24.25 ‖ b. Cf. Éphés. 6, 16 ‖ c. Jn 5, 14 ‖ d. Cf.
Lév. 13, 25
9 a. Cf. Lév. 13, 29-30

5 Vide ergo, si potest fieri, ut *lepra capitis* putetur in eo,
qui non habet *caput Christum*[b], sed alium aliquem, verbi
causa, Epicurum voluptatem summum bonum praedi-
cantem; non tibi et caput et barba talis hominis videtur
immunda? Sed et is, qui cum debeat esse vir et agere
10 tamquam perfectus, si forte facile et tamquam puer[c]
vincatur a peccato, etiam ipse *lepram barbae* habere
dicendus est, quia cum vincere deberet malignum et
sacerdotali honore, qui in barba designatur, incedere,
adolescentiae vitiis impeditus *lepram barbae* perpetitur.
15 Mulierem autem animam in Scripturis indicari eam, quae
non tam proferre semen verbi quam suscipere potest,
saepe dictum est; quae *lepram* habere designatur *in
capite*, si virum, qui *caput mulieris*[d] est, id est doctorem
pollutum habeat et immundum, aut Marcionem aut
20 Valentinum aut aliquem eiusmodi sequens.

10. Sexta iam et ultima species leprae ponitur, quae fit
in calvitie vel recalvitie[a]; quae res, quantum ex se ipsis,
mundae sunt. Sic enim dicit et lex : *Si cuius* inquit
defluxerint capilli capitis, calvus est, mundus est. Si autem
5 *a fronte eius defluxerint, recalvus est, mundus est*[b].

_____

« κεφαλὴν Χριστόν », ἄλλον τινά τις λόγον ἐπιγράφηται
κεφαλὴν λεπρὸν καὶ ἀκάθαρτον. Ἀλλὰ καὶ ἐὰν ἤδη τις
5 « γενόμενος ἀνὴρ » καὶ δοκῶν « κατηργηκέναι τὰ τοῦ
νηπίου » ἁμαρτάνῃ, μὴ ὡς « νήπιος », ἀλλ' ἁμαρτίαν
ἀνδρός, τάχα ἔχει « λέπραν ἐπὶ τοῦ πώγονος ». Καὶ γυνὴ
δέ, ψυχὴ ἡ μὴ προετικὴ μὲν λογικῶν σπερμάτων, δεκτικὴ
δέ, ἔχοι ἄν ποτε ἐπὶ τοῦ προσώπου καὶ « τοῦ » ἐν αὐτῇ
10 « πώγονος » ὅπερ ἰδίως παρὰ τὰ πρότερα καὶ « θραῦσμα »
ὠνόμασεν ὁ νόμος.

9 b. Cf. I Cor. 11, 3 ‖ c. Cf. I Cor. 13, 11 ‖ d. Cf. I Cor. 11, 3
10 a. Cf. Lév. 13, 42 ‖ b. Lév. 13, 40

Vois donc si on ne peut attribuer la lèpre de la tête à celui qui n'a pas pour « tête le Christ[b] », mais quelque autre, par exemple Épicure prônant le plaisir comme souverain Bien ; la tête et la barbe d'un tel homme ne te semblent-elles pas impures ? De plus celui qui, quand il devrait être un homme et agir en parfait, si par hasard il est vaincu facilement et comme un enfant[c] par le péché, de lui aussi on doit dire qu'il a « la lèpre de la barbe » ; car, alors qu'il devait vaincre le Malin et progresser avec l'honneur sacerdotal dont la barbe est le symbole, entravé par les vices de l'adolescence, il ne laisse pas de souffrir de la lèpre de la barbe. Et que la femme dans les Écritures symbolise l'âme, moins capable de donner que de recevoir la semence de la parole, on l'a souvent dit[1] ; c'est signifier qu'elle a « la lèpre de la tête » quand pour mari — « tête de la femme[d] » — elle a un docteur corrompu et impur, sectateur de Marcion, Valentin ou quelqu'un de ce genre.

6° : lèpre et calvitie, récidive

10. Enfin, on présente la sixième et dernière sorte de lèpre : celle qui « se forme sur la calvitie ou la demi-calvitie[a] » ; ces dernières, de soi, sont pures. En effet, la loi déclare : « Celui dont les cheveux tombent de la tête est chauve, il est pur. S'ils lui tombent du haut du front, il est demi-chauve, il est pur[b]. »

---

1. Ayant appelé femme enceinte « l'âme qui vient de concevoir la parole de Dieu », Origène s'autorise de la citation de *Gal.* 4, 19 : « Mes petits enfants que j'enfante à nouveau... », pour parler des hommes qui enfantent : « Ils sont donc hommes forts et parfaits, ceux qui enfantent aussitôt qu'ils conçoivent, c'est-à-dire qui font fructifier en œuvres la parole de foi qu'ils viennent de recevoir. L'âme qui, ayant conçu, garde la semence dans son sein et ne met rien au jour, on l'appelle femme, selon le mot du prophète : ' Les douleurs de l'enfantement l'ont atteinte, et elle n'a pas la force de produire son fruit ' (*Is.* 37, 3). » *In Ex. hom.* 10, 3, *GCS* 6, p. 248 s., *SC* 16, p. 225, tr. P. Fortier.

Et convenienter haec referuntur ad animam, ut, cum
ea, quae sui natura mortua sunt, abicit ac deponit, munda
esse dicatur. Sed post hoc si ea, quae prius purificata
fuerant, repullulare sordidius et humilius quam dignitas
10 puritatis expetit, videbuntur, immundam ac leprosam
animam reddent.

Ex hoc iam generaliter de omni leproso, in quo fuerit
contagio leprae et *humilior* videbitur *a reliqua cute*[c] — humilius namque est omne animae vitium a reliquis eius
15 virtutibus — lex, quae *spiritalis est*[d], talia quaedam
decernit : *Vestimenta* inquit *eius dissuta sint et caput eius
revelatum et os eius adopertum*[e].

Per quae designat eum, qui in anima leprosus est, id
est qui peccatis confixus est, non oportere assuere sibi
20 tegumenta et turpitudines operire peccati. Sicut enim is,
cuius *vestimenta dissuta* sunt, nudam atque intectam gerit
turpitudinem corporis, ita oportet eum, qui peccatis
aliquibus obsaeptus est, mala sua et flagitia nullis verborum
assumentis, nullis excusationum velaminibus operire; uti
25 ne fiat *sepulcrum dealbatum, quod deforis quidem apparet
hominibus speciosum, intus autem plenum est ossibus
mortuorum et omni immunditia*[f].

Vult ergo lex divina peccatorem non solum *vestimenta*
non assuere, sed et *caput* non contegere, ut, si quod est
30 capitis delictum, id est si in Deum aliquid commissum est,
si in fide peccatum est, ne haec quidem habeantur obtecta,

---

10 c. Cf. Lév. 13, 30 ‖ d. Cf. Rom. 7, 14 ‖ e. Lév. 13, 45 ‖ f. Cf.
Matth. 23, 27

---

1. Même interprétation, *Sel. in Lev.* 13, 45, *PG* 12, 461 B.
2. « L'expression ' omnibus publicentur ' par elle-même peut
ne pas signifier autre chose que la soumission à la pénitence publique,

On l'applique logiquement à l'âme pour la dire pure quand elle rejette et abandonne ses œuvres mortes par nature. Mais ensuite si, une fois purifiées, elles semblent pulluler de nouveau de façon plus vile et plus basse que n'exige la dignité de la pureté, elles rendent l'âme impure et lépreuse.

Prescriptions aux lépreux Dès lors d'une manière générale, pour tout lépreux sur qui une plaie de lèpre existe et paraît plus creuse que le reste de la peau[c] — en effet, tout vice de l'âme est à un niveau inférieur à toutes ses vertus — la Loi, qui « est spirituelle[d] », fait des prescriptions de cet ordre : « Que ses habits soient déchirés, sa tête découverte et sa bouche voilée[e]. »

— habits déchirés On indique par là que celui qui est lépreux dans l'âme, c'est-à-dire rivé aux péchés, ne doit pas coudre ses habits et couvrir les hontes du péché. Car comme celui dont les vêtements sont décousus porte découverte et nue la honte de son corps, de même faut-il que celui qui est encombré de certains péchés ne couvre ses maux et ses hontes par aucun raccommodage de paroles, aucun voile d'excuses ; qu'ainsi il ne devienne pas « un sépulcre blanchi[1], à l'extérieur de belle apparence aux yeux des hommes, mais à l'intérieur plein d'ossements de morts et d'impuretés de toutes sortes[f] ».

— tête découverte Et la Loi divine veut que le pécheur, non seulement ne couse pas ses habits, mais encore ne couvre pas sa tête, afin que, s'il y a une faute de la tête, c'est-à-dire si l'on a commis une offense à Dieu, s'il y a un péché dans la foi, on ne les tienne pas couverts mais qu'on les manifeste à tous[2] pour que le

qui fait voir que le pénitent est tombé dans le péché mortel. Ce qui ne veut pas dire qu'il fasse une confession détaillée. » K. Rahner, *Doctrine*, p. 264, n. 51.

sed omnibus publicentur, ut interventu et correptione
omnium emendetur et veniam mereatur.

Verum tamen leprosus iste *os* tantummodo iubetur
35 obtegere[g] : quid est hoc quod omnes corporis partes nudas
habere praecipitur et *os* solum iubetur operire ? Nonne
palam est et in aperto positum quod ei, qui in lepra peccati
est, clauditur sermo, clauditur ei *os*, ut fiducia sermonis
et docendi auctoritas excludatur ? *Peccatori* enim *dixit*
40 *Deus : quare tu enarras iustitias meas, et adsumis testamentum meum per os tuum*[h]. Clausum ergo habeat *os* peccator,
quia, qui se ipsum non docuit, docere alium non potest[i];
et ideo *os* suum iubetur operire, qui male agendo loquendi
perdidit libertatem.

45 *Immundus* inquit, *erit, et separatus sedebit foris, extra
castra erit conversatio eius*[j]. Clarum est quod omnis *immundus* abiciatur a conventu bonorum et segregetur a coetu
castrisque sanctorum; et ideo dicit quia : *extra castra erit
conversatio eius.* Quod si forte mundatus fuerit, sponte
50 quidem et a semet ipso non venit ad sacerdotem, sed
offertur, inquit, ab alio nec intrat in castra[k]. Neque enim
conveniens erat, ut *eadem die, qua mundabatur*[l], priusquam
fierent pro eo, quae competebant, *introiret in castra*[m].

Propter quod *sacerdos* inquit *exibit ad eum foras extra
55 castra*[n]. Semper enim ad eum, qui nondum potest *introire
in castra, exit* ille, qui potest *exire extra castra*, qui dicit :
Ego a Deo exivi et veni in hunc mundum[o]. *Exit* ergo ad

---

10 g. Cf. Lév. 13, 45 ‖ h. Ps. 49, 16 ‖ i. Cf. Rom. 2, 21 ‖ j. Lév. 13,
46 ‖ k. Cf. Lév. 14, 4 ‖ l. Cf. Lév. 14, 2 ‖ m. Cf. Lév. 14, 8 ‖ n. Lév. 14,
3 ‖ o. Jn 16, 28

---

1. « Le péché ' contre Dieu ', lorsqu'il est publiquement connu
et est soumis à la pénitence ecclésiastique, obtient ' la *venia* ' par
le moyen de ' l'*interventus omnium* '. Origène ne pourrait s'exprimer

pécheur, grâce à l'intercession et l'admonestation de tous,
s'amende et obtienne le pardon[1].

— **bouche voilée**

Cependant, ce lépreux a ordre de se
voiler uniquement la bouche[g] : que
veut dire cette prescription d'avoir nues toutes les parties
du corps, cet ordre de voiler la seule bouche ? N'est-ce de
toute évidence signifier qu'on coupe la parole à celui qui
est dans la lèpre du péché, qu'on lui clôt la bouche, pour
exclure le crédit de la parole et l'autorité de l'enseignement ?
De fait, « au pécheur Dieu a dit : Pourquoi réciter mes
préceptes et avoir mon alliance à ta bouche[h] ? » Que le
pécheur ait donc la bouche close, car celui qui ne s'instruit
pas lui-même ne peut en instruire un autre[i] ; de là l'ordre
de voiler sa bouche à celui qui, faisant le mal, a perdu la
liberté de parler.

— **demeure
hors du camp**

« Il sera impur et, mis à part,
habitera à l'extérieur, sa demeure
sera hors du camp[j]. » Il est clair que
tout impur est rejeté de la réunion des bons, écarté de
l'assemblée et du camp des saints ; c'est pourquoi on dit
que « sa demeure sera hors du camp ». Et si jamais il est
purifié, il ne vient pas au prêtre à son gré et de lui-même,
mais l'offrande est faite par un autre, et lui n'entre pas au
camp[k]. Car il ne convenait pas que « le jour même où il
était purifié[l] », avant qu'aient lieu pour lui les rites
appropriés, « il entre au camp[m] ».

**Purifications :
a) rites
— « sortie
du prêtre »**

C'est pourquoi, est-il dit, « le prêtre
sortira vers lui à l'extérieur en dehors
du camp[n] ». Pour toujours en effet,
vers celui qui ne peut encore entrer
dans le camp, est sorti celui qui peut « sortir en dehors du
camp », qui déclare : « Moi je suis sorti de Dieu et je suis
venu dans ce monde[o]. » Donc « le prêtre sort vers lui »,

ainsi si cette *venia* n'incluait aussi celle de l'Église. » *Ibid.*, p. 428,
n. 23. Cf. *hom.* 14, 4 fin.

eum sacerdos et considerat, si iam recipit sanitatem, si
a leprae contagione purgatur. Cum autem viderit eum
60 sacerdos, praecipit, ut *accipiantur gallinae duae vivae ei,
qui mundatur, et lignum cedrinum et coccum tortum et
hyssopum*ᵖ.

Videntur mihi etiam hic *duae* istae *gallinae* habere
similitudinem quandam duorum hircorum, ex quibus unus
65 Domino offertur, alius *in eremum* emittitur �q, ita enim et
hic ex duabus gallinis una immolatur et alia *in campum*
dimittitur ʳ. Dat ergo et hic, qui purgatur a lepra, aliquam
partem, quae abiciatur *in eremum*; alia autem pars Domino
offertur pro eo. Nondum tamen hic, qui purgatur a lepra,
70 et offert gallinas, etiam illam ipsam, quae pro eo Domino
offertur, ad altare offert, sicut *turtures aut columbas*ˢ.
Nondum enim *eadem die* is, qui purgatur a lepra, divino
altari dignus efficitur. Propter quod mandat legislator,
ut *eadem die, qua purgatur, accipiantur duae gallinae*ᵗ ad
75 purificationem eius. Puto autem quod et hic illius gallinae
intellectus latenter habeatur, per quam purificatio efficitur

---

63 s. Cf. Procop. (739 A Migne = Cod. Monac. graec.
358 fol. 267ᵛ) : Τὰ δὲ « δύο ζῶντα ὀρνίθια » δοκεῖ τινα
φέρειν ἀναλογίαν πρὸς τοὺς δύο τράγους ὧν ὁ εἷς « τοῦ
ἀποπομπαίου ». Κἀκεῖ γὰρ ὁ εἷς θύεται καὶ ὁ εἷς πέμπεται
5 « εἰς τὴν ἀποπομπὴν » αὐτοῦ. Καθαροὶ δὲ ἄμφω, καθὰ καὶ
τὰ νῦν ὀρνίθια · οὐκ ἀκάθαρτος γὰρ τῇ φύσει, φασί, δεδη-
μιούργηται οὐδὲ ὁ διὰ τὴν αὐτοῦ κακίαν γενόμενος ἀπο-
πομπαῖος. Διὰ μὲν οὖν τὴν ἀπὸ τῆς ἁμαρτίας λέπραν ὀφείλει

examine s'il a déjà recouvré la santé, s'il est purifié de
l'infection de la lèpre. Et quand le prêtre l'a vu, il ordonne
« qu'on prenne pour celui qu'on purifie deux poules
vivantes, du bois de cèdre, un cordon écarlate et de
l'hysope ^p ».

— « deux poules » Ces « deux poules », ici, me paraissent avoir quelque ressemblance avec
les deux boucs, dont l'un est offert au Seigneur, l'autre
envoyé au désert^q ; car de même ici, des deux poules, l'une
est immolée et l'autre, lâchée dans la campagne^r. Et donc
l'offrande de celui qu'on purifie de la lèpre comporte une
part qui est rejetée au désert ; mais l'autre part est offerte
pour lui au Seigneur. Toutefois, qui est purifié de la lèpre
et offre les poules, même celle offerte pour lui au Seigneur,
il ne l'offre pas encore à l'autel, comme « les tourterelles et
les colombes^s ». Car « le jour même », celui qu'on purifie de
la lèpre n'est pas encore rendu digne de l'autel divin. C'est
pourquoi le législateur ordonne que « le jour où il est
purifié, on prenne deux poules^t » pour sa purification. Or
je pense qu'ici encore il y a une signification cachée de
cette poule par laquelle se réalise la purification du pécheur,

τι τῷ ἀποπομπαίῳ καθαριζόμενος, εἰ καὶ ἔφυγε τὴν ἀπὸ τῆς
10 λέπρας ἀκαθαρσίαν · διὰ δὲ τὴν καθαρότητα προσφέρεται
περὶ αὐτοῦ τῶν ὀρνιθίων τὸ ἕτερον. Πλὴν τὰ δύο ἔοικεν

10 p. Lév. 14, 4 ‖ q. Cf. Lév. 16, 10 ‖ r. Cf. Lév. 14, 7 ‖ s. Cf.
Lév. 14, 22 ‖ t. Cf. Lév. 14, 2.4

peccatoris, de qua scriptum est : *Quotiens volui congregare filios tuos, sicut gallina congregat pullos suos sub alis suis, et noluisti*[u] *!*

80   Indiget tamen, ut et per *lignum cedrinum*[v] purificetur is, qui purificatur. Impossibile namque est sine *ligno* crucis peccati lepram posse purgari, nisi adhibeatur et *lignum*, in quo Salvator, sicut Apostolus Paulus dicit, *exuit principatus et potestates, triumphans eos in ligno*[w].

85   Iungitur tamen ad emundationem leprae huius etiam *coccum tortum*, sociatur et *hyssopum*[x]. *Coccum tortum* figuram sacri sanguinis continet, qui de eius latere per *lanceae* vulnus extortus est[y]. *Et hyssopum.* Hoc genus herbae naturam habere medici ferunt, ut diluat et expurget, 90 si quae illae pectori hominum sordes ex corruptione noxii humoris insederint. Unde et necessario in expurgatione peccatorum huiuscemodi graminis figura suscepta est. *Coccum* vero quod saepe sumptum sit ad salutis subsidia, in divinis referri voluminibus invenimus, sicut in partu 95 Thamar, cum *unus* inquit *prior protulit manum. Accipiens*

ἕτερα εἶναι τῷ γένει παρὰ τὰ προσφερόμενα εἰς τὸ θυσιαστήριον, « τρυγόνας ἢ περιστεράς ». Ὁ νεωστὶ γὰρ καθαρισθεὶς οὔπω τοῦ θυσιαστηρίου γέγονεν ἄξιος, ἀλλ' ὅπως ἄξιος 15 γένηται, λαμβάνεται ταῦτα περὶ αὐτοῦ, « ᾗ ἂν ἡμέρᾳ καθαρισθῇ », μηδεμίας ὑπερθήσεως μετὰ τὴν ἡμέραν τοῦ καθαρισμοῦ γινομένης. Δεῖ δὲ καὶ « ξύλῳ » καθαρισθῆναι « κεδρίνῳ », ὅπερ σύμβολον τοῦ σωτηριώδους ξύλου, ἐν ᾧ « ἐθριάμβευσεν ἀπεκδύσας » ἡμᾶς ὁ σώτηρ « τὰς ἀρχὰς καὶ

---

10 u. Matth. 23, 37 ‖ v. Cf. Lév. 14, 4 ‖ w. Cf. Col. 2, 15.14 ‖ x. Cf. Lév. 14, 4 ‖ y. Cf. Jn 19, 34

---

1. Autre symbolisme de l'écarlate, à propos d'*Ex.* 35, 6 : « Voyons donc pourquoi l'écarlate est appelée double. Cette couleur, comme on l'a dit, désigne l'élément du feu. Or le feu a une double propriété :

elle dont il est dit : « Que de fois j'ai voulu rassembler tes
enfants, comme une poule rassemble ses poussins sous ses
ailes, et tu n'as pas voulu[u]. »

— « **bois de cèdre** »   Cependant, celui qu'on purifie a
besoin d'être purifié encore par « du
bois de cèdre[v] ». Sans le bois de la croix, il est impossible
en effet que la lèpre du péché puisse être purifiée, si l'on
n'a également recours au bois sur lequel le Sauveur, comme
dit l'apôtre Paul, « a dépouillé les principautés et les
puissances, triomphant d'elles sur le bois[w] ».

— « **cordon écarlate,**   Cependant, pour la purification de
hysope »   cette lèpre, on joint encore un cordon
écarlate et on y associe de l'hysope[x].
Le cordon écarlate figure le sang sacré qui jaillit de son
côté par la blessure de la lance[y]. « Et de l'hysope. » Cette
espèce d'herbe, au dire des médecins, a la propriété de
dissoudre et d'éliminer toutes les impuretés qui ont pu se
fixer dans la poitrine humaine par la corruption d'une
humeur nocive. D'où l'emploi inévitable d'une telle plante
comme symbole dans la purification des péchés. Et que
l'écarlate fut souvent prise pour aider au salut, nous le
trouvons rapporté dans les divins livres[1], comme à l'accouchement de Thamar : « L'un étendit la main le premier.

---

d'une part il illumine, de l'autre il brûle. Tel est le sens littéral.
Venons-en au sens spirituel. Là encore le feu est double : il y a un feu
dans ce siècle, et un dans le siècle futur. Le Seigneur Jésus dit : ' Je
suis venu jeter un feu sur la terre ' : ce feu-là illumine. Le même
Seigneur dit encore dans le siècle futur ' aux ouvriers d'iniquité ' :
' Allez au feu éternel que mon Père a préparé pour le diable et ses
anges ' : ce feu-ci brûle. Mais ce feu-là que Jésus est venu répandre
illumine ' tout homme venant en ce monde ' ; il a néanmoins aussi
la propriété de brûler comme le reconnaissent ceux qui disent :
' Notre cœur n'était-il pas tout brûlant au-dedans de nous, lorsqu'il
nous ouvrait les Écritures ? ' A la fois donc il brûlait et illuminait
' en ouvrant les Écritures '. Mais je ne sais si le feu qui brûle au siècle
futur a aussi la propriété d'illuminer. » *In Ex. hom.* 13, 4, *GCS* 6,
p. 275, 15 s.

autem obsetrix coccum alligavit in manu eius dicens: hic exibit prior[z]. Sed et Raab meretrix, cum exploratores suscepisset et pactum ab iis salutis acciperet, et illi : *Et pones* inquiunt *signum resticulam coccineam, et alligabis*
100 *eam in fenestra ista, per quam deposuisti nos*[aa].

Observa tamen et illud, quod non ipse sacerdos immolare gallinam dicitur; nondum enim dignus est hic, qui fuit leprosus, ut ipse sacerdos pro eo immolet. Propter quod nec sanguis gallinae offertur ad altare, sed dicit quia
105 *occidetur gallina in vasculo fictili, in quo vase aqua viva sit missa*[ab], ut et aqua adsumatur ad purificationem et compleatur plenitudo mysterii in *aqua et sanguine*, quod dicitur *exisse de latere* Salvatoris[ac], et nihilominus, quod Iohannes in epistola sua ponit et dicit purificationem fieri
110 *in aqua et sanguine et Spiritu*[ad]. Unde et hic video omnia ista compleri. *Spiritus* enim est gallinae istius, quae occiditur, et *aqua viva*, quae in vase est, et *sanguis*, qui super eam diffusus est; non quo per haec iterandam baptismi gratiam sentiamus, sed quod omnis purificatio
115 peccatorum, etiam haec, quae per paenitentiam quaeritur, illius ope indiget, de cuius latere *aqua* processit *et sanguis*.

20 τὰς ἐξουσίας » (omission dans le Monac. graec. 358 : nos penitus in aeternam asserens beatitudinem, Procop. chez Migne). Τοῦ δὲ τιμίου αἵματος διὰ τὸ χρῶμα τὸ « κόκκινον » σύμβολον. Τοιοῦτον καὶ τὸ « δεθὲν » ἐν τῇ γενέσει τοῦ Φαρὲς καὶ τὸ δειχθὲν ἀπὸ Ῥαὰβ τῆς πόρνης τοῖς
25 κατασκόποις « σημεῖον ». Σμηκτικὸς δὲ « ὁ ὕσσωπος ». Οὐκ αὐτὸς δὲ ὁ ἱερεὺς σφάζει τὸ ὀρνίθιον · οὔπω γὰρ ἄξιος ἱερέως « ἐν ἡμέρᾳ τοῦ καθαρίζεσθαι » · ὅθεν οὐδὲ τὸ αἷμα τῷ θυσιαστηρίῳ προσφέρεται · δέχεται δὲ τοῦτο « ἀγγεῖον

10 z. Gen. 38, 28 ‖ aa. Jos. 2, 18 ‖ ab. Cf. Lév. 14, 5 ‖ ac. Cf. Jn 19, 34 ‖ ad. Cf. I Jn 5, 6.8

La prenant, l'accoucheuse lui noua un fil écarlate à la main en disant : Celui-ci sera le premier sorti[z]. » De plus, quand Rahab la courtisane eut accueilli les espions et reçu d'eux une promesse de salut, ceux-ci dirent : « Tu placeras comme signe une cordelette écarlate et tu la noueras à la fenêtre par laquelle tu nous as fait descendre[aa]. »

— « eau vive » Observe pourtant ceci : on ne dit pas que le prêtre en personne immole la poule ; car celui qui fut lépreux ne mérite pas encore que le prêtre immole pour lui. Aussi, le sang de la poule n'est-il pas offert à l'autel, mais on dit : « La poule sera tuée sur un vase d'argile dans lequel a été versée de l'eau vive[ab]. » Ainsi même l'eau sera prise pour la purification, et la plénitude du mystère s'accomplira dans « l'eau et le sang » qui « jaillirent du côté » du Sauveur[ac], comme il est dit ; et Jean l'affirme également dans son Épître, disant que la purification s'opère « dans l'eau, le sang et l'Esprit[ad] ». Aussi vois-je ici tout cela s'accomplir. « L'Esprit » est (le souffle) de cette poule qu'on tue, « l'eau vive », celle qui est dans le vase, et « le sang », celui qu'on répand au-dessus d'elle ; non point que nous jugions par là que la grâce du baptême doive être réitérée, mais que toute purification des péchés, même celle que l'on recherche par la pénitence[1], a besoin du secours de celui du côté duquel sortirent « l'eau et le sang ». Remarque alors le

---

1. Dans *Jn* 20, 34, plusieurs commentateurs, dès les temps anciens, ont perçu une symbolique sacramentelle : eau-baptême et sang-eucharistie; d'autres y voient la naissance de l'Église, nouvelle Ève, du côté du nouvel Adam. Dans *In Jn* 5, 6, aux deux signes précédents s'ajoute le témoignage de l'Esprit. Origène pense ici à la pénitence. Ailleurs il rapproche du baptême de l'Esprit Saint le baptême de feu pénitentiel, *In Ez. hom.* 5, 1, *GCS* 8, p. 372, 7-12.

Vide ergo, quomodo et *viva gallina et lignum cedrinum et
coccum tortum et hyssopum tingitur in sanguine pulli et aqua
viva*[ae], ut ex hoc aspersus et purificatus ex *aqua et sanguine*,
120 in quo tincta est et illa *gallina*, quae *in campum* emittitur,
et *septiens contra Dominum* respersus[af], is, qui purificatur,
mundus efficiatur ab omni immunditia, qua fuerat ex
leprae contagione possessus.

11. Sed et illud adverte, quomodo, cum superius dixerit :
Haec lex leprosi ; in qua die mundatus fuerit[a], nunc his
omnibus addit et dicit : *et mundus erit*[b]. Si enim semel
abiecta lepra *mundatus est*, quomodo adhuc *mundus erit* ?
5 Sed vide quia, etiamsi mundetur quis a peccato et non sit
iam in opere peccati, ipsa tamen vestigia sceleris commissi
purificatione indigent, et ea, quam exposuimus, et aliis
nihilominus, quae mandantur in consequentibus. Observavimus enim ad hoc, quod scriptum est de lepra : *in qua
10 die mundatus fuerit*[c], post haec inter cetera, quae mandantur, tertio dictum esse : *et mundus erit*[d], et iterum ad

---

ὀστράκινον ὕδατος ζῶντος » προεμβληθέντος, ἵνα γένηται ὁ
30 καθαρισμὸς « ὕδατι καὶ αἵματι », ἅπερ « ἐξῆλθεν ἀπὸ τῆς
πλευρᾶς » τοῦ Σωτῆρος κατὰ τὸν Ἰωάννην, ὃς καί φησιν
ἐν τῇ ἐπιστολῇ τὰ καθαρίζοντα εἶναι « πνεῦμα καὶ ὕδωρ καὶ
αἷμα » · καὶ ἐνταῦθα δὲ « αἷμα καὶ ὕδωρ καὶ » τοῦ σφαγέντος
ὀρνιθίου « τὸ πνεῦμα », δι' ὧν καθαίρεται πρὸς τῇ ἀπὸ τῆς
35 λέπρας καθαρότητι.

11. Ἄνω γὰρ εἶπεν · « ᾗ ἂν ἡμέρᾳ καθαρισθῇ », νυνὶ δέ ·
« καὶ καθαρὸς ἔσται ». Καὶ καθαρθεὶς γὰρ τῆς λέπρας ὅμως

sens dans lequel « une poule vivante, du bois de cèdre, un cordon écarlate et de l'hysope sont trempés dans le sang du poulet et l'eau vive[ae] » : pour qu'aussitôt après, aspergé et purifié par « l'eau et le sang » dans quoi fut trempée la poule qu'on lâche dans la campagne, « et aspergé sept fois devant le Seigneur[af] », celui qu'on purifie devienne pur de toute impureté dont il avait été contaminé par l'infection de la lèpre.

b) degrés   **11.** Mais note encore ceci : après avoir dit plus haut : « Telle est la loi du lépreux au jour de sa purification[a] », à tout cela il ajoute ici : « Et il sera pur[b]. » Si, une fois rejetée la lèpre, il est pur, pourquoi répéter : « Il sera pur » ? C'est que, même si on est purifié du péché et qu'on n'est plus dans l'œuvre du péché, néanmoins les traces de la faute commise ont besoin de purification, soit de celle que nous avons exposée, soit d'autres également qui sont prescrites dans la suite. Nous avons observé à ce propos qu'il est écrit au sujet de la lèpre : « Au jour où il sera purifié[c] », puis que, parmi d'autres prescriptions, il est dit trois fois : « Et il sera pur[d] », et qu'il est de nouveau écrit vers la fin :

ὑπὲρ τοῦ μολυσμοῦ τοῦ φθάσαντος χρόνου δεῖται τοῦ παρόντος καθαρισμοῦ, μᾶλλον δὲ καὶ ἄλλων τριῶν. Εἷς γὰρ

---

10 ae. Cf. Lév. 14, 6 ‖ af. Cf. Lév. 14, 7.16
11 a. Lév. 14, 2 ‖ b. Lév. 14, 7 ‖ c. Lév. 14, 2 ‖ d. Cf. Lév. 14, 7.8.9

ultimum scriptum esse : *et mundabitur*[e]. Unde mihi videtur esse quasdam et in ipsa purificatione differentias et, ut ita dixerim, profectus quosdam purgationum.

15 Potest enim et de illo, qui cessat a peccato, dici : *et mundus erit*[f], sed non statim ita *mundus* videbitur, ut ad summam puritatis accesserit.

Denique addit his, quae dixerat : *In quacumque die mundatus fuerit*[g] : *Et emittetur* inquit *viva gallina in* 20 *campum, et lavabit vestimenta sua is, qui purificatur*[h]; post haec autem *omnem* inquit *pilum radet*; et addit : *et lavabitur in aqua* ; et post haec additur : *et mundus erit*[i]. Neque enim sufficit quod in respersione dixerat : *mundus erit*[j], nisi adiecisset etiam haec.

25 Sordida ergo vestimenta habuit usque adhuc iste, qui purificatur a lepra, etiam post aspersionem et nunc *lavare*[k] ea iubetur. Quae tamen vestimenta non mihi per omnia malae texturae videntur fuisse : alioquin abici ea magis quam lavari praeciperet. In quo ostenditur neque per 30 omnia alienam fuisse a Deo conversationem eius neque pure in Domino et integre custoditam. Non enim lavaret vestimenta, nisi fuissent sordida, nec iterum lotis iis uteretur, si fuissent textrini in omnibus alieni.

------

5 καθαρισμὸς τό · « ᾗ ἂν ἡμέρᾳ καθαρισθῇ » καὶ τρεῖς μεταξὺ τῷ · « καὶ καθαρὸς ἔσται » τρίτον λεγομένῳ δηλούμενοι · καὶ πέμπτος καὶ τελευταῖος διὰ τοῦ · « καὶ καθαρισθή- σεται ». Εἰσὶ γὰρ οἷον καὶ καθαρισμῶν προκοπαὶ πρὶν εἰς τὴν τελείαν ἐλθεῖν καθαρότητα. Μετὰ γοῦν τὴν ἀποστολὴν 10 τοῦ ὀρνιθίου πρῶτον « τὰ ἱμάτια πλύνεται ὁ καθαρισθείς »,

------

11 e. Cf. Lév. 14, 20 ‖ f. Cf. Lév. 14, 7 ‖ g. Lév. 14, 2 ‖ h. Lév. 14, 7-8 ‖ i. Lév. 14, 8-9 ‖ j. Cf. Lév. 14, 7 ‖ k. Cf. Lév. 14, 8

« Et il sera purifié[e] ». D'où il me semble qu'il y a des
distinctions dans la purification même et, pour ainsi dire,
des progrès entre les purifications. Car on peut dire de
celui qui s'éloigne du péché, « et il sera pur[f] », mais il ne
paraîtra pas immédiatement pur au point d'être parvenu
au sommet de la pureté.

Enfin, à ce qu'il avait dit : « Au jour où il sera purifié[g] »,
il ajoute : « il lâchera la poule vivante dans la campagne,
et celui qu'on purifie lavera ses habits[h] ». Il dit ensuite :
« Il rasera tout son poil. » Il ajoute : « Il se lavera dans
l'eau » ; après quoi, on ajoute : « Et il sera pur[i]. » Car il
était insuffisant de dire à propos de l'aspersion « il sera
pur[j] », s'il n'avait ajouté tout cela.

**c) autres rites
— « laver
ses habits »**
Celui qui se purifie de la lèpre, portait jusqu'alors des habits souillés,
même après l'aspersion, et maintenant
il reçoit l'ordre de les laver[k]. Ces habits
toutefois ne me semblent pas avoir été en tous points d'une
mauvaise étoffe ; autrement on lui prescrirait de les jeter
plutôt que de les laver. C'est montrer que sa manière de
vivre n'a été ni en tous points étrangère à Dieu, ni gardée
pure et intacte dans le Seigneur. Car il ne laverait pas ses
habits s'ils n'étaient souillés, et il ne les vêtirait pas de
nouveau une fois lavés, si leur tissu avait été entièrement
détérioré.

Quod autem *radi* iubetur *omnem pilum*[1], puto quod
35 omne quidquid emortui operis animae positae in peccatis
exortum est — hoc enim nunc pili nominantur — iubeatur
abicere. Peccator enim omne, quod ei sive in consilio
natum est sive in verbo sive in opere, expedit, si vere
purificari vult, ut eradat et abiciat nec residere aliquid
40 patiatur. Sanctus autem servare debet omnem capillum
et, si possibile est, *nec adscendere* debet *ferrum super caput
eius*, ne abscidere aliquid de cogitationibus eius sapientibus
aut dictis aut operibus possit. Inde denique est quod et
Samueli *ferrum* dicitur *non adscendisse super caput*[m] ; sed
45 et omnibus Nazareis[n], qui sunt iusti, quia iustus sicut
scriptum est, *omnia quaecumque fecerit, prosperabuntur,
et folia eius non decident*[o]. Hinc et discipulorum Domini
etiam *capilli capitis* dicuntur *esse numerali*[p], hoc est
omnes actus, omnes sermones, omnes cogitationes eorum
50 servantur apud Deum, quia iustae, quia sanctae sunt.
Peccatorum vero omne opus, omnis sermo, omnis cogitatio
debet abscidi. Et hoc est quod dicitur : *Ut omnis pilus
corporis eius radatur et tunc erit mundus*[q].

Sed et hoc observa quod non sufficit ei post purifica-
55 tionem vel *vestimenta lavisse* vel *omnem pilum rasisse*, nisi
et *lotus fuerit in aqua*[r]. Oportet namque eum abicere
omnes sordes, omnem immunditiam non solum de vesti-

εἶτα « πᾶσαν τρίχα ξυρᾶται » καὶ ἐπὶ τούτοις « λούεται
ὕδατι », μεθ᾽ ὃ ἐπιφέρεται τό · « καὶ καθαρὸς ἔσται », ὡς
ἐκτὸς τούτων οὐκ ἂν ἀρκέσαντος τοῦ ῥηθέντος ἐπὶ τοῦ
ῥαντισμοῦ · « καὶ καθαρὸς ἔσται ». Καὶ μετὰ τὸν ῥαντισμὸν
15 γὰρ ῥυπαρὰ εἶχε τὰ ἱμάτια. Ἅπερ εἴη ἂν πολιτεία μὴ
πάντῃ κακῶς ὑφασμένη, ἐπεὶ κἂν ἀπέθετο ταῦτα. « Τρίχες »

---

11 l. Cf. Lév. 14, 9 ‖ m. I Sam. 1, 11 ‖ n. Cf. Nombr. 6, 5 ‖ o. Cf.
Ps. 1, 3 ‖ p. Cf. Matth. 10, 30 ‖ q. Cf. Lév. 14, 9 ‖ r. Cf. Lév. 14, 9

— « raser son poil »

Quant à l'ordre de « raser tout son poil[1] », je pense que c'est toute œuvre morte sortie de l'âme établie dans le péché — c'est ici ce qu'on nomme « poil » — qu'il ordonne d'enlever[1]. Pour le pécheur, tout ce qui est né dans sa pensée, dans sa parole, dans son action, il est préférable, s'il veut être vraiment purifié, qu'il l'enlève, l'arrache et n'en laisse rien subsister. Mais le saint doit garder toute sa chevelure et, si possible, « le rasoir » ne doit point « passer sur sa tête », pour qu'il ne puisse enlever quelque chose de ses sages pensées, paroles ou actions. De là vient par exemple que « le rasoir n'est pas passé sur la tête » de Samuel[m] ; ni non plus sur celle de tous les Nazaréens[n], qui sont des justes[2], car du juste, comme il est écrit, « tout ce qu'il fait réussira, et son feuillage ne tombera point[o] ». D'où encore, des disciples du Seigneur, il est dit que même « les cheveux de leur tête sont comptés[p] » : c'est dire que toutes leurs actions, toutes leurs paroles, toutes leurs pensées sont conservées auprès de Dieu, parce qu'elles sont justes, qu'elles sont saintes. Des pécheurs, au contraire, toute œuvre, toute parole, toute pensée doit être retranchée. Voilà ce que veut dire : « Que tout le poil de son corps soit rasé, et alors il sera pur[q]. »

— « se laver dans l'eau »

De plus, observe qu'il ne lui suffit pas, après la purification, d'avoir lavé ses habits ou rasé tout son poil, si en outre « il ne se lave dans l'eau[r] ». Il faut en effet qu'il retranche toute souillure, toute impureté, non seulement

1. « Le poil est chose morte, exsangue, sans âme. Celui qui l'offre montre qu'en lui le goût du péché est déjà mort et que dans ses membres ne vit et ne règne plus le péché. » *In Ex. hom.* 13, 5, *GCS* 6, p. 276, 30 s.

2. Dans *Nombr.* 6, 5, il s'agit du naziréat et du nazir. Mais à 6, 19, les *Hexaples* donnent, de Symmaque, au lieu de « sur les paumes du nazir », la leçon « sur les paumes du nazaréen ». Le terme signifie les « sanctifiés », LAGARDE, *Onom. sacra* I, 196, 60.

mentis, sed et de proprio corpore, ut ne qua in eo macula
exstinctae leprae resideat.

60   Tertio ergo nunc purificatus ita demum dignus efficitur
ingredi castra Domini; non tamen continuo permittitur
ei introire domum suam, sed dicitur ut *extra domum suam
maneat septem diebus et radatur omnem pilum capitis et
barbae et superciliorum*[s], quasi non suffecerit quod prius
65   *omnem pilum raserat*[t], nunc additur ut *omnem pilum
capitis et barbae et superciliorum radat*[u]. Idem namque
videbatur dictum in eo, quod dixerat *omnem pilum
radendum.* Sed non mihi videtur inanis esse ista repetitio.
Vult enim peccatorem, posteaquam fuerit mundatus,
70   posteaquam remissionem per paenitentiam acceperit peccatorum, de purgatione *capitis* admonere *et barbae et superciliorum,* velut si diceret ei : *Ecce, iam sanus factus es*[v],
vide ne ultra capitis contrahas culpam. *Capitis* enim
peccatum[w] est aliter quam fides Ecclesiae continet de
75   divinis sentire dogmatibus. In barba vero, ut meminerit
se virilis aetatis deposuisse peccata et conversus fiat sicut
infans. In superciliis autem arrogantiam deicit et male
elatum ad humilitatem Christi inclinat supercilium.
Secundo ergo ad hunc modum *omnis pilus corporis raditur.*
80   Et sicut haec geminantur, ita et *vestimenta* semel in prima
purificatione *lavisse*[x] non sufficit, sed secundo praecipitur,

---

δὲ τὰ ἐξανθήσαντα νεκρὰ τῇ ψυχῇ, αἷς ἐναντίαι αἱ τοῦ
Σαμουὴλ καὶ τῶν Ναζιραίων καὶ αἱ τῶν μαθητῶν « ἠριθμη-
μέναι ». Τῶν γὰρ Ναζιραίων « σίδηρος ἐπὶ τὴν κεφαλὴν
20   οὐκ ἀναβαίνει ». « Πάντα, ὅσα ἂν ποιῶσιν, εὐοδούμενα
πραττόντων ὡς μήτε φύλλον αὐτῶν καρποφορούντων ἀπορ-
ρεῖν ». Ἤδη δὲ καὶ ἀπὸ τοῦ σώματος ὕδατι τὸν μολυσμὸν

---

11 s. Cf. Lév. 14, 8-9 ‖ t. Cf. Lév. 14, 8 ‖ u. Lév. 14, 8-9 ‖ v. Jn 5,
14 ‖ w. Cf. I Jn 5, 16 ‖ x. Cf. Lév. 14, 8

des habits, mais aussi de son corps, pour qu'il ne reste en lui aucune tache de la lèpre disparue.

        Ainsi purifié pour la troisième fois,

— « hors de sa tente » il est enfin digne « d'entrer dans le camp » du Seigneur ; toutefois il ne lui est pas permis d'entrer aussitôt dans sa demeure, mais on dit : « Qu'il reste en dehors de sa tente sept jours, et qu'il rase tout le poil de sa tête, de sa barbe, de ses sourcils.[s] » Comme s'il n'avait pas suffi d'avoir précédemment rasé tout son poil[t], on ajoute maintenant : « Qu'il rase tout le poil de sa tête, de sa barbe, de ses sourcils[u]. » La même chose en effet semblait exprimée quand on avait dit de « raser tout le poil ». Mais cette répétition ne me semble pas vaine. On veut que le pécheur, après avoir été purifié, après avoir reçu la rémission de ses péchés par la pénitence, soit engagé à se purifier la tête, la barbe et les sourcils, comme si on lui disait : « Te voilà bien portant[v] », veille à ne plus contracter de faute de la tête. Le péché de la tête[w], c'est d'avoir des pensées autres que ce que contient la foi de l'Église en matière de doctrines divines[1]. Il se rase la barbe pour se souvenir qu'il a déposé les péchés de l'âge viril et, converti, pour devenir comme l'enfant. Avec les sourcils, il rejette toute arrogance, et il incline vers l'humilité du Christ le sourcil trop hautain. Et une seconde fois, de même manière, « tout le poil de son corps est rasé ». Comme ces rites vont de pair, il ne suffit pas non plus d'avoir lavé ses habits une seule fois dans une première purification[x], on prescrit une seconde fois qu'il « lave ses

---

1. Pour le péché de la tête, cf. *In Jo.* 19, 12, *GCS* 4, p. 312, 25 s. ; *Sel. in Lev.* 14, 19, *PG* 12, 403 B.

ut lavet vestimenta sua et corpus suum aqua, et tunc quarto additur : *et mundus erit*ʸ.

Haec autem fiunt intra castra quidem posito eo, adhuc 85 tamen *extra domum suam*ᶻ. Dicit enim post septem dies : *In die octava assumet sibi duos agnos.* Iam non alius *assumit*, sed ipse *sibi assumit. Duos* inquit *agnos immaculatos, et ovem unam anniculam immaculatam, et tres decimas similaginis conspersae in oleo, et cyathum olei unum*ᵃᵃ, ut post 90 haec quinta purificatione purificatus consummetur.

Ex his ergo *duobus agnis* unus quidem immolatur et dicitur *pro delicto* : *In loco*, inquit *in quo iugulatur pro peccato, et ubi holocaustomata fiunt, in loco sancto*ᵃᵇ. Ecce iam dignus efficitur, ut offerat sacrificium, qui potuit ad 95 quintam purificationem pervenire, et hostia eius *sancta sanctorum*ᵃᶜ fit. Alius autem agnus *holocaustum* efficitur, in quo et *propitiari pro ipso sacerdos* dicitur, *ut purgetur*ᵃᵈ.

Igitur primus *agnus*, qui *pro delicto* est, videtur mihi virtutis ipsius formam tenere, quam assumpsit is, qui erat 100 in peccatis, per quam potuit propellere a se affectum peccandi et malorum veterum paenitudinem gerere; secundus vero *agnus* figuram tenere illius iam recuperatae virtutis, per quam abiectis et procul fugatis omnibus

---

ἀποτίθεται. Μετὰ δὲ τὸ τρίτον « καθαρὸν » γενέσθαι τῆς μὲν παρεμβολῆς ἄξιος γίνεται · εἰς δὲ τὸν ἴδιον οἶκον οὐκ 25 εἰσεῖσιν ἕως « ἡμερῶν ἑπτὰ » καὶ τοῦ πάλιν ξυρηθῆναι. Ὡς μὴ ἀρκούσης τῆς δευτέρας ξυρήσεως ἁπλούστερον εἰρημένης τῆς δευτέρας κατ᾽ ἐξαίρετον ἐχούσης — κεφαλὴν καθαιρομένου διὰ τὰ τῶν δογμάτων κεφαλαιωδέστερα καὶ « πώγωνα » μετ᾽ αὐτὴν ἀποτιθεμένου τὰ τοῦ ἀνδρὸς ἁμαρτήματα, διὰ

habits et son corps dans l'eau », et puis on ajoute une
quatrième fois : « Et il sera pur[y]. »

Cinquième purification

Or ces rites ont lieu quand il est à
l'intérieur du camp, mais toujours
« hors de sa tente[z] ». Car sept jours
après, est-il dit, « au huitième jour, il prendra pour lui deux
agneaux ». Ce n'est plus un autre qui prend, mais lui-même
« prend pour lui ». « Deux agneaux sans tache, une agnelle
de l'année sans tache, trois dixièmes de fleur de farine
trempée dans l'huile et une mesure d'huile[aa] », afin qu'après
cela, par une cinquième purification, il soit parfaitement
purifié.

— « deux agneaux »

De ces deux agneaux, l'un est
immolé, comme il est dit, pour la
faute, « à l'endroit où l'on immole
pour le péché et où se font les holocaustes, dans le lieu
saint[ab] ». Voilà qu'est devenu digne d'offrir le sacrifice
celui qui a pu parvenir à la cinquième purification, et sa
victime est « très sainte[ac] ». Mais l'autre agneau devient
« un holocauste », par lequel « le prêtre fait pour lui-même
un rite propitiatoire afin d'être purifié[ad] ». Alors, le premier
agneau, immolé pour la faute, me semble figurer la vertu
acquise par celui qui était dans le péché, lui permettant de
répudier sa disposition à pécher, et de faire pénitence de
ses anciens maux ; et le second agneau me semble figurer
la vertu désormais recouvrée grâce à laquelle, tous vices

---

11 y. Lév. 14, 9 ‖ z. Cf. Lév. 14, 9 ‖ aa. Lév. 14, 10 ‖ ab. Lév.
14, 13 ‖ ac. Cf. Lév. 14, 13 ‖ ad. Cf. Lév. 14, 19.20

vitiis integrum se et ex integro obtulit Deo et dignus
105 exstitit divinis altaribus.

Ovis autem, quae post agnos assumitur[ae], quantum
conicere in tam difficilibus locis valemus, fecunditatem
puto quod designet eius, qui conversus est a peccato et
totum se obtulit Deo, qua post omnia in bonorum operum
110 foetibus utitur et innocentiae fructibus pollet.

In tria ergo purificationis huius, id est conversionis a
peccato, ratio dividitur. Prima est hostia, qua peccata
solvuntur; secunda est, qua anima convertitur ad Deum;
tertia est fecunditatis et fructuum, quos in operibus pietatis
115 is, qui dicitur conversus, ostendit. Et quia tres istae sunt
hostiae, idcirco subiungit et *tres mensuras decimae similaginis*[af] assumendas, ut ubique intelligamus purificationem
fieri non posse sine mysterio Trinitatis.

Vide autem quod hic in quinta purificatione non
120 assumitur farina, sed iam *similam* habet iste, qui purificatur
a peccatis; *simila* ei adscribitur, unde habeat iam panem
mundum, et haec *oleo conspergitur*. Sed et *oleum* eius ad
duos usus dividitur; unum, quo *simila conspergitur*,
alium, quo sacerdos accipit *integram mensuram cyathi*[ag],
125 ut ait. In quo, ut ego sentio, et panis eius pinguis efficitur

---

30 δὲ « τῶν ὀφρύων » ἅπασαν οἴησιν — οὕτω καὶ « πλύνει
τὰ ἱμάτια » δεύτερον καὶ δεύτερον « λούεται » καὶ οὕτω
« καθαρὸς » τέταρτον ἤδη γίνεται. « Τῇ δὲ ὀγδόῃ » τῆς ἐν
τῇ παρεμβολῇ διαγωγῆς « ἡμέρᾳ » οὐκέτι λήψονται ἕτεροι
αὐτῷ, ἀλλ᾿ αὐτὸς « ἑαυτῷ ἀφήσει ζῷα καὶ ἔλαιον καὶ σὺν
35 ἐλαίῳ σεμίδαλιν » ὡς ἂν ἐν τῇ καθάρσει τελειωθῇ. Καὶ τῆς
« ἐν τόπῳ ἁγίῳ » θυσίας ἄξιος γίνεται ὁ ἐπὶ τὸν πέμπτον
φθάσας καθαρισμὸν καὶ τὸ θῦμα αὐτοῦ « ἅγια ἁγίων » ἐστίν.

rejetés et bannis au loin, il s'offre à Dieu intact et sans partage et se dresse avec dignité devant les autels divins.

— « une agnelle »   L'agnelle, prise après les agneaux[ae], autant qu'on peut le conjecturer dans ces passages difficiles, désigne, je pense, la fécondité de celui qui est converti du péché et s'est offert tout entier à Dieu, laquelle lui permet, après toutes ces purifications, d'enfanter des bonnes œuvres et d'être riche en fruits d'innocence.

Cette purification, c'est-à-dire cette conversion du péché, procède donc en trois étapes. La première victime est celle par laquelle les péchés sont remis ; la seconde, celle par laquelle l'âme se convertit à Dieu ; la troisième, celle de la fécondité et des fruits, manifestés dans les œuvres de piété par le converti. Et c'est parce qu'il y a ces trois victimes qu'on ajoute qu'il faut encore prendre « trois mesures d'un dixième de fleur de farine[af] », pour nous faire comprendre que nulle part la purification ne peut se faire sans le mystère de la Trinité.

— « fleur de farine, huile »   Or, constate-le, ici, dans la cinquième purification, on ne prend pas de farine ; c'est alors de la fleur de farine qu'a celui qui se purifie de ses péchés ; c'est de la fleur de farine qu'on lui prescrit, pour qu'il en tire désormais un pain pur, et « elle est trempée d'huile ». De plus, son huile est répartie entre deux emplois : l'un, où « la fleur de farine est trempée », l'autre, quand le prêtre prend, comme il est dit, « une pleine mesure d'huile[ag] ». Alors, à mon avis, son pain prend une saveur de miséricorde, et l'huile où s'allume

---

11 ae. Cf. Lév. 14, 10 ‖ af. Cf. Lév. 14, 10 ‖ ag. Cf. Lév. 14, 10

pro misericordia et oleum, quo lux vera et scientiae ignis
accenditur, *per manus sacerdotis capiti eius imponitur*[a][h].
Ita enim dicit : *Et statuet* inquit *eum sacerdos, qui mundat
eum, in conspectu Domini, ad ostium tabernaculi testimonii*[a][i].
130 Vide quia sacerdotis est *statuere* eum, qui convertitur a
peccato, ut stabilis esse possit et ultra non fluctuare nec
moveri omni vento doctrinae[a][j]. Statuit ergo eum non solum
intra castra, sed *ad ipsum ostium tabernaculi testimonii
ante Dominum.* Et posteaquam secundum ea, quae superius
135 dicta sunt, offeruntur hostiae pro purificatione, adhibet,
inquit, et *cyathum olei* et separat illud *ante Dominum*[a][k].
Et accipiet inquit *sacerdos de sanguine, et ponet super
extremam auriculam eius dextram et super extremam manum
eius dextram et super extremum pedem eius dextrum*[a][l]. Et
140 post haec, inquit, *accipiet sacerdos* non ipsum cyathum
olei, sed *ex* ipso et *diffundet* inquit *in manum suam
sinistram, et intinget digitum suum sacerdos in oleo, quod
est in manu eius sinistra, et adsperget septiens ante
Dominum*[a][m] ; et iterum : *Ex eo, quod superest in manu eius*
145 *sinistra, imponet super auriculam eius, qui purificatur,
dextram et super extremam manum eius dextram et super
extremum pedem eius dextrum*[a][n] ; et post haec : *Id quod*

Ὁ μὲν οὖν « περὶ πλημμελείας ἀμνὸς » ἀνδραγάθημα
καθαιρετικὸν ἡμαρτημένων · ὁ δὲ « ὁλοκαρπούμενος » ἤδη
40 καρπὸς ἄξιος ὢν καὶ δι' ὅλων ἀνατεθῆναι τῷ Θεῷ τροφὴ
τῷ πυρὶ « τοῦ θυσιαστηρίου » γινόμενος. Μεθ' οὓς « τὸ
πρόβατον » · οἱ παραμείναντες τῇ ψυχῇ τοῦ καθαριζομένου
καρποὶ ἐπ' αὐτὸν ἀναφερόμενοι τὸν καθαριζόμενον. Εἰς δὲ
τὰς τρεῖς θυσίας τά « τρία δέκατα » διαιρεῖται « τῆς

la lumière véritable et le feu de la science « est mise sur sa tête par les mains du prêtre[ah] ».

Rôle du prêtre   Voici ce qu'il déclare : « Le prêtre qui le purifie le placera devant le Seigneur à l'entrée de la tente du témoignage[ai]. » Note qu'il appartient au prêtre de « placer » celui qui se convertit du péché, pour qu'il puisse être stable et n'être plus ballotté ni « à la dérive de tout vent de doctrine[aj] ». Il le place donc, non seulement à l'intérieur du camp, mais « à l'entrée même de la tente du témoignage devant le Seigneur ». Et après l'offrande des victimes pour la purification, effectuée comme on l'a dit plus haut, il prend « la mesure d'huile » et la met à part « devant le Seigneur[ak] ». Puis : « Le prêtre prendra du sang et en mettra sur le lobe de son oreille droite, sur le pouce de sa main droite et sur le pouce de son pied droit[al]. » Ensuite : « Le prêtre prendra », non la mesure même d'huile, mais « de » la mesure et « il en versera dans sa main gauche ; et le prêtre trempera son doigt dans l'huile qui est dans sa main gauche et fera sept fois l'aspersion devant le Seigneur[am] ». Et de nouveau : « Du reste d'huile qui est dans sa main gauche, il en mettra sur l'oreille droite de celui qui se purifie, sur le pouce de sa main droite et sur le pouce de son pied droit[an]. » Enfin :

---

11 ah. Cf. Lév. 14, 18 ‖ ai. Lév. 14, 11 ‖ aj. Cf. Éphés. 4, 14 ‖ ak. Cf. Lév. 14, 10.11 ‖ al. Lév. 14, 14 ‖ am. Lév. 14, 15-16 ‖ an. Lév. 14, 17 *relictum fuerit ex oleo, imponet* inquit *sacerdos de manu sua super caput eius, qui purificatur*[ao].

150 Vides quomodo ultimae et summae purificationis est aurem purificari, ut purus et mundus servetur auditus, et manum dextram, ut munda sint opera nostra nec aliquid immundum his admisceatur et sordidum. Sed et *pedes* purificandi sunt, ut ad opus bonum tantummodo dirigantur 155 nec ultra lapsus iuventutis incurrant.

Septiens autem *respergit sacerdos contra Dominum ex oleo*[ap]. Post omnia etenim, quae pro purificato celebrata sunt, postquam conversus et reconciliatus est Deo, post immolatas hostias ordinis erat, ut et virtutem super eum 160 septemplicem sancti Spiritus invitaret, secundum eum, qui dixerat : *Redde mihi laetitiam salutaris tui, et spiritu principali confirma me*[aq]. Vel certe quoniam peccatorum corda Dominus in Evangelio testatur a *septem daemonibus*[ar] obsideri, competenter *septiens ante Dominum sacerdos* in 165 purificatione *respergit*, ut expulsio *septem spirituum malignorum* de purificati corde *septiens excusso digitis oleo* declaretur.

Sic ergo conversis a peccato purificatio quidem per illa omnia datur, quae superius diximus, donum autem 170 gratiae Spiritus per *olei* imaginem designatur, ut non solum

---

45 σεμιδάλεως » · ἐπὶ τῷ πέμπτῳ καθαρισμῷ οὐκ ἄλευρον δέ φησιν, ἀλλὰ « σεμίδαλιν », ὕλην ἄρτου καθαροῦ · « ἐν ἐλαίῳ δὲ πεφύραται » · φωτὸς δὲ τοῦτο τροφή, οὐχ ἁπλῶς πυρός. Δι' ἑτέρου δὲ « κοτύλης ἐλαίου » πάλιν καθαρίζεται ὁ δεόμενος ἱερέως τοῦ « στήσοντος αὐτὸν » οὐ μόνον ἔσω 50 τῆς παρεμβολῆς ἀλλὰ καὶ « παρ' αὐτὴν τὴν θύραν τῆς σκηνῆς τοῦ μαρτυρίου ἔναντι Κυρίου ».

---

11 ao. Lév. 14, 18 ‖ ap. Cf. Lév. 14, 16 ‖ aq. Ps. 50, 14 ‖ ar. Lc 11, 26

« Et ce qui resterait de l'huile, le prêtre, de sa main, le mettra sur la tête de celui qui se purifie[ao]. »

Tu le vois : la dernière et suprême purification consiste à purifier l'oreille pour que le sens de l'ouïe soit conservé net et pur, ainsi que la main droite, pour que nos œuvres soient pures, et qu'il ne s'y mêle rien d'impur et de souillé. De plus, les pieds doivent être purifiés pour qu'ils se dirigent uniquement vers l'œuvre bonne et ne soient plus exposés aux chutes de la jeunesse.

Sept aspersions « Le prêtre fait sept fois l'aspersion d'huile devant le Seigneur[ap]. » En effet, au terme de tous ces rites célébrés pour le purifié, une fois qu'il est converti et réconcilié avec Dieu après l'immolation des victimes, l'ordre exigeait qu'on appelle sur lui la vertu septuple du Saint-Esprit, d'après celui qui avait dit : « Rends-moi l'allégresse de ton salut, d'un esprit généreux soutiens-moi[aq]. » Ou peut-être, comme le Seigneur atteste dans l'Évangile que les cœurs des pécheurs sont le siège « de sept démons[ar] », convient-il que dans la purification le prêtre fasse « sept fois l'aspersion devant le Seigneur », pour que l'expulsion des « sept esprits malins » hors du cœur purifié soit manifestée par l'huile qui sept fois secouée tombe des doigts.

Ainsi donc, aux convertis du péché, la purification est bien donnée par tout ce que nous avons dit plus haut ; mais le don de la grâce de l'Esprit est signifié par l'image de l'huile[1], afin que celui qui se convertit du péché puisse

---

1. La distinction est nette entre purification des péchés et don de la grâce de l'Esprit. « La purification s'opère par l'aversion du péché, par une progression graduelle, où c'est par son propre effort, même s'il est soutenu par le prêtre, que l'homme se défait du péché et en éteint les suites ; bref, par la pénitence subjective. » K. Rahner, *Doctrine*, p. 440. Ces progrès de purification qui font parvenir « au sommet de la pureté » (*supra*, li. 14 et 16) consistent par exemple à se défaire de tous les péchés et de tous les résidus nocifs en pensée, parole et action (li. 34-40) ; à se défaire de l'arrogance (li. 77 s.) ;

purgationem consequi possit is, qui convertitur a peccato,
sed et Spiritu sancto repleri, quo et recipere priorem
stolam et anulum[as] possit et per omnia reconciliatus Patri
in locum filii reparari, per ipsum Dominum nostrum
175 Iesum Christum, *cui est gloria et imperium in saecula
saeculorum. Amen*[at].

---

11 as. Cf. Lc 15, 22 ‖ at. Cf. I Pierre 4, 11 ; Apoc. 1, 6

à se tourner positivement vers Dieu par la vertu (li. 102 s.) ; à produire
de nouveaux fruits de vertu, (li. 108 s.) C'est seulement après ces purifications (voir le triple *post*, li. 157 s.) que se confère l'Esprit. » *Ibid.*,
n. 61. Voir aussi : « L'Esprit de Dieu repose sur ceux... qui purifient
leurs âmes du péché. » *In Num. hom.* 6, 3, *GCS* 7, p. 32, 22 s. Le
but final de toute pénitence et conversion est la réception de « la
grâce du Saint-Esprit », *In Jos. hom.* 3, 2, *SC* 71, p. 134 s.
    Le processus de la purification pénitentielle s'achèverait par la

non seulement obtenir la purification, mais encore être
rempli de l'Esprit Saint ; et celui-ci lui donne de pouvoir
revêtir la plus belle « robe et l'anneau[as] » et, entièrement
réconcilié avec son Père, d'être rétabli à sa place de fils, par
notre Seigneur Jésus-Christ en personne, « à qui est gloire
et puissance pour les siècles des siècles. Amen[at] ».

collation de l'Esprit. « L'image de l'huile », ici, serait plus qu'une
métaphore désignant le don : il s'agirait d'une onction matérielle,
liturgique, du rite de la réconciliation ; de l'huile, réelle « image »
de (la vérité invisible qu'est) l'Esprit, selon la structure origénienne
de l'allégorie ; ce qui confirmerait l'interprétation donnée à un
passage de l'*hom.* 2, 4 fin. Même si celle-ci n'était pas assurée, l'interprétation d'ensemble ne serait pas remise en cause : telle est l'explication plausible de K. RAHNER, *o.c.*, p. 424-427, 440-441. Que la
réconciliation confère l'Esprit en réincorporant « dans le milieu qui
le possède toujours », « l'Église des saints » ou « le Corps du Christ »,
cf. *ibid.*, p. 446-447.

HOMILIA IX

De sacrificiis repropitiationis, et de *duobus hircis*, quorum
unus sors est Domini et unus apopompaei, qui *dimittitur in
eremum*, et de ingressu pontificis in sancta sanctorum[a].

1. Die propitiationis indigent omnes qui peccaverunt,
et ideo inter sollemnitates legis, quae figuras continent
caelestium mysteriorum, una quaedam sollemnitas habetur,
quae dies propitiationis appellatur. Haec ergo, quae nunc
5 recitata sunt, legislatio est sollemnitatis ipsius, quae
dies, ut diximus, propitiationis vocitata est. Sed videamus
primo quid sibi velit litterae ipsius continentia, ut orantibus
vobis — si tamen ita Domino supplicetis, ut exaudiri
mereamini — possimus accipere gratiam Spiritus, per quam
10 explanare valeamus mysteria, quae continentur in lege.
*Defuncti sunt duo filii Aaron, Nadab et Abiud, cum
offerrent ignem alienum ad altare Domini*[a]. Necesse erat,
ut caelesti doctrina instrueretur Aaron, quomodo eum ad
altare oporteret accedere et quo supplicationum ritu
15 propitium faceret Deum, uti ne etiam ipse incurreret
haec, quae incurrerant filii sui incaute et inconvenienter

Tit. a. Cf. Lév. 16, 30 s.8.10.2 s.
1 a. Cf. Lév. 16, 1

1. Expression en harmonie avec d'autres qui lui seront jointes :
rendre Dieu propice, propitiatoire, victimes propitiatoires, *hom.* 9, 1
et 9. De toute façon elle est préférable à la traduction courante
« jour d'expiation ». Aussi la *TOB* l'évite-t-elle : elle traduit « jour

IX

< JOUR ET SACRIFICES DE PROPITIATION >

Sacrifices de propitiation ; les deux boucs : « à l'un le sort du Seigneur, à l'autre, celui du bouc émissaire qui est chassé au désert ». Entrée du pontife dans le Saint des saints[a].

Propitiation   **1.** Un jour de propitiation est nécessaire à tous ceux qui ont péché ; c'est pourquoi il existe, parmi les solennités de la Loi qui contiennent les figures des mystères célestes, une solennité qu'on appelle le jour de propitiation[1]. Ce qu'on vient de nous lire est la législation de cette solennité, appelée, comme on l'a dit, le jour de propitiation. Voyons d'abord ce que veut dire la teneur de la lettre même : pour que, grâce à vos prières, si toutefois vous suppliez le Seigneur de façon à mériter d'être exaucés, nous puissions recevoir une grâce de l'Esprit qui nous rende capable d'expliquer les mystères contenus dans la Loi.

Lettre   « Les deux fils d'Aaron, Nadab et Abiud, périrent en offrant un feu profane à l'autel du Seigneur[a]. » Il était nécessaire qu'Aaron fût instruit d'une doctrine céleste sur la manière dont il devait s'approcher de l'autel, et sur le rite de supplications par lequel il rendrait Dieu propice, pour ne pas encourir lui-même ce qu'avaient encouru ses fils en s'approchant avec négligence et irrévérence de l'autel de

de grand pardon » ; et pour le verbe au lieu d'« expier » traduit « absoudre ». Voir la note complémentaire 23.

accedentes ad altare Dei, *alienum ignem* et non illum, qui
divinitus datus fuerat, offerentes. Propterea ergo de his hoc
modo praefata est lex : *Et locutus est Dominus ad Moysen,*
20 *posteaquam defuncti sunt duo filii Aaron, dum offerrent*
ignem alienum ante Dominum, et defuncti sunt. Et dixit
Dominus ad Moysen : loquere ad Aaron fratrem tuum, ut
non intret omni hora in sancta interiora, quod est intra velum
ante conspectum propitiatorii, quod est supra arcam testi-
25 *monii, et non morietur*[b].

Ex quo ostenditur quod, si *omni hora introeat sancta*
non praeparatus, non indutus pontificalibus indumentis
neque hostiis, quae statutae sunt, praeparatis neque
propitiato prius Deo, morietur. Et iuste quidem, tamquam
30 qui non fecerit ea, quae convenit fieri antequam accedatur
ad altare Dei. Omnes nos iste sermo contingit, ad omnes
pertinet, quod hic loquitur lex; praecepit enim ut sciamus,
quomodo accedere debeamus ad altare Dei. Altare est
enim, super quod orationes nostras offerimus Deo, ut
35 sciamus, quomodo debeamus offerre, scilicet ut deponamus
vestimenta sordida[c], quae est carnis immunditia, morum
vitia, inquinamenta libidinum. Aut ignoras tibi quoque,
id est omni Ecclesiae Dei et credentium populo, sacerdotium
datum ? Audi, quomodo Petrus dicit de fidelibus : *Genus*
40 inquit *electum, regale, sacerdotale, gens sancta, populus*
in acquisitionem[d]. Habes ergo sacerdotium, quia *gens*
sacerdotalis es, et ideo *offerre debes Deo hostiam laudis*[e],
hostiam orationum, hostiam misericordiae, hostiam pudicitiae, hostiam iustitiae, hostiam sanctitatis. Sed ut haec
45 digne offeras, indumentis tibi opus est mundis et segregatis

---

1 b. Lév. 16, 1.2 ‖ c. Cf. Zach. 3, 4 ‖ d. I Pierre 2, 9 ‖ e. Cf. Hébr.
13, 15

---

1. « L'autel est le symbole de la prière. » *In Num. hom.* 10, 3,
GCS 7, p. 73, 21 s. Dans le même sens déjà : « Car des autels où le

Dieu, en offrant « un feu profane » et non celui qui avait été un don de Dieu. Aussi la Loi fit-elle à ce propos cette déclaration : « Le Seigneur parla à Moïse après la mort des deux fils d'Aaron, qui moururent quand ils offraient un feu profane devant le Seigneur. Et le Seigneur dit à Moïse : Dis à ton frère Aaron de ne pas entrer à toute heure dans le sanctuaire, à l'intérieur du voile, devant le propitiatoire qui est sur l'arche du témoignage ; et il ne mourra pas[b]. »

Sens spirituel Cela montre que « si on entrait à toute heure dans le sanctuaire » sans se préparer, sans revêtir les habits pontificaux, sans apprêter les victimes prescrites, ni rendre d'abord Dieu propice, on mourrait. Et c'est bien à juste titre : pour n'avoir pas fait ce qu'il convient de faire avant de s'approcher de l'autel de Dieu. Nous tous, cette loi nous concerne, à tous s'applique ce que déclare ici la Loi : elle nous prescrit de savoir la manière dont nous devons nous approcher de l'autel de Dieu. Car il y a un autel sur lequel nous offrons à Dieu nos prières[1] : sachons la manière dont nous devons les offrir, à savoir, déposons « les habits souillés[c] » que sont l'impureté de la chair, les vices de la conduite, les souillures des passions. Ou ignores-tu qu'à toi aussi, c'est-à-dire à toute l'Église de Dieu et au peuple des croyants, le sacerdoce est donné ? Entends Pierre qualifier les fidèles : « Race élue, royale, sacerdotale, nation sainte, peuple acquis[d]. » Tu as donc un sacerdoce, puisque tu es « une race sacerdotale » ; par conséquent, « tu dois offrir à Dieu un sacrifice de louange[e]», un sacrifice de prières, un sacrifice de miséricorde, un sacrifice de pureté, un sacrifice de justice, un sacrifice de sainteté. Mais pour faire dignement ces offrandes, tu as besoin

---

feu s'éteint, mais autour desquels danse le chœur des vertus, font la joie de Dieu, non pas ceux où brille la grande flamme des sacrifices — qui n'en sont pas — de ces êtres impies, rappelant seulement leurs ignorances et leurs fautes. » PHILON, *De plant.* 108, tr. J. Pouilloux.

a reliquorum hominum communibus indumentis et ignem
divinum necessarium habes, non aliquem *alienum* a Deo,
sed illum, qui a Deo hominibus datur, de quo Filius Dei
dicit : *Ignem veni mittere in terram, et quam volo ut accen-*
50 *datur*[f]. Si enim non hoc, sed alio et huic contrario igni
utamur, illo, qui *se transfigurat sicut angelum lucis*[g],
eadem sine dubio patiemur, quae *Nadab* passus est *et*
Abiud. Praecepit ergo mandatum divinum, ut instruatur
Aaron, *ne omni hora intret in sancta*[h] ad altare, sed cum
55 fecerit prius ea, quae fieri mandantur, ne forte moriatur.

2. Sed primo omnium ostendamus, quomodo haec, quae
de sacrificiis conscribuntur, *figuras* esse Apostolus dicit et
formas[a], quarum veritas in aliis ostendatur, ne forte
auditores praesumere nos arbitrentur et legem Dei in
5 alium sensum, quam scripta est, violenter inflectere,
quippe si nulla in his, quae asserimus, apostolica praecedat
auctoritas. Paulus ergo ad Hebraeos scribens, eos scilicet,
qui legem quidem legerent et haec meditata haberent
et bene nota, sed indigerent intellectu, qualiter sentiri de
10 sacrificiis debeat, hoc modo dicit : *Non enim in sancta*
manu facta introivit Iesus, exemplaria verorum, sed in
ipsum caelum, ut appareat nunc vultui Dei pro nobis[b].
Et iterum dicit de hostiis : *Hoc enim fecit semel, se ipsum*
hostiam offerendo[c]. Sed quid de his singulatim quaerimus
15 testimonia ? Omnem epistolam ipsam ad Hebraeos scriptam
si qui recenseat et praecipue eum locum, ubi pontificem
legis confert pontifici repromissionis, de quo scriptum est :
Tu es sacerdos in aeternum secundum ordinem Melchisedech[d],
inveniet, quomodo omnis hic locus Apostoli *exemplaria*

---

1 f. Lc 12, 49 ‖ g. Cf. II Cor. 11, 14 ‖ h. Cf. Lév. 16, 2
2 a. Cf. I Cor. 10, 6 ‖ b. Hébr. 9, 24 ‖ c. Hébr. 7, 27 ‖ d. Hébr. 5, 6

d'habits purs, distincts des habits communs du reste des
hommes, tu dois avoir un feu divin, non un feu étranger à
Dieu, mais le feu donné par Dieu aux hommes, dont le
Fils de Dieu dit : « C'est un feu que je suis venu jeter sur
la terre, et comme je voudrais qu'elle soit embrasée[f]. » Car
user, non pas de ce feu mais d'un autre qui lui est contraire,
de celui « qui se déguise en ange de lumière[g] », expose sans
aucun doute à souffrir ce qu'ont souffert Nadab et Abiud.
L'ordre divin a donc enjoint de prévenir Aaron « de ne pas
entrer à toute heure dans le sanctuaire[h] » près de l'autel,
mais après avoir accompli les actes prescrits, pour éviter
de mourir.

2. Avant tout, montrons que ces
« **Figures** descriptions de sacrifices sont, au dire
et types » de l'Apôtre, « des figures et des
types[a] », dont la vérité est montrée en d'autres réalités,
pour que des auditeurs n'aillent pas se figurer que nous
avons des idées préconçues, et infléchissons violemment la
Loi de Dieu dans un autre sens que celui selon lequel elle a
été écrite, comme si dans ce que nous affirmons, ne nous
précédait aucune autorité apostolique. Paul donc, écrivant
aux Hébreux, gens qui certes lisaient la Loi, avaient
médité et bien connu ces passages, mais auxquels manquait
le sens selon lequel on devait interpréter les sacrifices,
s'exprime de la sorte : « Car ce n'est pas dans un sanctuaire
fait à la main, copie du véritable, que Jésus est entré, mais
dans le ciel même, pour paraître désormais devant la face
de Dieu en notre faveur[b]. » Et encore il dit à propos des
victimes : « Car il l'a fait une fois pour toutes, s'offrant
lui-même en victime[c]. » Mais pourquoi en chercher un à un
les témoignages ? C'est toute l'*Épître aux Hébreux* qu'il
faudrait passer en revue, notamment ce passage où elle
compare le pontife de la Loi au pontife de la promesse,
dont il est écrit : « Tu es prêtre pour l'éternité selon l'ordre
de Melchisédech[d]. » On ferait alors cette découverte : tout
ce passage de l'Apôtre montre que les choses décrites dans

20 et *formas* ostendit esse rerum vivarum et verarum illa, quae in lege scripta sunt.

Oportet ergo nos quaerere pontificem, qui *semel in anno*[e], id est per omne hoc praesens saeculum, sacrificium obtulit Deo indutus veste, cuius Domino iuvante, quae
25 sit qualitas, ostendemus.

Tunica inquit *linea sanctificata induetur*[f]. Linum de terra oritur, *tunica* ergo *sanctificata linea* induitur verus pontifex Christus, cum naturam terreni corporis sumit; de corpore enim dicitur quia *terra sit et in terram ibit*[g]. Volens
30 ergo Dominus et Salvator meus hoc, quod *in terram* ierat, resuscitare terrenum suscepit corpus, ut id elevatum de terra portaret ad caelum. Et huius mysterii tenet figuram hoc quod in lege scribitur, ut *linea tunica* pontifex induatur. Sed quod addidit : *sanctificata*, non otiose audiendum est.
35 *Sanctificata* namque fuit *tunica* carnis Christi; non enim erat ex semine viri concepta, sed ex sancto Spiritu generata.

Et femoralia inquit *linea sint super corpus eius*[h]. *Femoralia* indumentum est, quo pudenda corporis contegi et constringi solent. Si ergo adspicias Salvatorem nostrum
40 suscepisse quidem corpus et in corpore positum egisse humanos actus, id est vescendi et bibendi et cetera similia, hoc autem solum opus non egisse, quod ad pudenda corporis pertinet, carnemque eius neque nuptiis neque filiorum procreationi patuisse, invenies, qualiter *femoralia*
45 *linea* sanctificata habuerit, ut vere de ipso dici debeat quia : *Inhonestiora nostra abundantiorem habent honorem*[i]. Considera tamen et ipsum pontificis habitum, quia, quod per naturam minus in eo honestum videtur, indutis

---

2 e. Cf. Lév. 16, 34 ‖ f. Lév. 16, 4 ‖ g. Cf. Gen. 3, 19 ‖ h. Cf. Lév. 16, 4 ‖ i. I Cor. 12, 23

---

1. « Lin », cf. *hom.* 4, 6.
2. « Femoralia », cf. *hom.* 6, 6.

la Loi sont des « copies » et « des types » des réalités
vivantes et véritables.

Vêtements de lin Il nous faut donc chercher le
pontife qui, « une fois dans l'année[e] »,
c'est-à-dire durant tout ce siècle présent, a offert un sacrifice à Dieu, revêtu d'un habit dont nous allons, le Seigneur
aidant, montrer la qualité.

« Tunique » « Il revêtira une tunique sacrée de
lin[f]. » Le lin naît de la terre[1], c'est
donc une tunique sacrée de lin que revêt le Christ, pontife
véritable, quand il assume la nature d'un corps terrestre ;
car il est dit du corps : « Il est terre et il ira en terre[g]. »
Donc, mon Seigneur et Sauveur, voulant ressusciter ce qui
était allé en terre, prit un corps terrestre pour l'élever de
la terre et le porter au ciel. Et la figure de ce mystère est
contenue dans ce passage de la Loi : que le pontife revête
« une tunique de lin ». Mais le terme ajouté, « sacrée », n'est
pas à entendre comme superflu. En effet, la tunique de la
chair du Christ fut sacrée ; car elle n'avait pas été conçue
d'une semence d'homme, mais engendrée par le Saint-
Esprit.

« Bandes de lin » « Et que des bandes de lin soient
sur son corps[h]. » Les bandes[2] sont
de l'étoffe dont on a coutume de couvrir et d'enserrer
les parties sexuelles du corps. Donc, à considérer que notre
Sauveur a bien pris un corps, et que, placé dans un corps,
il accomplit des actes humains comme manger, boire et
autres semblables, et par contre qu'il s'est abstenu du
seul acte qui revient aux parties sexuelles du corps, et que
sa chair ne s'est prêtée ni au mariage ni à la procréation
d'enfants, alors on trouvera dans quel sens il a eu « des
bandes de lin » sacrées, au point que vraiment de lui
s'impose l'expression : « Nos membres les moins honorables
sont entourés de plus d'honneur[i]. » Observons pourtant la
mise même du pontife : de ce qui par nature semble chez
lui moins honorable, une fois les bandes de lin revêtues

femoralibus lineis et zona constrictis etiam secundum
50 litteram de eo convenit dici quia : *Inhonestiora nostra
abundantiorem honestatem habent*. Ita ergo et omnis, qui
in castitate vivens imitatur Christum, hoc solum de
humanis actibus nescientem, etiam ipse *lineis femoralibus
sanctificatis* indutus est et *inhonestioribus* suis *abundantio-*
55 *rem* circumdedit *honestatem*.

Tunica ergo *linea sanctificata* induitur et *femoralia linea*
super corpus eius sunt. Sed ne forte *femoralia* haec, quibus
pudenda conteguntur, resoluta defluant et turpitudinem
revelent ac retegant — *non enim* inquit *facies gradus ad*
60 *altare, ne forte reveletur in his turpitudo tua*[j] —, ne ergo
turpitudo tua defluentibus femoralibus *reveletur, zona,*
inquit, *femoralia constringantur*. Quodam tempore expo-
nentes Iohannem baptistam et alias Hieremiam, quod
Hieremias quidem zonam, Iohannes vero pelliciam zonam
65 circa lumbos habuisse diceretur, sufficienter ostendimus,
quomodo per haec declaretur indicia pars illa corporis
apud huiusmodi viros ita emortua, ut neque *levis* neque
alius quisquam *in lumbis*[k] eorum fuisse crederetur, sed
sola castitas et pura pudicitia.

70 *Zona* ergo pontifex *linea cingitur et cidarim lineam ponit*
super caput suum[l], omnia linea. *Cidaris* quod dicitur,
ornatus quidam est, qui capiti superponitur, quo utitur
pontifex in offerendis hostiis vel ceteri sacerdotes. Sed et
unusquisque nostrum ornare debet caput suum sacerdotali-
75 bus ornamentis. Etenim quoniam *omnis viri caput Christus*
est[m], quicumque ita agit, ut ex actibus suis conferat
gloriam Christo, *caput* suum, *qui est Christus*[n], ornavit.

---

2 j. Ex. 20, 26 ‖ k. Cf. Hébr. 7, 10, 5 ‖ l. Cf. Lév. 16, 4 ‖ m. Cf. I
Cor. 11, 3 ‖ n. Cf. Éphés. 4, 15

---

1. Passages non conservés, ni sur Jean-Baptiste, ni sur Jérémie
dans *In Jer. hom.* 11, 5.

et serrées par la ceinture, même selon la lettre il convient
de dire : « Nos membres les moins honorables sont entourés
de plus d'honneur. » De même donc, tout homme qui,
vivant dans la chasteté, imite le Christ ne connaissant pas
ce seul acte des actes humains, est lui aussi revêtu de
bandes de lin sacrées, et entoure « ses membres les moins
honorables de plus d'honneur ».

« Ceinture »   Il revêt donc « une tunique de lin
                      sacrée, et des bandes de lin » sont
sur son corps. Mais de peur que ces bandes qui couvrent
les parties sexuelles, étant desserrées, ne glissent, et ne
découvrent et révèlent sa nudité — « Tu ne feras point de
marches à l'autel, afin que ta nudité n'y soit pas découverte[j] » — de peur donc que ta nudité ne soit découverte
par le glissement des bandes, « que les bandes soient
serrées par une ceinture ». Montrant naguère à propos de
Jean-Baptiste, et par ailleurs, de Jérémie[1], que Jérémie
avait une ceinture, et Jean une ceinture de peau autour
des reins, selon l'Écriture, nous l'avons suffisamment
établi : par ces signes on déclarait cette partie du corps
chez de tels hommes si mortifiée qu'on ne pouvait croire
qu'il y eût « un lévite » ni un autre quelconque « dans leurs
reins[k] », mais la seule chasteté et la pureté parfaite.

« Tiare »   Le pontife « se ceint d'une ceinture
                   de lin et place sur sa tête une tiare de
lin[l] », tout est en lin. Ce qu'on appelle « tiare » est une
parure placée sur la tête[2], à l'usage du pontife ou des
autres prêtres quand ils doivent offrir des victimes. De
plus, chacun de nous doit orner sa tête d'ornements
sacerdotaux. En effet, puisque « le Christ est la tête de
tout homme[m] », quiconque agit de façon à procurer par
ses actes la gloire au Christ, pare sa « tête qui est le
Christ[n] ». On peut aussi voir un autre sens à cette parure

2. « Tiare », cf. *hom.* 6, 5

Potest et alio modo in nobis intelligi capitis ornatus. Quoniam quidem quod est in nobis primum ac summum
80 et caput omnium, mens est, ad dignitatem pontificis excolet caput suum, si qui mentem suam adornaverit sapientiae disciplinis. Ista igitur sunt, quibus indui praecipitur pontifex, et *ita* demum *introire in sancta*[o], ne haec non habens moriatur.

3. Iam vero de hostiis quaedam quidem ipsius mandantur debere esse pontificis, quaedam vero *a populo sumendae*[a]. Ipsius dicitur *vitulus*, quod est in animalibus pretiosius et robustius; et secundum animal *aries*, quod in ovibus sine
5 dubio pretiosius est. A populo vero munera iubentur offerri : *aries* a principibus et *hirci duo* a populo; unus, qui dimittatur *in eremum*, qui et *apopompaeus* nominatur, et unus, qui Domino efferatur[b].

Si esset omnis populus Dei sanctus et omnes essent
10 beati, non fierent duae sortes super hircis et unus quidem sortem ferret, ut dimitteretur *in eremum*, alius vero ut *Domino* offerretur, sed esset sors una et hostia una Domino soli. Nunc vero quoniam in multitudine eorum, qui accedunt ad Dominum, sunt quidam Domini, alii autem
15 sunt, qui mitti *ad eremum* debeant, id est qui abici merentur et separari ab hostia Domini : propterea pars hostiae, quae offertur a populo, id est unus solus hircus Domino immolatur, alius autem abicitur et *in eremum* dimittitur et *apopompaeus* nominatur. Sors tamen cadit super utrumque,

2 o. Cf. Lév. 16, 3
3 a. Cf. Lév. 16, 3.5 ‖ b. Cf. Lév. 16, 8 s.

1. Les traductions de la Bible indiquent l'origine de l'appellation. Un intérêt renouvelé est porté à son « double sens d'institution rituelle et de mécanisme psychosociologique inconscient et spontané

de la tête chez nous. Puisque ce qui chez nous est premier, sommet et tête de tout, c'est l'esprit, ce sera embellir sa tête en raison de la dignité du pontife, que d'orner son esprit des enseignements de la sagesse. Voilà donc ce qu'on ordonne au pontife de revêtir, et ensuite seulement « d'entrer dans le sanctuaire[o] », pour éviter que, ne l'ayant pas, il ne meure.

Victimes   **3.** Or parmi les victimes, il est prescrit que certaines doivent être des offrandes du pontife, mais certaines « doivent être reçues du peuple[a] ». (Comme don) du pontife, on fixe un jeune taureau, du gros bétail le plus précieux et le plus fort ; et, second animal, un bélier, sans nul doute le plus précieux du petit bétail. Et comme dons du peuple, on ordonne que soient offerts « un bélier » par les chefs, et « deux boucs » par le peuple, l'un qui soit envoyé « dans le désert », nommé encore « bouc émissaire », l'autre qui soit offert au Seigneur[b].

« Deux boucs, deux sorts »   Si tout le peuple de Dieu était saint, si tous étaient bienheureux, il n'y aurait pas deux sorts tirés sur les boucs, dont l'un subirait le sort d'être envoyé « dans le désert », et l'autre celui d'être offert au Seigneur, mais il y aurait un sort unique et une victime unique pour le seul Seigneur. Mais en fait, dans la foule de ceux qui s'approchent du Seigneur, il y en a qui appartiennent au Seigneur, il y en a d'autres qui doivent être envoyés « dans le désert », c'est-à-dire méritent d'être rejetés et séparés de la victime du Seigneur : pour cette raison, une partie de la victime offerte par le peuple, à savoir un seul bouc est immolé au Seigneur, l'autre est rejeté, envoyé dans le désert, et nommé « bouc émissaire[1] ». Cependant le sort tombe sur

qu'il a toujours gardé. » Cf. R. GIRARD, *Des choses cachées depuis la fondation du monde*, p. 154 s.

20 et ille quidem, qui *in eremum* mittitur, dicitur quod ipse
auferat super se peccata filiorum Istrahel et iniustitias eorum
*et iniquitates ipsorum*ᶜ. Non enim ille *hircus*, qui *Domini*
sors efficitur, sed ille, cuius sors est, ut *in eremum* dimitta-
turᵈ, auferre ea dicitur, secundum illud, credo, quod
25 scriptum est : *Dedi commutationem tuam Aegyptum, et*
Aethiopiam, et Soenen pro te, ex quo tu honorabilis factus
*es in conspectu meo*ᵉ.

Peccata igitur eorum, qui paenitentiam egerunt, et
eorum, qui dereliquerunt malitiam, super capita sua
30 suscipiunt hi, qui effecti sunt in sorte eius, qui *in eremum*
dimittitur, qui se ipsos dignos tali ministerio vel huiusmodi
sorte fecerunt. Conveniet autem velut e contrario aptari
his et illud, quod dictum est : *Qui habet, dabitur ei*ᶠ. Sicut
enim qui habet iustitias, additur ei, ita et qui habet
35 peccata in tantum, ut *in sorte apopompaei* inveniatur illius,
qui *in eremum* emittitur, addentur ei ea, quae abstergentur
a sanctis, ut et in ipsis compleatur, quod scriptum est :
Ab eo autem, qui non habet, etiam quod habet auferetur ab
eo, ut ei addatur, *qui habet multas mnas*ᵍ peccatorum.

40 Verum quoniam is, qui *in sorte Domini* est, spem gerit
non in praesenti saeculo, sed in futuro, et cuius *sors*
Dominus est, *cotidie moritur*ʰ : propterea is quidem, super
quem *sors Domini* ceciderit, iugulatur et moritur, ut
sanguine suo purificet populum Dei; ille autem, qui in
45 sortem contrariam ceciderit, non est dignus, ut moriatur,
quia qui *in sorte Domini* est, *non est de hoc mundo*, ille vero
de hoc mundo est et *mundus, quod suum est, diligit*ⁱ. Ideo
non occiditur, nec dignus est iugulari ad altare Dei nec
sanguis eius *ad basim altaris*ʲ meretur effundi.

3 c. Cf. Lév. 16, 21.22 ‖ d. Cf. Lév. 16, 8-10 ‖ e. Is. 43, 3-4 ‖ f.
Matth. 13, 12 ‖ g. Lc 19, 26.24 ‖ h. Cf. I Cor. 15, 31 ‖ i. Cf. Jn 15,
19 ‖ j. Cf. Lév. 1, 15

l'un et l'autre. Celui qui est envoyé « dans le désert », c'est lui qui « emportera sur lui les péchés des fils d'Israël, leurs injustices et leurs forfaits[c] ». Non pas le bouc qui devient « le sort du Seigneur », mais celui dont le sort est « d'être envoyé dans le désert » les emporte[d], selon ce qui, je crois, est écrit : « J'ai donné l'Égypte en rançon pour toi, l'Éthiopie et Soéné à ta place, du fait que tu comptes à mes yeux[e]. »

Ainsi les péchés de ceux qui ont fait pénitence et de ceux qui ont abandonné leur malice retombent sur les têtes de ceux qui ont le sort de celui qui est envoyé « dans le désert », lesquels se sont rendus dignes d'un tel office ou d'un sort de ce genre. Il conviendra de leur appliquer comme à rebours la sentence : « A celui qui a, il sera donné[f]. » Car de même qu'à celui qui a des actes justes, on donne plus, de même à celui qui a des péchés au point de se trouver sous le sort de ce bouc émissaire qu'on envoie dans le désert, on donne en plus ce qui est enlevé aux saints, afin qu'en eux s'accomplisse la parole : « Mais à celui qui n'a pas, même ce qu'il a lui sera retiré », pour qu'on donne en plus à « celui qui a plusieurs mines[g] » de péchés.

Qui est « sous le sort du Seigneur » place son espérance, non dans le siècle présent, mais dans le futur, et qui a pour « sort le Seigneur » « meurt chaque jour[h] » : c'est pourquoi, lui sur qui est tombé « le sort du Seigneur » est immolé et meurt, afin de purifier par son sang le peuple de Dieu ; mais qui est tombé sous le sort contraire n'est pas digne de mourir ; car le premier qui est « sous le sort du Seigneur » « n'est pas de ce monde », mais le second « est de ce monde » et « le monde aime ce qui est à lui[i] ». Aussi n'est-il pas tué, ni digne d'être immolé à l'autel de Dieu, et son sang ne mérite pas d'être répandu « à la base de l'autel[j] ».

4. Sed videamus, quis est hic, qui accipit eum, cuius *sors apopompaei* facta est, ut eum eiciat *in eremum.* *Homo* inquit *paratus accipiet hircum, qui venerit in sortem eius, cui ceciderit sors apopompaei, et abducet eum in* 5 *eremum*ᵃ. Finis sortis istius *eremus* est, id est locus desertus, desertus virtutibus, desertus Deo, desertus iustitia, desertus Christo, desertus omni bono.

Et nos ergo singulos manet sors una e duabus. Aut enim bene agentes *sors Domini* sumus aut male agentes 10 sors nostra nos ducit *ad eremum.* Vis tibi evidenter ostendam, quomodo duae istae sortes semper operentur et unusquisque nostrum aut *sors Domini* aut *sors apopompaei* vel *eremi* fiat ? Considera in Evangeliis illum *divitem* viventem *splendide* et luxuriose et *Lazarum ad ianuam* 15 *eius iacentem ulceribus plenum et cupientem saturari de* *micis, quae cadebant de mensa divitis*ᵇ, qui finis designatur utriusque : *Mortuus est* inquit *Lazarus et abductus est ab* *angelis in sinus Abraham. Similiter autem et dives, et* *abductus est in locum tormenti*ᶜ. Animadvertis evidenter 20 loca sortis utriusque distincta.

Vide etiam qui sunt, qui abducunt; *angeli,* inquit, qui semper *parati* sunt ad abducendum. Ministri enim Dei sunt ad hoc ipsum destinati, qui impleant sortem, quam tibi ipse paraveris. Si enim bene vixeris, si *fregeris esurienti* 25 *panem tuum ex animo,* nudum vestierisᵈ, *rectum iudicium* *iudicaveris*ᵉ, iniquo adversum iniquitatem suam restiterisᶠ

---

4 a. Cf. Lév. 16, 10.21 ‖ b. Cf. Lc 16, 19-21 ‖ c. Lc 16, 22-23 ‖ d. Cf. Is. 58, 10.7 ‖ e. Cf. Jn 7, 24 ‖ f. Cf. Ps. 93, 16

---

1. « Voilà les trépassés parvenus au lieu où chacun d'eux est amené par son génie. Ils s'y sont tout d'abord fait juger, et ceux qui ont eu une belle et sainte vie tout comme les autres. » PLATON, *Phédon* 113 d.

2. Sur les anges, ministres de Dieu, anges des individus, des

Deux destinées   **4.** Mais voyons qui reçoit celui
                         dont le sort est devenu celui du bouc
émissaire, pour l'envoyer « dans le désert ». « Un homme
prêt prendra le bouc venu dans la part de celui auquel est
échu le sort du bouc émissaire, et il le conduira dans le
désert[a]. » La fin où conduit ce sort est « le désert », c'est-à-
dire un endroit déserté, déserté des vertus, déserté de
Dieu, déserté de la justice, déserté du Christ, déserté de
tout bien.

Il ne reste donc pour chacun de nous qu'un de ces deux
sorts. Ou nous faisons le bien et nous sommes « la part du
Seigneur », ou nous faisons le mal, et notre sort nous
conduit au désert. Veux-tu que je te montre à l'évidence
que ces deux sorts agissent toujours et que chacun de nous
devient ou la part du Seigneur, ou la part du bouc émissaire
ou du désert ? Considère, dans les Évangiles, ce « riche »
vivant « dans le faste » et le luxe, et « Lazare gisant à sa
porte, couvert d'ulcères, désirant se rassasier des miettes
qui tombent de la table du riche[b] », et quelle fin on indique
pour l'un et l'autre : « Lazare mourut et fut emmené par
les anges dans le sein d'Abraham. Pareillement mourut le
riche, et il fut emmené dans un lieu de tourments[c]. » Tu
vois mis en évidence les lieux distincts où conduit chaque
sort.

Observe aussi quels sont ceux qui conduisent ; « des
anges » dit-il, qui sont toujours « prêts » à conduire[1]. Ce
sont les ministres de Dieu, chargés de cet office, qui
réalisent le sort que tu t'es préparé[2]. Si ta vie est vertueuse,
si « de bon cœur, tu partages ton pain avec l'affamé », tu
habilles celui qui est nu[d], « tu portes un jugement juste[e] »,
tu résistes au méchant et à sa méchanceté[f], et si tu ne

églises, des nations, au jugement..., cf. *In Num. hom.* 11, 3-5 ; 20, 3-4 ;
In Luc. hom. 13, 3.5, *SC* 87, p. 210 et note. Voir « Angélologie
d'Origène (les anges des nations, les anges et le Christ) », dans
J. DANIÉLOU, *Origène*, p. 219-242.

nec posueris consilium tuum cum his, qui laqueos innocentibus parant[g], *sortem* tuam facies *Dominum*. Si vero libidini servias, *voluptatis amator sis magis quam Dei*,
30 *saeculum diligas*[h], malitiam non oderis[i], *sortem* tuam fecisti *apopompaei*, ut abducaris *in eremum* per manus ministri Dei, qui in hoc ipsum ordinatus a Deo est; et ideo *paratus* appellatur, quia personam nullius erubescit nec divitis nec potentis nec regis nec sacerdotis.

35 Vis autem scire quia ad nos pertinent quae dicuntur ? Animalia haec, quae sortes istas excipiunt, non sunt immunda nec aliena ab altaribus Dei, sed munda sunt et quae in sacrificis offerri solent; ut scias haec figuram tenere non eorum, qui extra fidem sunt, sed eorum, qui
40 in fide sunt; hircus enim animal mundum est et divinis altaribus consecratum. Et tu ergo per gratiam baptismi consecratus es altaribus Dei et animal factus es mundum. Sed si non custodias mandatum illud Domini, quod dixit : *Ecce, sanus factus es ; iam noli peccare, ne quid tibi deterius*
45 *contingat*[j], sed, cum esses mundus, rursum te peccati inquinamento maculasti et ex virtute ad libidinem, ex puritate ad immunditiam declinasti, tuo vitio, cum animal mundum fueris, *sorti* te *apopompaei eremique* tradidisti.

5. Potest fortassis et alio modo *homo paratus* et mundus, qui *abducit eum, cuius sors venit, in eremum*[a], et eo ipso, quo educit eum, quasi qui immundum contigerit, dicitur *lavare vestimenta sua*[b] ad vesperam et esse mundus, etiam
5 ipse Dominus et Salvator noster intelligi ex ea parte, qua naturae nostrae, id est carnis et sanguinis *vestimenta* suscepit, quae *in vesperam laverit*[c]; propter quod et dudum propheta de eo dixerat : *Et vidi Iesum sacerdotem magnum,*

---

partages pas le projet de ceux qui tendent des pièges aux innocents[g], tu obtiendras « pour ta part le Seigneur ». Mais si tu es esclave de la passion, si « tu es ami du plaisir plus que de Dieu », « aimes le siècle[h] », ne hais pas la malice[i], tu fais tienne la part du bouc émissaire, pour être conduit dans le désert par les mains du ministre de Dieu, chargé de cet office par Dieu ; aussi le dit-on « prêt », car il ne respecte la dignité de personne, ni riche, ni puissant, ni roi, ni prêtre.

Or veux-tu savoir que ces paroles nous concernent ? Les animaux auxquels sont dévolus ces sorts ne sont pas impurs ni étrangers aux autels de Dieu, mais ils sont purs, victimes habituelles dans les sacrifices ; ainsi tu sais qu'ils figurent, non pas ceux qui sont hors de la foi, mais ceux qui sont dans la foi ; car le bouc est un animal pur et consacré aux autels divins. Et toi aussi, tu es consacré par la grâce du baptême aux autels de Dieu et tu es devenu un animal pur. Mais si tu ne gardes pas ce commandement du Seigneur : « Te voilà bien portant, ne pèche plus de peur qu'il ne t'arrive un mal pire[j] », mais si, une fois purifié, tu te souilles de nouveau de la tache du péché et te détournes de la vertu vers la débauche, de la pureté vers l'impureté, par ton vice, bien que tu aies été un animal pur, tu te livres « au sort du bouc émissaire et du désert ».

5. Peut-être y a-t-il une autre

« L'homme prêt, notre sauveur » interprétation possible. « L'homme prêt » et pur qui « conduit dans le désert celui auquel est dévolu ce sort[a] », et dont on dit que, du fait qu'il le conduit, comme s'il avait touché quelque chose d'impur, « il lave ses habits[b] » vers le soir et il est pur, s'entend de notre Seigneur et Sauveur en personne : pour cette raison qu'il a pris les habits de notre nature, à savoir de notre chair et de notre sang, qu'il « a lavés vers le soir[c] » ; c'est pourquoi depuis longtemps le prophète avait dit de lui : « Et je vis Jésus le grand prêtre, vêtu

indutum vestimenta sordida, et diabolum stantem a dextris
10 *eius, ut contradiceret ei*[d]. *Lavit* ergo *in vino* — id est in
sanguine suo — *stolam suam*[e] *in vesperam* et factus est
mundus. Et inde fortassis erat quod post resurrectionem
Mariae volenti pedes eius tenere dicebat : *Noli me tangere*[f].
    Vis autem adhuc videre et aliam duarum sortium
15 formam ? Considera duos illos, qui tempore crucis eius
unus a dextris eius et unus a sinistra, pependerunt latrones[g] ;
et vide illum, qui confitebatur Dominum, *sortem* factum
esse *Domini* et abductum esse sine mora *ad paradisum*,
illum vero alium *blasphemantem*[h] *sortem* factum esse
20 *apopompaei*, qui *in eremum* abduceretur inferni. Sed et in
eo, quod dicitur quia *affixit cruci suae principatus et
potestates contrarias et triumphavit eas*[i], *sortem* in his
apopompaei complevit et tamquam *homo paratus abduxit
eas in eremum*. Denique et in Evangelio Dominus dicit :
25 *Quia cum exierit de homine immundus spiritus, vadit per
loca deserta quaerens requiem et non invenit*[j]. Sic ergo
potest et Salvator noster *homo paratus* intelligi, qui
sortem quidem *Domini* Ecclesiam suam fecerit eamque
divino consecrarit altari, *sortem* vero *apopompaei* contrarias
30 fecerit potestates, *spiritus nequitiae et mundi huius rectores
tenebrarum harum*[k], quos, sicut dicit Apostolus, *cum
potestate traduxit triumphans eos in semet ipso*[l]. *Traduxit*.
Quo *traduxit*, nisi *ad eremum*, ad loca deserta ?

---

5 d. Zach. 3, 1.3 ‖ e. Cf. Gen. 49, 11 ‖ f. Jn 20, 17 ‖ g. Cf. Lc
23, 33 ‖ h. Cf. Lc 23, 39-43 ‖ i. Cf. Col. 2, 14.15 ‖ j. Matth. 12, 43
‖ k. Cf. Éphés. 6, 12 ‖ l. Cf. Col. 2, 15

---

1. « C'est assurément pour cela qu'il fallait 'laver sa tunique
dans le vin et son vêtement dans le sang des raisins '. En effet, lui
qui s'est chargé de nos infirmités, a porté nos maladies, a ôté le
péché du monde entier et fait du bien à un si grand nombre, il a
peut-être reçu alors le baptême plus grand que tout ce qui se peut
imaginer chez les hommes et auquel il faisait allusion, je pense,
en disant : ' Il est un baptême dont je dois être baptisé, et comme

d'habits souillés, et le diable debout à sa droite pour
l'accuser[d]. » Donc « il a lavé dans le vin[e] » — son sang —
« sa robe vers le soir » et est devenu pur[1]. D'où peut-être
ce mot à Marie qui voulait lui tenir les pieds après la
résurrection : « Ne me touche plus[f]. »

Veux-tu voir encore une autre figure des deux sorts ?
Considère les deux malfaiteurs qui, à l'heure de sa croix,
« ont été suspendus l'un à sa droite, l'autre à sa gauche[g] » ;
et vois que celui qui professait sa foi au Seigneur est
devenu « la part du Seigneur » et fut conduit sans délai au
paradis, mais que celui qui « blasphémait[h] » est devenu
« la part du bouc émissaire » qui serait conduit au désert
de l'enfer. De plus, il est dit : « Il a cloué à sa croix les
principautés et les puissances hostiles, et a triomphé
d'elles[i] » : de ce fait, il a réalisé en elles le sort du bouc
émissaire, et comme « l'homme prêt, les a conduites dans
le désert ». Enfin, dans l'Évangile, le Seigneur dit : « Lorsque
l'esprit impur est sorti d'un homme, il parcourt des lieux
déserts en quête de repos, et n'en trouve point[j]. » On peut
ainsi voir notre Sauveur comme « l'homme prêt » qui a fait
de son Église « la part du Seigneur » et l'a consacrée au
divin autel, mais « la part du bouc émissaire », il l'a faite
des puissances hostiles[2], « esprits du mal, régisseurs de ce
monde de ténèbres[k] » que, comme dit l'Apôtre, « il a
traînés avec puissance dans son cortège, triomphant d'eux
par lui-même[l] ». « Il les a traînés. » Où les a-t-il traînés,
sinon dans le désert, dans des lieux désertés ?

---

je suis oppressé jusqu'à ce qu'il soit accompli '... Il faut que ceux
selon l'avis desquels son martyre est le baptême suprême, au-dessus
duquel on ne peut en imaginer d'autre, viennent nous dire pourquoi
il dit ensuite à Marie : ' Ne me touche pas '. En effet, après avoir
reçu le baptême parfait dans le mystère de sa passion, il aurait
plutôt dû lui permettre de le toucher. » (Alors signifie : lorsqu'il
est remonté auprès du Père, comme l'indique la suite). *In Jo.* 6, 56,
290 s., *SC* 157, p. 351, tr. C. Blanc. Cf. *hom.* 12, 4 début.

2. « Puissances hostiles », cf. *De princ.* 3, 2, 1, *SC* 268, p. 152.

Sicut enim illi, qui confessus est, aperuit paradisi ianuas
35 dicendo : *Hodie mecum eris in paradiso*[m] et per hoc omnibus
credentibus et confitentibus ingrediendi aditum dedit,
quem prius Adam peccante concluserat — quis enim alius
*romphaeam flammeam versatilem, quae apposita est custodire
lignum vitae*[n] et fores paradisi, poterat dimovere ? Quis
40 alius *Cherubim* pervigili excubans custodia valebat inflectere, nisi ipse solus, cui *data est omnis potestas in caelo et in
terra*[o] ? — ut, inquam, praeter ipsum nemo alius haec
facere potuit, ita *principatus ac potestates* et *rectores
mundi*[p], quos enumerat Apostolus, nemo alius poterat
45 *triumphare* et abducere *in eremum* inferni nisi ipse solus,
qui dixit : *Confidite, ego vici mundum*[q].

Idcirco ergo necessarium fuit Dominum et Salvatorem
meum non solum inter homines hominem nasci, sed etiam
ad inferna descendere, ut *sortem apopompaei* tamquam
50 *homo paratus in eremum* inferni deduceret atque inde
regressus opere consummato adscenderet ad Patrem ibique
plenius apud altare illud caeleste purificaretur, ut carnis
nostrae pignus, quod secum evexerat, perpetua puritate
donaret. Hic ergo est verus dies propitiationis, cum
55 propitiatus est Deus hominibus ; sicut et Apostolus dicit :
Quoniam Deus erat in Christo, mundum reconcilians sibi[r] ;
et iterum de Christo dicit : *Pacificans per sanguinem
crucis suae, sive quae in caelo sunt, sive quae in terra*[s].

Mandatur ergo in lege, ut in die repropitiationis omnis
60 populus *humiliet animam*[t] suam. Quomodo *humiliat*
populus *animam* suam, ipse dicit : *Venient* inquit *dies, cum
auferetur ab iis sponsus, et tunc ieiunabunt in illis diebus*[u].
Plures ergo aguntur dies festi secundum legem. Est quidam

---

5 m. Lc 23, 43 ‖ n. Cf. Gen. 3, 24 ‖ o. Cf. Matth. 28, 18 ‖ p. Cf.
Col. 2, 15. Éphés. 6, 12 ‖ q. Jn 16, 33 ‖ r. II Cor. 5, 19 ‖ s. Col. 1, 20 ‖
t. Cf. Lév. 16, 29 ‖ u. Matth. 9, 15

Car, à celui qui a professé sa foi, il a ouvert les portes du paradis en disant : « Aujourd'hui, tu seras avec moi dans le paradis[m] », et ce faisant, à tous ceux qui croient et professent la foi il a donné accès à l'entrée, jadis fermée par le péché d'Adam. Quel autre en effet pouvait écarter « la flamme de l'épée tournoyante, postée pour garder l'arbre de vie[n] » et les portes du paradis ? Quelle autre sentinelle avait-elle la force de détourner les Chérubins de leur garde incessante, sinon lui seul à qui « a été donnée toute puissance au ciel et sur la terre[o] » ? Eh bien ! de même que, excepté lui, personne d'autre n'a pu le faire, de même, « des principautés et des puissances » et des « régisseurs du monde[p] » qu'énumère l'Apôtre, personne d'autre ne pouvait triompher et les conduire au désert de l'enfer, sinon lui seul qui a dit : « Ayez confiance, moi j'ai vaincu le monde[q]. »

Jour de propitiation, autres solennités   Il fut donc nécessaire que mon Seigneur et Sauveur, non seulement naquît homme parmi les hommes, mais encore descendît aux enfers : pour conduire, comme « l'homme prêt », « la part du bouc émissaire dans le désert », et, revenu de là une fois son œuvre accomplie, pour monter auprès du Père et là, être parfaitement purifié auprès de cet autel céleste, afin de faire donation en pureté perpétuelle du gage de notre chair qu'il avait transportée avec lui. Voilà le véritable jour de propitiation, où Dieu est rendu propice aux hommes ; comme le dit aussi l'Apôtre : « Car c'était Dieu qui dans le Christ se réconciliait le monde[r]. » Et il dit encore du Christ : « Il pacifie par le sang de sa croix soit ce qui est au ciel, soit ce qui est sur terre[s]. »

Il est donc prescrit dans la Loi que tout le peuple humilie son âme au jour de propitiation[t]. Comment le peuple humilie son âme, le Christ le dit : « Viendront des jours où leur sera enlevé l'époux, alors ils jeûneront en ces jours-là[u]. » On célèbre donc plusieurs jours de fête

sollemnis dies in *mense primo*[v], est et alius in *secundo*[w].
65 Sed et in *mense primo* alia sollemnitas Paschae, alia
azymorum, licet coniuncta videatur *azymis Paschae*
sollemnitas; principium etenim azymorum ad finem
Paschae coniungitur[x]. Pascha autem ille solus dies appellatur, in quo *agnus occiditur*[y], reliqui vero azymorum dies
70 appellantur; sic enim dicit : *Facies sollemnitatem azymorum
septem diebus*[z]. Haec ergo est prima sollemnitas.

Post haec *cum* inquit *demessueris messem tuam, et
congregaveris nativitates ex agro tuo, facies diem festum de
initiis fructuum tuorum*[aa]. Qui dies est post septem septi-
75 manas Paschae, id est Pentecoste, cum etiam dici iubetur :
Et mundabis sancta de domo mea[ab].

Post haec in septimo mense aliae aguntur sollemnitates.
Prima die mensis[ac] numenia tubarum, sicut dicit in
Psalmo : *Tuba canite in initio mensis*[ad]. *Decima* vero *die
80 septimi mensis*[ae] ista est sollemnitas repropitiationis. *In
hac* sola *die* pontifex induitur omnibus pontificalibus
indumentis, tunc induitur *manifestationem et veritatem*[af],
tunc ingreditur ad illa inaccessibilia, quo *semel in anno*[ag]
accedi tantummodo licet, id est in *sancta sanctorum*.
85 *Semel* enim *in anno* populum pontifex derelinquens
ingreditur ad eum locum, ubi est *propitiatorium* et super
propitiatorium Cherubim, ubi est et *arca testimonii* et
altare incensi[ah], quo nulli introire fas est nisi pontifici
soli[ai].
90 Si ergo considerem verum *pontificem* meum Dominum
Iesum Christum[aj], quomodo in carne quidem positus per
totum annum erat cum populo, annum illum, de quo ipse
dicit : *Evangelizare pauperibus misit me et vocare annum*

---

5 v. Cf. Ex. 12, 3.(15).18 ‖ w. Cf. Nombr. 9, 11 ‖ x. Cf. Ex. 12,
15.18 ‖ y. Cf. Ex. 12, 6 ‖ z. Cf. Ex. 23, 15 ‖ aa. Ex. 23, 16 ‖ ab. Cf. Ex.
29, 36 ‖ ac. Cf. Nombr. 29, 1 s. ‖ ad. Ps. 80, 4 ‖ ae. Cf. Lév. 16,
29 ‖ af. Cf. Ex. 28, 30 ‖ ag. Cf. Ex. 30, 10 ‖ ah. Cf. Ex. 25, 18-21 ;
27, 1 ; 29, 37 ‖ ai. Cf. Hébr. 9, 7 ‖ aj. Cf. Hébr. 4, 14

d'après la Loi. Il y a une solennité « le premier mois[v] », et
une autre « le second[w] ». Mais dans le premier mois, autre
est la solennité de Pâque, et autre celle des Azymes, bien
que la solennité de Pâque semble jointe aux Azymes ; car
le début des Azymes coïncide avec la fin de Pâque[x]. De
plus, le nom de Pâque désigne le seul jour où est immolé
l'agneau[y], et les autres sont appelés jours des Azymes,
comme il est dit : « Tu célébreras la solennité des Azymes
durant sept jours[z]. » Voilà donc la première solennité.

Il est dit ensuite : « Après avoir fait ta moisson et la
cueillette des fruits de ton champ, tu célébreras la fête des
prémices de tes fruits[aa]. » Ce jour est après les sept semaines
de Pâque, c'est la Pentecôte, où on prescrit encore : « Et
tu purifieras les choses saintes de ma maison[ab]. »

Après cela, au septième mois, on célèbre d'autres
solennités[1]. « Au premier jour du mois[ac] », la nouvelle lune
avec fanfare, comme on dit dans le Psaume : « Sonnez du
cor au mois nouveau[ad]. » Mais au dixième jour du septième
mois[ae], il y a cette solennité de la propitiation. C'est le
seul jour où le pontife revêt tous les habits pontificaux,
alors il revêt « la manifestation et la vérité[af] », alors il
pénètre jusqu'au lieu inaccessible où il a droit d'accéder
seulement « une fois dans l'année[ag] » : le Saint des saints.
C'est « la seule fois dans l'année » où le pontife, laissant
le peuple, entre dans ce lieu où se trouvent le propitiatoire,
et sur le propitiatoire les Chérubins, où sont encore « l'arche
d'alliance » et « l'autel de l'encens[ah] », lieu où il n'est
permis à personne d'entrer sinon au seul pontife[ai].

**Propitiation
véritable**
Si je considère que le véritable
pontife mon Seigneur Jésus-Christ[aj],
établi dans la chair, était durant
toute une année avec son peuple, année dont il dit lui-
même : « Il m'a envoyé annoncer la bonne nouvelle aux

---

1. Pour Pâque, la Pentecôte, l'Ascension, la fête des Tabernacles,
voir J. Daniélou, *Bible et Liturgie*, p. 388-469.

Domini acceptum et diem remissionis[ak], adverto quomodo
95 *semel in* isto *anno*, in die repropitiationis intrat in *sancta
sanctorum*[al], hoc est cum impleta dispensatione *penetrat
caelos*[am] et intrat ad Patrem, ut eum propitium humano
generi faciat et exoret pro omnibus credentibus in se.
Hanc repropitiationem eius, qua hominibus repropitiat
100 Patrem, sciens Iohannes Apostolus dicit : *Haec dico,
filioli, ut non peccemus. Quod et si peccaverimus, advocatum
habemus apud Patrem Christum Iesum iustum; et ipse est
repropitiatio pro peccatis nostris*[an]. Sed et Paulus similiter
de hac repropitiatione commemorat, cum dicit de Christo :
105 *Quem posuit Deus propitiatorium in sanguine ipsius per
fidem*[ao].

Igitur dies propitiationis manet nobis usque quo occidat
sol[ap], id est usque quo finem mundus accipiat. Stamus
enim nos *pro foribus*[aq] opperientes pontificem nostrum
110 commorantem intra *sancta sanctorum*, id est *apud Patrem*[ar],
et exorantem *pro peccatis* eorum, *qui se exspectant*[as], non
pro omnium peccatis exorantem. Non enim exorat pro
his, qui in sortem veniunt eius hirci, qui emittitur *in
desertum*[at]. Pro illis exorat tantum, qui *sunt sors Domini*,
115 qui eum *pro foribus exspectant*, qui *non recedunt de templo,
ieiuniis et orationibus vacantes*[au]. Aut tu putas, qui vix
diebus festis ad Ecclesiam venis nec intentus es ad audienda
verba divina nec das operam ad implenda mandata, quod
possit *sors Domini* venire super te ? Optamus tamen ut

---

5 ak. Is. 61, 1-2 ‖ al. Cf. Ex. 30, 10 ‖ am. Hébr. 4, 14 ‖ an. I Jn 2,
1-2 ‖ ao. Rom. 3, 25 ‖ ap. Cf. Lév. 11, 25 ‖ aq. Cf. Jac. 5, 9 ‖ ar. Cf.
I Jn 2, 1-2 ‖ as. Cf. Hébr. 9, 28 ‖ at. Cf. Lév. 16, 9-10 ‖ au. Cf. Lc 2, 37

---

1. Litt. : « a placé comme propitiatoire ». Dans *In Ep. ad Rom.* 3, 8,
PG 14, on donne les variantes du v. 3, 25 : « Quem proposuit Deus
' propitiatorium ' (sive ' propitiatorem ') (946 C)... Et videtur
' propitiatorium ', hoc est de quo scriptum est in Exodo, ad...
Salvatorem Dominum rettulisse, cum dicit quia nunc ' posuit Deus

pauvres, proclamer l'année de grâce du Seigneur et le
jour de la rémission[ak] », je note que dans cette année, une
seule fois, au jour de propitiation, il entre dans le Saint
des saints[al] : quand, sa mission accomplie, il pénètre dans
le ciel[am] et entre auprès du Père, pour le rendre propice
au genre humain et intercéder pour tous ceux qui croient
en lui. De cette propitiation par laquelle il rend le Père
propice aux hommes, l'apôtre Jean avait conscience, et il
dit : « Mes petits enfants, je vous dis cela pour que nous ne
péchions point. Que si nous péchons, nous avons un
avocat auprès du Père, Jésus-Christ le Juste ; c'est lui qui
est la propitiation pour nos péchés[an]. » De plus, Paul
évoque pareillement cette propitiation, quand il dit du
Christ : « C'est lui que Dieu a établi pour servir de propitiation[1] par son sang, moyennant la foi[ao]. »

Or le jour de propitiation demeure pour nous jusqu'à
ce que le soleil se couche[ap], jusqu'à ce que le monde
prenne fin. Car nous nous tenons « devant la porte[aq] »,
dans l'attente de notre pontife qui s'attarde à l'intérieur
« du Saint des saints », c'est-à-dire « auprès du Père[ar] », et
intercède « pour les péchés de ceux qui l'attendent[as] »,
mais il n'intercède pas pour les péchés de tous. Il n'intercède pas pour ceux qui viennent de la part du bouc envoyé
« dans le désert[at] ». Il intercède seulement pour ceux qui
sont « la part du Seigneur », qui « l'attendent devant la
porte », « qui ne se retirent pas du temple, s'adonnant aux
jeûnes et à la prière[au] ». Ou bien penses-tu, toi qui viens
tout juste à l'Église aux jours de fête, ne prêtes aucune
attention aux paroles divines, ni ne t'appliques à observer
les commandements, que « le sort du Seigneur » puisse
t'échoir ? Nous souhaitons pourtant que, ceci entendu,

---

propitiatorium per fidem ' (947 AB)... Uno igitur eodemque sensu
Apostoli ' propitiatorium ' vel ' propitiationem ' (sic. *Vulg.*), vel
ut in latinis codicibus frequenter invenitur, ' propitiatorem ', nomi-
nant Christum. »

120　vel his auditis operam detis non solum in Ecclesia audire
verba Dei, sed et in domibus vestris exerceri et *meditari
in lege Domini die ac nocte*[av]; et ibi enim Christus est et
ubique adest quaerentibus se. Propterea namque mandatur
in lege ut *meditemur* eam, cum imus in via et cum sedemus
125　in domo, et cum iacemus in cubili, et cum exsurgimus;
et hoc est vere *pro foribus exspectare pontificem* morantem
intra *sancta sanctorum* et effici in *sortem Domini*.

6. Quod autem dicimus de sorte, non sic accipiat
auditor, quasi sors talis aliqua dicatur, quae inter homines
casu et non iudicio agi solet. *Sors Domini* ita accipienda
est, tamquam si diceretur electio Domini vel pars Domini,
5　et rursum sors eius, qui *in eremum* mittitur, accipienda est
veluti pars illa, quae pro indignitate sui a Domino spernitur
et abicitur. Magis enim et sermo ipse *apopompaei* abiecti
ac refutati significantiam continet. Ex quo possumus etiam
illud intelligere, verbi gratia : adscendit in cor tuum mala
10　cogitatio, concupiscentia mulieris alienae aut vicinae
possessionis; intellige statim hanc esse de *sorte apopompaei*,
abice confestim et expelle de corde tuo. Quomodo abicis ?
Si habeas tecum *parati hominis*[a] manum, id est si lectio
divina sit in manibus tuis et praecepta Dei ante oculos
15　habeantur, tunc vere invenieris *paratus* ad abicienda et
repellenda ea, quae sunt sortis alienae. Sed et ira si
adscendit in cor tuum; si zelus, si invidia, si malitia ad

5 av. Cf. Ps. 1, 2
6 a. Cf. Lév. 16, 21

1. C'était un idéal ancien de sagesse et de piété que de faire de
chaque jour et de toute la vie une fête perpétuelle, célébrée par
l'accomplissement de son devoir et une prière incessante. Cf. *CC* 8,
21 s., *SC* 150, p. 220 s. et notes.
2. « Dans l'usage ordinaire des hommes, lorsqu'on fait un tirage
au sort, c'est au hasard qu'on attribue la sortie de tel lot plutôt

vous vous appliquiez, non seulement à écouter les paroles
de Dieu à l'Église, mais encore à les mettre en pratique
dans vos demeures, et « à méditer la Loi du Seigneur jour
et nuit[a v] ». Car là aussi est le Christ, il est partout présent
à ceux qui le cherchent. C'est bien pourquoi il est prescrit
dans la Loi « qu'on la médite » quand on marche sur la
route et qu'on demeure dans sa maison, qu'on repose sur
son lit et qu'on se lève ; c'est là vraiment « attendre devant
la porte le pontife » qui s'attarde à l'intérieur « du Saint
des saints », et être dans « la part du Seigneur »[1].

Sort, conduite   **6.** Mais quand nous parlons de sort,
que l'auditeur ne l'entende pas comme
si un tel sort signifiait ce qu'on a coutume de faire parmi
les hommes par hasard[2] et non par jugement. « Sort du
Seigneur » est à prendre comme synonyme de choix du
Seigneur, part du Seigneur ; et par contre, le sort de celui
qui est conduit dans le désert est à prendre comme la part
qui pour son indignité est méprisée et rejetée par Dieu. De
plus, le terme même de « bouc émissaire » implique le sens
de rejet et de refus. Aussi peut-on le comprendre encore
par un exemple : à ton cœur monte une mauvaise pensée,
la convoitise d'une autre femme ou d'une propriété
voisine ; comprends aussitôt qu'elles sont « du sort du
bouc émissaire », rejette-les d'emblée, chasse-les de ton
cœur. Comment les rejeter ? Si avec toi tu as le soutien de
« l'homme prêt[a] », c'est-à-dire le texte divin en tes mains
et les préceptes de Dieu devant les yeux, alors tu te
trouveras vraiment prêt à rejeter et repousser ce qui
relève d'un sort étranger. De plus, si la colère monte à ton
cœur ou la jalousie ou l'envie ou la méchanceté pour

que de tel autre ; il en est autrement de la sainte Écriture. Commençons donc par le Lévitique où il est écrit : ' Ils jetteront deux sorts :
un sort pour le Seigneur, et un pour le bouc émissaire. » *In Jos.
hom.* 23, 1, *SC* 71, p. 453, tr. A. Jaubert.

supplantandum fratrem[b], *paratus* esto, ut abicias ea et
expellas et emittas *in eremum*. Si vero adscendat in cor
20 tuum *cogitare quae Dei sunt*[c], de misericordia, de iustitia,
de pietate, de pace, haec de *sorte* sunt *Domini*, haec
offeruntur ad altare, haec pontifex suscipit et in his tibi
reconciliat Deum.

Propterea ergo et is, qui *eicit* eum, in quo *sors apopompaei*
25 *est*[d], hoc est malas cogitationes, malas cupiditates, non est
homo piger nec occupatus negotiis saecularibus, sed
paratus est et promptus ac vigilans; qui etiamsi sordescere
videatur pro eo quod contigerit immundum, *lavabit* statim
vestimenta sua et *erit mundus*[e].

30 Quod intelligere possumus, quantum ad unumquemque
nostrum pertinet, secundum moralem locum esse *hominem*
paratum[f] rationem ipsam, quae intra nos est, per quam
discretio nobis boni malique est[g], quae etiam si videtur
sordescere, dum discutit et pertractat ipsa, quae mala sunt,
35 tamen si ea abiciat et expellat a corde ac procul effuget,
tunc melioribus cogitationibus velut purificata ac diluta
munda videbitur rationabilis mens.

Nec sane mireris quod etiam ad personam Salvatoris
traximus hunc, qui eicit hircum et expellit *in eremum*,
40 quia dicitur *lavare vestimenta sua* et *fieri mundus* propter
illud, quod legimus in propheta dici de Domino, sicut supra
diximus : *Et vidi Iesum sacerdotem magnum indutum*
vestimenta sordida[h]. Quod si utique pro assumptione carnis
dici pie intelligitur, etiam hic in lavandis vestimentis
45 potest eadem figura servari.

---

6 b. Cf. Os. 12, 3 ‖ c. Cf. I Cor. 7, 34 ‖ d. Cf. Lév. 16, 10 ‖ e. Cf. Lév.
16, 26 ; 13, 6 ‖ f. Cf. Lév. 16, 21 ‖ g. Cf. III Rois 3, 9 ‖ h. Cf. Zach.
3, 1.3

---

1. Plus loin, Jésus est déclaré seul exempt de la souillure due
à la conception ou la naissance, *hom.* 12, 4 début. Les versets
Zach. 3, 1.3 devraient s'entendre de l'incarnation, *hom.* 9, 5 début,

« supplanter ton frère[b] », sois « prêt » à les rejeter, à les repousser, à les envoyer dans le désert. Qu'au contraire montent à ton cœur « des pensées qui sont celles de Dieu[c] », de miséricorde, de justice, de piété, de paix, elles relèvent « du sort du Seigneur », elles sont offertes à l'autel, le pontife les reçoit et par elles réconcilie Dieu avec toi.

Aussi bien, l'homme qui « chasse » celui à qui est dévolu « le sort du bouc émissaire[d] », à savoir les mauvaises pensées, les mauvais désirs, n'est-il pas un homme paresseux, ni absorbé par les occupations du siècle, mais il est « prêt », résolu, sur ses gardes ; semble-t-il être souillé pour avoir touché quelque impureté, « il lavera aussitôt ses vêtements et sera pur[e] ».

On peut l'entendre, dans la mesure où cela concerne chacun d'entre nous, au sens moral : « l'homme prêt[f] » est la raison elle-même, intérieure à nous, qui opère le discernement du bien et du mal[g] ; semble-t-elle être souillée pendant qu'elle dispute et traite de cela même qui est mal, si toutefois elle le rejette, l'expulse du cœur et le chasse au loin, alors l'intelligence raisonnable, comme purifiée et lavée par de meilleures pensées, semblera « pure ».

Et sans doute n'es-tu pas surpris que j'assimile même à la personne du Sauveur celui qui rejette le bouc et le chasse dans le désert, parce qu'on dit qu'il « lave ses habits » et « devient pur », du fait que nous lisons chez le prophète cette parole concernant le Seigneur, comme on l'a dit plus haut : « Et je vis Jésus, le grand prêtre, vêtu d'habits souillés[h]. » En tout cas, si on l'interprète pieusement du fait qu'il a pris notre chair[i], ici encore, pour ces habits qu'il faut laver, on peut garder la même figure.

---

et ici. Ailleurs, dans la même homélie, on lira « secundum ignominiam crucis, non secundum ipsam quam assumpsit sanctam carnem ». Et cependant : « Vous devez savoir que Jésus a été souillé de sa propre volonté, parce qu'il avait pris un corps humain pour notre

7. Videamus post haec, quae sunt, quae pontifex
faciat : *Et sumet* inquit *plenum batillum carbonibus ignis
de altari, quod est contra Dominum*[a].

Legimus et in Esaia quia igni purgatur propheta per
5 *unum ex Seraphim, quod missum est ad eum, cum accepit
forcipe carbonem unum ex his, qui erant super altare, et
contigit labia prophetae et dixit: Ecce, abstuli iniquitates
tuas*[b]. Mihi videntur mystica haec esse et hoc indicare
quod unicuique secundum id, quod peccat, si dignum
10 fuerit purificari eum, inferantur carbones membris eius.
Nam quoniam dicit propheta hic : *Immunda labia habeo,
in medio quoque populi immunda labia habentis habito*[c],
idcirco *carbo forcipe adsumptus* a Seraphim labia eius
purgat, quibus solis se mundum non esse profitetur. Ex
15 quo ostenditur quod usque ad verbum tantummodo
peccatum eius inveniretur, in facto vero vel opere nullo
peccaverit; alioquin dixisset quoniam immundum corpus
habeo, vel immundos oculos habeo, si peccasset in concu-
piscendo aliena, et dixisset : immundas manus habeo,
20 si eas polluisset operibus iniquis. Nunc autem quoniam
in solo fortasse sermone conscius sibi erat delicti illius, de
quo dicit Dominus : *Quia etiam de verbo otioso reddetis
rationem in die iudicii*[d], pro eo quod difficile est etiam
perfectis culpam vitare sermonis, idcirco indigebat etiam
25 propheta sola purgatione labiorum.

Nos autem, si redeat unusquisque ad conscientiam suam,
nescio si possumus aliquod membrum corporis excusare,

---

7 a. Lév. 16, 12 ‖ b. Is. 6, 6-7 ‖ c. Is. 6, 5 ‖ d. Cf. Matth. 12, 36

---

salut : écoutez avec attention ce que dit le prophète Zacharie...
Cette phrase est dirigée contre ceux qui affirment que le corps de
notre Seigneur n'était pas un corps humain, mais qu'il avait été
formé d'éléments célestes et spirituels. » *In Luc. hom.* 14, 4, *SC* 87,
p. 220 s. Les traducteurs notent : « L'interprétation christologique
de ce verset est fréquente chez les Pères. Cf. J. LÉCUYER, « Sur

Feu purificateur **7.** Voyons, après cela, ce que fait
le pontife : « Puis il prendra un plein
encensoir de charbons du feu de l'autel qui est devant le
Seigneur[a]. »

On lit de même dans Isaïe que le prophète est purifié au
moyen du feu par « un des Séraphins qui fut envoyé vers
lui, quand il prit avec une pince un des charbons qui
étaient sur l'autel, toucha les lèvres du prophète et dit :
Vois, j'ai enlevé tes iniquités »[b]. Il me semble qu'il y a là
un sens mystique : l'indication que pour chacun, selon les
péchés qu'il commet, s'il est digne d'être purifié, des
charbons sont appliqués à ses membres. Car c'est parce
qu'ici le prophète dit : « J'ai des lèvres impures et j'habite
au milieu d'un peuple aux lèvres impures[c] », qu'un
« charbon pris avec une pince » par un Séraphin purifie
ses lèvres, elles seules dont il avoue n'être pas pur[1]. C'est
montrer qu'on ne lui trouverait de péché qu'en paroles,
mais qu'il n'avait péché en aucune action ou œuvre ;
sinon, il aurait dit : J'ai un corps impur, ou : J'ai les yeux
impurs, s'il avait péché en convoitant le bien d'autrui ; et
il aurait dit : J'ai les mains impures, s'il les avait souillées
par des œuvres injustes. En fait, c'est sans doute pour
avoir conscience de ce péché seulement en parole, lequel
fait dire au Seigneur : « Même d'une parole inutile, vous
rendrez compte au jour du jugement[d] », parce qu'il est
difficile même aux parfaits d'éviter la faute de parole, que,
pour cette raison, même le prophète avait besoin d'une
seule purification des lèvres.

Mais nous, si chacun fait retour à sa conscience, je ne
sais si nous pouvons disculper quelque membre du corps,

Jésus fils de Josédech et son interprétation patristique », *RSR*, 43,
1955, p. 82-103. Jérôme a beaucoup amplifié cette exégèse, *In
Zach.* 1, 3, *PL* 25, 1437 B ; mais la source pourrait bien être DIDYME
L'AVEUGLE, *In Zach.* I, 214, *SC* 83, p. 303 s. »
    1. Cf. *In Is.* 1, 4 ; 5, 2, *GCS* 8, p. 246, 15 s. et 264, 12 s.

quod non igni indigeat. Et propheta quidem quoniam ab
omnibus mundus erat, idcirco meruit, ut *unus de Seraphim*
30 *mitteretur ad eum*[e], qui eius sola labia purgaret. Nos vero
vereor ne ignem non membris singulis, sed toto corpore
mereamur. Cum enim lasciviunt oculi vel per illicitas
concupiscentias vel per spectacula diabolica, quid aliud
nisi ignem sibi congregant ? Cum aures non avertuntur ab
35 auditu vano ac derogationibus proximorum, cum manus a
caede nequaquam et a rapinis ac depraedationibus continentur, cum *pedes veloces sunt ad effundendum sanguinem*[f],
cumque corpus non Domino, sed fornicationi tradimus,
quid aliud nisi totum corpus tradimus *in gehennam*[g] ?

40   Sed haec cum dicuntur, contemptui habentur. Quare ?
Quia fides deest. Alioquin si tibi hodie diceretur quia iudex
saeculi vult te crastino vivum exurere et his auditis si
esset tibi unius diei spatium liberum, quanta faceres ?
quomodo et per quos discurreres ? quam humilis, quam
45 lugens et sordidus oberrares ? Nonne effunderes omnem
pecuniam tuam in eos, quorum intercessione evadere
posse te crederes ? Nonne omnia, quae possides, redemptionem faceres animae tuae ? Quod si etiam aliquis te retardare
aut impedire temptaret, nonne diceres : pereant omnia pro
50 salute mea nec quicquam remaneat, tantum ut ego vivam ?
Hoc quare faceres ? Quia inde non dubitares, hinc dubitas.
Et ideo bene Dominus dicit : *Putas, veniens Filius hominis
inveniet fidem super terram*[h] ? Et quid ego dico de certis
indubitatisque periculis ? Tantummodo si causa dicenda
55 sit apud iudicem terrenum, quae aliquem metum ex
legibus habere videatur, nonne omnibus vigiliis excubatur,

---

7 e. Cf. Is. 6, 6 ‖ f. Cf. Ps. 13, 3 ‖ g. Cf. Matth. 5, 29 ‖ h. Lc 18, 8

---

1. On sait que la Septante et la Vulgate insèrent dans le *Ps.* 13,
après le verset 3, les versets cités en *Rom.* 3, 13-16, mosaïque dont
les Bibles donnent les sources. Notre verset est en *Rom.* 3, 15 : « Leurs
pieds... »

qui n'ait besoin de feu. Le prophète, lui, c'est parce qu'il
était pur de tout qu'il a mérité qu'un « des Séraphins lui
fut envoyé[e] » pour purifier ses seules lèvres. Nous, par
contre, je crains que nous ne méritions le feu, non pour
chaque membre un à un, mais pour le corps tout entier.
Quand nos yeux sont lascifs à cause de convoitises défen-
dues ou de spectacles diaboliques, que se préparent-ils
sinon le feu ? Quand nos oreilles ne se détournent pas de
vains propos et de calomnies du prochain, quand nos
mains ne s'abstiennent nullement de meurtre, de vol ou de
pillage, quand « nos pieds[1] sont prompts à verser le
sang[f] », quand nous livrons notre corps, non pas au
Seigneur, mais à la fornication, que faisons-nous d'autre
sinon livrer notre corps tout entier « à la géhenne[g] » ?

Manque de foi, inertie

Cela, quand on le dit, est tenu
pour méprisable. Pourquoi ? Parce que
la foi fait défaut. Autrement, si l'on
te disait aujourd'hui qu'un juge du siècle veut demain te
faire brûler vif, et qu'après cette nouvelle, il te restait un
seul jour de répit, quelle énergie tu déploierais ! Combien
et par qui tu multiplierais de démarches ! Que d'humilité,
que de larmes et de bassesse dans tes va-et-vient ! Ne
prodiguerais-tu pas toute ta fortune à ceux dont tu
jugerais l'intercession capable de te tirer d'affaire ? Ne
donnerais-tu pas tout ce que tu possèdes en rançon de ta
vie ? A qui tenterait de te retarder ou de t'arrêter, ne
dirais-tu pas : que tout périsse pour mon salut, que rien ne
reste, pourvu que je vive ? Pourquoi cette conduite ?
Parce que là, tu ne douterais pas, ici tu doutes. Aussi le
Seigneur a-t-il bien raison de dire : « Penses-tu que le Fils
de l'homme, quand il viendra, trouvera de la foi sur la
terre[h] ? » D'ailleurs, pourquoi parler de dangers certains
et hors de doute ? Qu'il s'agisse seulement d'une cause à
plaider devant un juge terrestre et qui paraisse avoir
quelque chose à redouter des lois, est-ce qu'on ne monte
point la garde à toutes les veilles, ne prépare point des

advocati patroni munera praeparantur, etiamsi anceps
periculum sit aut etiam solius notae metus vel damni
ratio ?

60   Nos quare non credimus quod omnes adstabimus *ante*
tribunal Christi, ut reportet unusquisque propria corporis,
prout gessit, sive bona sive mala[1] ? Haec si integre crederemus,
esset nobis, secundum quod scriptum est, *redemptio*
animae viri divitiae eius[j]. Sed unde possumus haec vel
65 sentire vel credere vel intelligere, cum ne ad haec ipsa
quidem audienda conveniamus ? Quis enim vestrum, cum
recitantur Scripturae, praebet auditum ? Deus per prophetam comminatur et quidem in ira magna : *Emittam famem*
super terram, non famem panis neque sitim aquae, sed
70 *famem audiendi verbum Dei*[k]. Sed nunc *famem* non misit
Deus super Ecclesiam suam neque *sitim ad audiendum*
verbum Dei. Habemus enim *panem vivum, qui de caelo*
descendit[1], habemus *aquam vivam salientem in vitam*
aeternam[m]. Cur nos ipsos fecunditatis tempore fame
75 necamus ac siti ? Pigrae est et desidis animae in abundantia
omnium penuriam pati.

Non audistis ex divinis Scripturis quia *certamen est*
inter homines *carni adversum spiritum et spiritui adversus*
carnem[n] ? Et nescitis quia, si carnem solam nutriatis et
80 ipsam frequenti mollitie ac iugi deliciarum fluxu foveatis,
insolescet necessario *adversum spiritum* et *fortior*[o] illo
efficitur ? Quod si fiat, sine dubio eum in ditionem suam
redactum suis coget legibus ac vitiis oboedire. Si vero
ad Ecclesiam frequenter venias, aurem litteris divinis
85 admoveas, explanationem mandatorum caelestium capias,
sicut cibis et deliciis caro, ita spiritus verbis divinis conva-

---

7 i. II Cor. 5, 10 ‖ j. Prov. 13, 8 ‖ k. Amos 8, 11 ‖ l. Cf. Jn 6, 41.
33 ‖ m. Cf. Jn 4, 10.14 ‖ n. Cf. Gal. 5, 17 ‖ o. Cf. Mc 3, 27.29

cadeaux pour l'avocat défenseur, fût-ce à propos d'un risque douteux, voire de la crainte d'un simple blâme, ou du montant de l'amende?

Et nous, pourquoi ne croyons-nous pas que nous comparaîtrons tous « devant le tribunal du Christ, pour que chacun recouvre ce qu'il aura fait, étant dans son corps, soit en bien, soit en mal[i] »? Si on le croyait d'une foi intacte, s'appliquerait à nous la parole de l'Écriture : « Rançon d'une âme d'homme, ses richesses[j]. » Mais comment pourrait-on le penser, le croire, le comprendre, quand on ne vient même pas pour l'entendre? Car qui d'entre vous, quand on lit les Écritures, y prête attention? Dieu, par le prophète, fait cette menace et même avec une grande colère : « J'enverrai la faim sur la terre, non une faim de pain ni une soif d'eau, mais la faim d'entendre la parole de Dieu[k]. » Mais pour l'instant, Dieu n'a pas envoyé sur son Église « la faim ni la soif d'entendre la parole de Dieu ». Car nous avons « le pain vivant qui descend du ciel[l] », nous avons « l'eau vive jaillissant pour la vie éternelle[m] ». Pourquoi, en ce temps de fécondité, nous laisser mourir de faim et de soif? C'est le propre d'une âme paresseuse et oisive de souffrir la disette quand tous les biens abondent.

La chair, l'esprit — N'avez-vous point appris des Écritures divines que parmi les hommes « il existe un combat de la chair contre l'esprit et de l'esprit contre la chair[n] »? Et ne savez-vous pas que si vous nourrissez la seule chair et la choyez dans une mollesse constante et un perpétuel flot de délices, elle s'insurge fatalement « contre l'esprit » et devient « plus forte » que lui[o]? Dès lors, nul doute qu'elle ne le subjugue et ne le contraigne à obéir à ses lois et à ses vices. Mais si tu viens fréquemment à l'Église, prête l'oreille aux lettres divines, reçois l'explication des commandements célestes, tout comme fait la chair dans la nourriture et le plaisir, de même l'esprit puisera des forces dans les paroles et les

lescet ac sensibus et robustior effectus carnem sibi parere
coget ac suis legibus obsequi. Nutrimenta igitur spiritus
sunt divina lectio, orationes assiduae, sermo doctrinae.
90 His alitur cibis, his convalescit, his victor efficitur. Quod
quia non facitis, nolite conqueri de infirmitate carnis, nolite
dicere quia volumus, sed non possumus; volumus conti-
nenter vivere, sed carnis fragilitate decipimur et impu-
gnamur stimulis eius. Tu das stimulos carni tuae, tu eam
95 adversus spiritum tuum armas et potentem facis, cum eam
carnibus satias, vino nimio inundas, omni mollitie palpas
et ad illecebras nutris. Aut nescitis quia non potest
aedificium istud Ecclesiae ex leprosis lapidibus construi ?
Audi, quid dicit Apostolus : *Modicum fermentum totam*
100 *massam corrumpit. Expurgate ergo vetus fermentum, ut*
sitis nova conspersio[p]. Sed ad propositum redeamus.

8. *Et accipiet* inquit *batillum plenum carbonibus*[a]. Non
omnes purgantur eo igni, qui *de altari* assumitur[b]. Aaron
purgatur illo igni et Esaias et si qui sunt similes illis;
alii vero, qui non sunt tales, de quibus etiam me ipsum
5 computo, alio igni purgabimur; timeo ne illo, de quo
scriptum est : *Fluvius ignis currebat ante ipsum*[c]. Iste
ignis non est *de altari*. Qui *de altari* est ignis, ignis est
Domini; qui autem extra altare est, non est Domini, sed
proprius est uniuscuiusque peccantium, de quo dicitur :
10 *Vermis eorum non morietur, et ignis eorum non exstinguetur*[d].
Iste ergo *ignis* ipsorum est, qui eum accenderunt, sicut et

7 p. I Cor. 5, 6-7
8 a. Lév. 16, 12 ‖ b. Cf. Lév. 16, 12 ‖ c. Dan. 7, 10 ‖ d. Is. 66, 24

pensées divines et, rendu plus vigoureux, il contraindra
la chair à lui obéir et à se plier à ses lois. Ainsi les nourri-
tures de l'esprit sont la lecture divine, les prières assidues,
la prédication de la doctrine. Par ces aliments il se nourrit,
par eux il se fortifie, par eux il se rend vainqueur. Comme
vous ne le faites pas, ne vous lamentez pas sur l'infirmité
de la chair, ne dites pas : nous voulons mais ne pouvons
pas ; nous voulons vivre dans la continence, mais nous
sommes trompés par la faiblesse de la chair et tourmentés
par ses aiguillons. C'est toi qui donnes des aiguillons à ta
chair, toi qui l'armes et la rends puissante contre ton
esprit quand tu la rassasies de viandes, l'inondes de trop
de vin, lui prodigues de molles caresses et la nourrit en
vue des plaisirs. Ou ne savez-vous pas que cet édifice de
l'Église ne peut être bâti avec des pierres lépreuses ?
Écoute ce que dit l'Apôtre : « Un peu de levain corrompt
toute la pâte. Purifiez-vous donc du vieux levain pour
être une pâte nouvelle[p]. » Mais revenons au sujet.

8. « Il prendra un plein encensoir
Deux sortes de feu   de charbons[a]. » Tous ne sont pas
purifiés par ce feu qui est pris à l'autel[b]. Aaron est purifié
par ce feu, et Isaïe, et quiconque leur ressemble[1] ; mais les
autres, qui ne sont pas de cette qualité, au nombre desquels
je me compte, nous serons purifiés par un autre feu ; celui,
je le crains, dont il est écrit : « Un fleuve de feu courait
devant lui[c]. » Ce feu n'est pas de l'autel. Le feu qui est de
l'autel est le feu du Seigneur ; celui qui est extérieur à
l'autel n'est pas du Seigneur ; il est propre à chacun des
pécheurs, et on dit de lui : « Leur ver ne mourra point,
leur feu ne s'éteindra point[d]. » C'est donc le feu de ceux
mêmes qui l'ont allumé, comme il est écrit ailleurs :

---

1. Ailleurs, Paul, Pierre, sont déclarés exempts de flamme, mais
non pas les pécheurs, dont Origène, *In Ps. 36 hom.* 3, 1, *PG* 12,
1337 B.

alibi scriptum est : *Ambulate in igni vestro et in flamma,
quam accendistis vobis*[e]. Esaiae autem non suus ignis
apponitur, sed ignis altaris, qui *circumpurgabit labia*[f]
15 eius, et huic, de quo dicitur : *Et sumet batillum plenum
carbonibus ignis de altari, quod est contra Dominum, et
implebit manus suas incenso compositionis minuto*[g]. Quod
quidem plenius Dominus noster fecit. *Implevit* enim *manus
suas incenso minuto*, de quo scriptum est : *Dirigatur oratio
20 mea sicut incensum in conspectu tuo*[h]. *Implevit* ergo *manus
suas* sanctis operibus, quae pro humano genere operatus
est.

Quare autem *compositionis incensum* dicitur ? Quia non
est una species operum, sed ex iustitia et ex pietate, ex
25 continentia, ex prudentia et ex omnibus huiuscemodi
virtutibus componitur hoc quod placetur Deo. Sed et
minutum[i] quod addidit, non otiose intelligimus. Non enim
vult eum, qui ad perfectionem tendit, verbum Dei crasse
et carnaliter intelligere, sed minutum in his sensum
30 subtilemque perquirere, ut, si forte audiat scriptum esse :
Non obturabis os bovi trituranti, ille haec non de bobus
intelligat — *neque enim de bobus cura est Deo*[j] — sed de
Apostolis dici. Sed et si qui de providentia Dei rationem,
quae est minutissima et subtilissima, possit exponere, iste
35 *minuto incenso manum suam replere* dicitur. Quis ergo
nostrum ita promptus est et *paratus*, ut ingressuro pontifici
in *sancta sanctorum incensum compositionis* offerat *minutum* ? Necesse est enim nos singulos aliquid offerre tabernaculo Dei, aliquid etiam pontificalibus indumentis,
40 aliquid vero, quod per pontificis manus ad ipsum Deum
per *odorem suavitatis*[k] adscendat. Pontifex igitur noster

---

8 e. Is. 50, 11 ‖ f. Cf. Is. 6, 7 ‖ g. Lév. 16, 12 ‖ h. Ps. 140, 2 ‖ i.
Cf. Lév. 16, 12 ‖ j. I Cor. 9, 9 ‖ k. Cf. Lév. 2, 9

« Marchez dans votre feu et dans la flamme que vous vous
êtes allumée[e] ! » A Isaïe, au contraire, ce n'est pas son feu
qu'on applique, mais le feu de l'autel qui « purifiera ses
lèvres[f] » ; de même, pour celui dont il est dit : « Il prendra
un plein encensoir de charbons du feu de l'autel qui est
devant le Seigneur, et il remplira ses mains d'une composition d'encens fin[g]. » Ce que du moins notre Seigneur a
réalisé en plénitude. Car « il a rempli ses mains de cet
encens fin » dont il est écrit : « Que s'élève droit ma
prière, comme l'encens devant toi[h] ! » Il a donc rempli ses
mains des saintes œuvres qu'il a faites pour le genre
humain.

**Composition
d'encens fin**
Mais pourquoi parler de « composition d'encens » ? Parce qu'il n'y a
pas qu'une espèce d'œuvres : c'est ce
qui est composé de justice et de piété, de continence, de
prudence et de toutes vertus de ce genre, qui est agréé de
Dieu. De plus, le terme « fin[i] » qu'on ajoute, à mon sens
n'est pas inutile. On veut que celui qui tend à la perfection
ne comprenne pas la parole de Dieu d'une façon grossière
et charnelle, mais y cherche partout un sens fin et subtil ;
de la sorte, s'il entend le texte : « Tu ne muselleras pas le
bœuf qui foule le grain », il comprendra qu'il concerne,
non les bœufs, « car des bœufs, Dieu n'a cure[j] », mais les
apôtres[1]. De plus, pouvoir exposer le plan de la Providence
de Dieu, qui est très fin et très subtil[2], c'est « remplir sa
main d'encens fin ». Alors, qui d'entre nous est-il assez
disponible et « prêt » pour offrir, au Pontife sur le point
d'entrer dans le Saint des saints, « une composition d'encens
fin » ? Car il est nécessaire que chacun de nous fasse une
offrande à la tente de Dieu, une offrande faite en habits
pontificaux, mais une offrande qui monte par les mains
du Pontife vers Dieu même, « en suave odeur[k] ». Donc le

---

1. Cf. *Introd.* p. 42, n. 3.
2. Cf. *De princ.* 2, 9, 8 ; 3, 1, 17, *SC* 252, p. 370 ; 268, p. 100.

Dominus et Salvator aperit manus suas et suscipere vult
ab unoquoque nostrum *incensum compositionis minutum*;
necesse est nos quaerere species incensi.

45 *Libanum*[1] nobis quaerendum est et non qualecumque
libanum, sed dilucidum. Non vult a te suscipere pontifex
obscurum aliquid aut sordidum, dilucidum quaerit. Sed
et *galbanum* a te poscit, cuius natura est, ut vehementia
odoris sui serpentes noxios fuget. Quaerit et *stacten*;
50 colata enim et defaecata vult esse vel verba nostra vel
opera. Quaerit et *onychem*[m], quo velut scuto quodam
obtegitur animal suum et illaesum permanet. Ita et te vult
scuto fidei esse protectum, *quo omnia iacula maligni ignita
restinguas*[n]. Haec tamen omnia vult a te esse composita,
55 nihil inordinatum, nihil inquietum, nihil indecens, sed hoc
vult, *ut omnia nostra composite et honeste fiant*[o].

Stat ergo etiam nunc verus *pontifex* noster Christus et
repleri vult *manus suas incenso composito minuto*[p], et ab
unaquaque Ecclesia, quae sub caelo est, considerat quid
60 offeratur, quam integre *incensum* suum diligenterque
componat, quam *minutum* id faciat, id est quomodo
unusquisque nostrum opera sua ordinet et quomodo sensum
ac verba Scripturarum spiritali explanatione discutiat.
Nec angelorum ministeria ab huiuscemodi officiis desunt;
65 *Angeli enim Dei adscendunt et descendunt ad Filium
hominis*[q], perquirunt et curiose agunt[r], quid in unoquoque
nostrum inveniant, quod offerant Deo. Vident et perscru-
tantur uniuscuiusque nostrum mentem, si habet aliquid
tale, si tam sanctum aliquid cogitet, quod Deo mereatur

---

8 l. Cf. Sir. 39, 14 ‖ m. Cf. Ex. 30, 34 ‖ n. Éphés. 6, 16 ‖ o. Cf.
I Cor. 14, 40 ‖ p. Cf. Lév. 16, 12 ‖ q. Jn 1, 51 ‖ r. Cf. Matth. 13, 41

---

1. Cf. *Ex.* 30, 34 : « Et dixit Dominus ad Moysen : Sume tibi
suavitates, stactem, onychen, galbanum boni odoris et thus pellu-
cidum : aequale aequali erit. »

Pontife, notre Seigneur et Sauveur, ouvre ses mains et
veut recevoir de chacun de nous « une composition d'encens
fin » ; nous sommes dans l'obligation de chercher des
variétés d'encens.

Il nous faut chercher de « l'encens[1] », un encens non pas
quelconque, mais qui brille. Le Pontife ne veut pas
recevoir de toi quelque chose d'obscur ou de souillé, il
veut du brillant. De plus, il te réclame du « galbanum »,
naturellement apte, par l'intensité de son odeur, à mettre
en fuite les serpents nuisibles. Il demande aussi « l'essence
de myrrhe » ; car il veut que soient claires et purifiées
tant nos paroles que nos œuvres. Il demande encore de
« l'onyx[m] », dont l'animal qui le possède se couvre comme
d'un bouclier et demeure invulnérable[1]. Ainsi te veut-il
protégé par « le bouclier de la foi, grâce auquel tu pourras
éteindre tous les traits enflammés du Malin[n] ». Cependant
de tout cela, il veut une composition de toi, sans rien de
désordonné, rien de trouble, rien de malséant : il veut que
« tous nos actes se fassent dans l'ordre et la décence[o] ».

Debout aujourd'hui encore se tient notre Pontife
véritable, le Christ. Il veut qu'on remplisse « ses mains
d'une composition d'encens fin[p] ». Il examine ce qu'offre
chaque Église qui est sous le ciel, avec quelle intégrité et
quelle conscience elle compose son encens, à quel point elle
le rend fin : c'est-à-dire la manière dont chacun de nous
met en ordre ses œuvres et dont il explique le sens et les
paroles des Écritures par une interprétation spirituelle.
Et le ministère des anges ne fait pas défaut aux fonctions
de ce genre : « Car les anges de Dieu montent et descendent
sur le Fils de l'homme[q]. » Ils mettent leurs soins et leur
attention à découvrir[r] en chacun de nous ce qu'ils peuvent
offrir à Dieu[2]. Ils regardent et scrutent attentivement
l'âme de chacun de nous pour voir si elle a une disposition
telle, une pensée si sainte qu'elles méritent d'être offertes

2. Cf. *hom.* 9, 4, milieu et note.

70 offerri. Intuentur et considerant, si quis nostrum ex his,
quae dicuntur in Ecclesia, *corde compungitur* et animum
convertit ad paenitentiam, si his auditis *corrigere* cogitet
vias suas[s] et *oblivisci praeterita ac praeparare se ad futura*[t],
saltem secundum Achab illum impiissimum, de quo dicit
75 Dominus : *Vidisti, quomodo compunctum est cor Achab*[u]?
    Sed in his omnibus quid de illis dicam, qui nec audiunt
auribus haec nec corde recipiunt ? Quae in illis compunctio-
nis spes, quae conversionis suspicio, quae emendationis
via ? Si enim etiam de his, qui audiunt, dubitamus, quid
80 speramus de his, qui omnino non audiunt ? Sed utamur
verbis Domini et dicamus : *Qui habent aures audiendi,
audiant*[v] et qui audiunt, sciant scriptum esse quia *cum
conversus ingemueris, tunc salvus eris et scies ubi fueris*[w].
Et si *dixeris tu peccata tua prior*[x], ego exaudiam te tamquam
85 populum sanctum. Audisti quomodo, etiam si peccator
fuisti, tantum si conversus es et desisti a peccato, iam
sanctus appellaris ? Nihil ergo desperandum est his, qui
compunguntur et convertuntur ad Dominum; non enim
superat bonitatem Dei malitia delictorum.

    9. *Sumit* ergo pontifex *batillum plenum carbonibus ignis
de altari, quod est contra Dominum, et implet manum suam
de incenso compositionis minuto et infert in interiora*

---

8 s. Cf. Ps. 118, 9 ; Prov. 21, 29 ‖ t. Phil. 3, 13 ‖ u. Cf. III Rois 20
(21), 29 ‖ v. Cf. Matth. 11, 15 ‖ w. Cf. Is. 30, 15 ‖ x. Cf. Is. 43, 26

---

1. Ainsi, la pénitence est le premier acte de la sainteté. Ailleurs,
ayant établi avec force textes scripturaires que ceux qu'on appelle
saints ne sont pas exempts de péché, mais qu'ils s'en détachent peu
à peu, il conclut un long développement nuancé : « Ceux qui ne sont
pas saints meurent dans leurs péchés ; ceux qui sont saints font
pénitence pour leurs péchés, sentent leurs blessures, comprennent
leurs chutes, vont trouver le prêtre, demandent la guérison, cherchent
à être purifiés par le Grand Prêtre. » *In Num. hom.* 10, 1 fin, *GCS* 7,

à Dieu. Ils examinent et considèrent si quelqu'un d'entre nous, par les paroles dites à l'Église, « a le cœur touché de repentir » et tourne son esprit vers la pénitence, si, les ayant entendues, il pense à « redresser ses voies[s] », « à oublier le passé et se préparer à l'avenir[t] », au moins à la façon de cet Achab très impie, dont le Seigneur dit : « As-tu vu comme le cœur d'Achab est touché de repentir[u] ? »

Mais sur tout cela, que dirai-je de ceux qui ne l'entendent pas de leurs oreilles ni ne le reçoivent dans leur cœur? Pour eux, quel espoir de repentir, quelle perspective de conversion, quel moyen de s'amender? Car si, même de ceux qui entendent, nous avons des doutes, qu'espérons-nous de ceux qui n'entendent pas du tout? Mais prenons les paroles du Seigneur et disons : « Ceux qui ont des oreilles pour entendre, qu'ils entendent[v] », et ceux qui entendent, qu'ils sachent qu'il est écrit : « Quand tu te convertiras en gémissant, alors tu seras sauvé, et tu sauras où tu te trouves[w]. » Et si « tu dis toi-même tes péchés le premier[x] », je t'exaucerai comme un peuple saint[1]. Tu as entendu : même si tu as été pécheur, pourvu que tu te convertisses et renonces au péché, tu es désormais appelé saint. Donc, nul désespoir pour ceux qui sont touchés de repentir et se convertissent au Seigneur : la malice de leurs fautes ne l'emporte pas sur la bonté de Dieu.

**Le pontife,
les deux sanctuaires** **9.** Le pontife « prend un plein encensoir de charbons du feu de l'autel qui est devant le Seigneur, il remplit sa main d'une composition d'encens fin et la porte

---

p. 71, 6 s., *SC* 29, p. 293, tr. A. Méhat. Le juste ne reste pas dans le péché... « sed ipse se arguit et convincit, et per confessionem suam peccatorum suorum evomit passiones ». *In Ps. 37 hom.* 2, 2, *PG* 12, 1382 C. Cf. *In Ps. 36 hom.* 4, 2, *PG* 12, 1351 C s.

velaminis[a]. Intelligamus primo quid designat historia et
5 tunc, quid sensus spiritalis habeat, requiramus.

Duplex aedes est tabernaculi testimonii vel templi
Domini. Prima est, in qua *altare holocaustorum*[b] est, quod
perpetuis ignibus excitatur, in qua aede solis licet assistere
sacerdotibus et sacrificiorum ritus ac ministeria celebrare
10 et neque levitis neque alii cuiquam praeterea indulgetur
accessus. Secunda vero aedes interior est solo ab hac
discreta *velamine*. Intra quod velamen *arca testamenti* et
propitiatorium, super quod *Cherubim duo* statuta sunt, et
altare incensi collocatum est[c]. In hanc aedem *semel in*
15 *anno*[d] primus quicumque erat pontifex, oblatis prius
hostiis propitiationis, de quibus supra exposuimus, ingre-
diebatur habens utramque manum repletam, unam *batillo*
carbonum et aliam *compositionis incenso*[e], ut, cum fuisset
ingressus, statim superposito incenso carbonibus *fumus*
20 adscenderet totamque aedem repleret, ut adspectum
sanctorum, quem ingressus pontificis revelaverat, *nubes*
velaret incensi[f].

Si tibi sacrificiorum mos patuit antiquus, quid haec etiam
secundum rationem mysticam contineant, videamus. Duas
25 audisti aedes, unam quasi visibilem et patentem sacerdotibus, aliam velut invisibilem et inaccessam : excepto
uno solo pontifice ceteri foris sunt. Prima aedes ista puto
quod intelligi possit haec, in qua nunc sumus in carne
positi Ecclesia, in qua sacerdotes ministrant *ad altare*
30 *holocaustorum*[g], succenso illo igni, de quo dixit Iesus :
Ignem veni mittere in terram, et quam volo ut accendatur[h].
Et nolo mireris quod haec aedes solis sacerdotibus patet.

9 a. Lév. 16, 12 ‖ b. Cf. Ex. 29, 25 ‖ c. Cf. Ex. 26, 33.34 ; 25, 18 ;
30, 6 ‖ d. Cf. Ex. 30, 10 ; Lév. 16, 34 ‖ e. Cf. Lév. 16, 12 ‖ f. Cf. Lév. 16,
13 ‖ g. Cf. Ex. 29, 25 ‖ h. Lc 12, 49

à l'intérieur du voile[a]. » Comprenons d'abord ce que
signifie l'histoire, puis cherchons la teneur du sens spirituel.

Il y a deux sanctuaires dans la tente du témoignage ou
le temple du Seigneur. Le premier est celui où se trouve
« l'autel des holocaustes[b] », qui est animé d'un feu continu ;
dans ce sanctuaire, il est permis aux seuls prêtres d'être
présents, de célébrer les rites et les cérémonies des sacrifices, et ni aux lévites ni à un autre quelconque on n'en
autorise l'accès. Le second sanctuaire est intérieur, séparé
de l'autre par un seul « voile ». A l'intérieur de ce voile
sont placés « l'arche du témoignage », « le propitiatoire »
sur lequel sont établis deux « Chérubins » et « l'autel de
l'encens[c] ». Dans ce sanctuaire, « une fois par an[d] »,
quiconque était pontife, après avoir offert d'abord les
victimes propitiatoires, dont nous avons traité plus
haut[1], pénétrait, les deux mains pleines portant, l'une
« l'encensoir de charbons », l'autre « l'encens de la composition[e] », afin que, après qu'il fût entré, l'encens aussitôt
mis sur les charbons, la fumée montât et remplît tout le
sanctuaire, pour que le nuage d'encens voilât la vue des
choses saintes que l'entrée du pontife avait dévoilées[f].

**Interprétation
mystique**

Si tu as devant les yeux l'ancien
usage des sacrifices, voyons ce qu'ils
contiennent encore, selon l'interpré-
tation mystique. Tu as entendu qu'il y a deux sanctuaires,
l'un comme visible et ouvert aux prêtres, l'autre comme
invisible et inaccessible : à l'exception du seul pontife,
tous les autres sont au dehors. Ce premier sanctuaire, je
pense, peut être compris comme cette Église où maintenant
nous sommes établis dans la chair ; les prêtres y servent
« à l'autel des holocaustes[g] », où est allumé ce feu dont
Jésus a dit : « C'est un feu que je suis venu jeter sur la
terre, et comme je voudrais qu'elle soit embrasée[h] ! » Et je ne
veux pas que tu t'étonnes que ce sanctuaire soit ouvert

1. Cf. *supra*, § 3.

Omnes enim, quicumque unguento sacri chrismatis delibuti
sunt, sacerdotes effecti sunt, sicut et Petrus ad omnem
35 dicit Ecclesiam : *Vos autem genus electum, regale sacerdotale, gens sancta*[i]. Estis ergo *genus sacerdotale* et ideo
acceditis ad sancta.

Sed et unusquisque nostrum habet in se holocaustum
suum et holocausti sui ipse succendit altare, ut semper
40 ardeat. Ego si renuntiem omnibus, quae possideo[j] et tollam
crucem meam et sequar Christum[k], holocaustum obtuli
ad altare Dei; aut *si tradidero corpus meum, ut ardeam,
habens caritatem*[l] et gloriam martyrii consequar, holocaustum me ipsum obtuli ad altare Dei. Si diligam fratres
45 meos, ita ut *animam meam ponam pro fratribus meis*[m],
si *pro iustitia, pro veritate usque ad mortem certavero*[n],
holocaustum obtuli ad altare Dei. Si *membra* mea ab omni
concupiscentia carnis *mortificavero*[o], si *mundus mihi
crucifixus sit et ego mundo*[p], holocaustum obtuli ad altare
50 Dei et ipse meae hostiae sacerdos efficior.

Hoc ergo modo sacerdotium geritur in prima aede et
hostiae offeruntur et ex hac aede sanctificatis indutus
vestimentis pontifex proficiscitur et ingreditur in interiora
velaminis, sicut iam superius Pauli verba posuimus
55 dicentis : *Non in manu facta sancta, sed in ipsum caelum
penetravit* inquit *Iesus et apparet vultui Dei pro nobis*[q].
Caeli ergo locus et ipsa Dei sedes per interioris aedis
figuram atque imaginem designatur.

Sed mirum contuere ordinem sacramentorum. Ingrediens
60 pontifex in sancta sanctorum ignem secum de hoc altari
portat et *incensum* de hac aede suscipit. Sed et vestimenta,
quibus indutus est, de hoc loco sumpsit. Putasne dignabitur
Dominus meus verus pontifex et a me suscipere partem
aliquam *incensi compositionis minuti*, quod secum deferat

---

9 i. I Pierre 2, 9 ‖ j. Cf. Lc 14, 33 ‖ k. Cf. Mc 8, 34 ‖ l. Cf. I Cor. 13,
3 ‖ m. Cf. 1 Jn 3, 16 ‖ n. Sir. 4, 28 ‖ o. Cf. Col. 3, 5 ‖ p. Cf. Gal. 6, 14
‖ q. Hébr. 9, 24

aux seuls prêtres. Car tous ceux qui ont été oints de l'onguent du saint chrême sont devenus prêtres, comme Pierre le dit à toute l'Église : « Mais vous êtes une race élue, un sacerdoce royal, une nation sainte[i]. » Vous êtes donc une « race sacerdotale », et c'est pourquoi vous avez accès au sanctuaire.

De plus, chacun de nous a en lui son holocauste, et il embrase l'autel de son holocauste pour qu'il brûle toujours. Pour moi, si je renonce à tout ce que je possède[j], prends ma croix et suis le Christ[k], j'offre un holocauste à l'autel de Dieu ; ou « si je livre mon corps aux flammes, en ayant la charité[l] » et obtiens la gloire du martyre, je m'offre en holocauste à l'autel de Dieu. Si j'aime mes frères jusqu'à « donner ma vie pour mes frères[m] », « si pour la justice et la vérité je lutte jusqu'à la mort[n] », j'offre un holocauste à l'autel de Dieu. Si « je fais mourir mes membres[o] » à toute convoitise de la chair, si « le monde est crucifié pour moi et moi pour le monde[p] », j'offre un holocauste à l'autel de Dieu et je deviens moi-même le prêtre de ma victime.

Voilà donc la manière dont s'exerce le sacerdoce et s'offrent les victimes dans le premier sanctuaire ; et de ce sanctuaire sort le pontife, revêtu d'habits sacrés ; il entre à l'intérieur du voile, comme on l'a établi plus haut[1] en citant la parole de Paul : « Ce n'est pas dans un sanctuaire fait à la main, c'est dans le ciel même que Jésus a pénétré, et il paraît devant la face de Dieu en notre faveur[q]. » C'est donc le lieu du ciel et le trône même de Dieu que désignent la figure et l'image du sanctuaire intérieur.

Feu intérieur à l'homme   Mais considère l'ordre admirable des rites. Le pontife, à son entrée dans le Saint des saints, porte avec lui le feu de cet autel et prend l'encens de ce sanctuaire. De plus, les habits dont il est revêtu, c'est à cet endroit qu'il les a pris. Penses-tu que mon Seigneur, le véritable Pontife, daignera recevoir de moi aussi une part de la « composition

1. Cf. *supra*, § 2, 7 s.

65 ad Patrem ? Putasne invenit in me aliquid igniculi et
holocaustum meum ardens, ut dignetur ex eo *batillum*
*suum implere carbonibus*ʳ et in ipsis Deo Patri *odorem*
*suavitatis*ˢ offerre ? Beatus est, cuius tam vivos tamque
ignitos holocausti sui carbones invenerit, ut eos aptos
70 iudicet, quos *altari* superponat *incensi*ᵗ. Beatus, in cuius
corde invenerit tam subtilem, tam minutum tamque
spiritalem sensum et ita diversa virtutum suavitate
compositum, ut *replere* dignetur ex eo *manus suas* Deoque
Patri suavem odorem intelligentiae eius offerre. At contra
75 infelix anima, cuius fidei ignis exstinguitur et refrigescit
caritatis calor; ad quam cum venerit caelestis pontifex
noster quaerens ab ea ignitos et ardentes carbones, super
quos incensum offerat Patri, invenit in ea aridos cineres et
frigidas favillas. Tales, sunt omnes, qui subtrahunt se et
80 longe faciunt a verbo Dei, ne audientes sermones divinos
accendantur ad fidem, incalescant ad caritatem, igniantur
ad misericordiam.

Vis tibi ostendam, quomodo de verbis Spiritus sancti
ignis exeat et accendat corda credentium ? Audi dicentem
85 David in psalmo : *Eloquium Domini ignivit eum*ᵘ. Et

---

9 r. Cf. Lév. 16, 12 ‖ s. Cf. Lév. 17, 6 ‖ t. Cf. Lév. 4, 7 ‖ u. Cf.
Ps. 118, 140

---

1. Chaleur et refroidissement affectent l'âme, cf. *hom.* 9, 11.
2. Le symbolisme du feu est d'une extension illimitée. Entre
l'intériorisation du feu liturgique en culte spirituel et la dévastation
passionnelle qui correspond au feu profane, Origène a en vue l'action
des paroles divines dictées par l'Esprit Saint, des Écritures inter-
prétées, comme par le Christ aux disciples d'Emmaüs, à découvert
jusque dans leur sens véritable, le sens spirituel. Le prédicateur
aime citer le verset de *Luc* 24, 32 : cf. *In Gen. hom.* 11, 3 ; 13, 3 ;
In Ex. hom. 4, 8 ; 7, 8 ; 12, 4 ; 13, 4 (*GCS* 6, p. 106, 14 ; 117, 27 ;
180, 24 ; 216, 26 ; 266, 24 ; 276, 1). Voir *hom.* 8, 10, 94, à propos de
l'écarlate, note. Toutes citations qui omettent « lorsqu'il nous parlait

d'encens fin », pour la porter avec lui au Père ? Penses-tu
qu'il trouve en moi un peu de petite flamme et mon
holocauste allumé, pour qu'il daigne de ses « charbons
remplir son encensoir[r] » et par eux offrir à Dieu le Père
« une suave odeur[s] » ? Heureux celui dont il trouvera les
charbons de l'holocauste brûlant d'un feu si vif qu'il les
juge dignes d'être placés sur « l'autel de l'encens[t] » !
Heureux celui dans le cœur duquel il trouvera un sens si
subtil, si fin, si spirituel, à tel point composé de la suavité
variée des vertus, qu'il daigne s'en remplir les mains et
offrir à Dieu le Père la suave odeur de son intelligence !
Par contre, malheureuse l'âme dont s'éteint le feu de la
foi et se refroidit l'ardeur de la charité ! Alors que notre
Pontife céleste vient à elle, lui demandant des charbons
allumés et brûlants sur lesquels il offrirait de l'encens au
Père, il n'y trouve que cendres sèches et braises refroidies[1] !
Ainsi en va-t-il de tous ceux qui se retirent et s'éloignent
de la parole de Dieu, de peur que, entendant les paroles
divines, ils ne s'enflamment de foi, ne brûlent de charité,
ne se consument de miséricorde.

Veux-tu que je te montre qu'un feu[2] jaillit des paroles
de l'Esprit Saint et enflamme le cœur des croyants ?
Écoute David disant dans le Psaume : « La parole de
Dieu a enflammé mon cœur[u]. » D'autre part, il est écrit

sur la route », bien que la phrase introduisant la première comporte
« in via ». Pour d'autres citations, soit sous cette forme, soit avec
l'addition de « sur la route », cf. H. CROUZEL, *Connaissance*, p. 193,
n. 3. — Autres expressions notables : « Dieu, feu dévorant », *Deut.* 4,
24, interprétée dans *hom.* 5, 3. « Ignis paenitentiae », *In Ex. hom.* 4, 8,
GCS 6, p. 180, 23, employée dans un passage qui traite des châtiments figurés par les plaies d'Égypte : la Loi divine, aux châtiments
« joint le feu de la pénitence pour l'amener à dire « ' Notre cœur
n'était-il pas tout brûlant au-dedans de nous ? ' » Les péchés commis
après le baptême d'eau et d'Esprit doivent être effacés, soit par le
feu de la pénitence (intérieure et manifestée) soit par la mort ou
le feu éternel, ou le feu eschatologique du jugement, cf. *hom.* 14, 4
début. La pénitence anticipe le jugement.

iterum in Evangelio scriptum est, postquam Dominus
locutus est ad Cleophan : *Nonne cor nostrum* inquit *erat
ardens intra nos, cum adaperiret nobis Scripturas*[v]? Tu ergo
unde ardebis ? Unde invenientur in te *carbones ignis*, qui
90 numquam Domini igniris eloquio, numquam verbis sancti
Spiritus inflammaris ? Audi et alibi ipsum David dicentem :
*Concaluit cor meum intra me, et in meditatione mea exardescit
ignis*[w]. Unde tu concalescis ? Unde in te ignis accenditur,
qui numquam in divinis meditaris eloquiis, immo, quod est
95 infelicius, concalescis in spectaculis circi, concalescis in
equorum contentionibus, in certamine athletarum ? Atque
iste ignis non est de altari Domini, sed hic est, qui dicitur
ignis alienus, et audisti paulo superius quia, qui obtulerunt
alienum ignem ante Dominum, exstincti sunt[x]. Concalescis
100 et cum te repleverit iracundia et cum te inflammaverit
furor, ureris interdum et amore carnali ac turpissimae
libidinis iactaris incendiis. Sed omnis iste *ignis alienus* est
et contrarius Deo; quem qui accenderit, sine dubio Nadab
et Abiud perferet sortem[y].

10. Ait ergo eloquium divinum : *Et imponet incensum
super ignem in conspectu Domini, et operiet fumus incensi
propitiatorium, quod est super testimonia, et non morietur.
Et sumet de sanguine vituli et resperget digito suo super
5 propitiatorium contra orientem*[a]. Ritus quidem apud veteres
propitiationis pro hominibus, qui fiebat ad Deum, qualiter
celebraretur edocuit; sed tu, qui ad Christum venisti,
pontificem verum, qui sanguine suo Deum tibi propitium
fecit et reconciliavit te Patri[b], non haereas in sanguine

---

9 v. Lc 24, 18.32 ‖ w. Ps. 38, 4 ‖ x. Cf. Lév. 16, 1 ‖ y. Cf. Lév.
10, 1-2.
10 a. Lév. 16, 13-14 ‖ b. Cf. Rom. 5, 11

dans l'Évangile, de la bouche de Cléophas, après que le
Seigneur lui eut parlé : « Notre cœur n'était-il pas brûlant
au-dedans de nous, quand il nous ouvrait les Écritures[v] ? »
Et toi, d'où te viendra l'ardeur ? Où trouver « des charbons
de feu » en toi qui n'es jamais brûlé par la parole du
Seigneur, jamais enflammé par les paroles du Saint-
Esprit ? Écoute le même David dire encore ailleurs :
« Mon cœur s'est échauffé au-dedans de moi, et dans ma
méditation un feu s'allume[w]. » D'où te vient la chaleur ?
Où le feu s'allume-t-il en toi qui ne médites jamais les
paroles divines, bien au contraire, et c'est plus malheureux,
t'échauffes aux spectacles du cirque, t'échauffes aux courses
de chevaux, à la lutte des athlètes ? Or ce feu n'est pas
celui de l'autel du Seigneur, c'est celui qu'on dit « feu
profane », et tu viens d'entendre[1] que ceux qui ont offert
« un feu profane devant le Seigneur ont péri[x] ». Tu
t'échauffes encore quand la colère te remplit et quand la
fureur t'enflamme, et parfois tu es consumé par l'amour
charnel et en proie à l'incendie d'une passion très honteuse.
Mais tout ce « feu » est « profane » et contraire à Dieu ;
celui qui l'allume, à n'en pas douter, subira le sort de
Nadab et d'Abiud[y].

Sang   **10.** La parole divine déclare : « Il
mettra l'encens sur le feu devant le
Seigneur, et le nuage d'encens couvrira le propitiatoire
qui est sur les témoignages[2], et il ne mourra point. Puis, il
prendra du sang du jeune taureau et, de son doigt, fera
des aspersions au-dessus du propitiatoire du côté de
l'Orient[a]. » Le rite de propitiation pour les hommes qui,
chez les anciens, se pratiquait devant Dieu, on a enseigné
de quelle manière il était célébré ; mais toi, qui es venu au
Christ, Pontife véritable, qui par son sang t'a rendu Dieu
propice et t'a réconcilié avec le Père[b], ne t'arrête pas au

---

1. Cf. *supra*, § 1, 16 s.
2. « C'est-à-dire sur l'Arche qui contient les témoignages, autrement dit les tables de la Loi, *Ex.* 25, 16. » Osty.

10 carnis; sed disce potius sanguinem Verbi et audi ipsum
tibi dicentem quia : *Hic sanguis meus est, qui pro vobis
effundetur in remissionem peccatorum*[c]. Novit, qui mysteriis
imbutus est, et carnem et sanguinem Verbi Dei. Non ergo
immoremur in his, quae et scientibus nota sunt et igno-
15 rantibus patere non possunt.

Quod autem *contra orientem respergit*[d], non otiose
accipias. Ab oriente tibi propitiatio venit; inde est enim
vir, cui *Oriens nomen*[e] est, qui *mediator Dei et hominum*[f]
factus est. Invitaris ergo per hoc, ut *ad orientem* semper
20 adspicias[g], unde tibi oritur *Sol iustitiae*[h], unde tibi lumen
nascitur; ut numquam *in tenebris ambules*[i] neque dies ille
novissimus te in tenebris comprehendat; ne tibi ignorantiae
nox et caligo subripiat, sed ut semper in scientiae luce
verseris, semper habeas diem fidei, semper lumen caritatis
25 et pacis obtineas.

11. Addit post haec Scriptura : *Et non erit* inquit *homo,
cum ingredietur pontifex, intra velamen interius in tabernaculo testimonii*[a]. Quomodo *non erit homo* ? Ego sic accipio
quod, qui potuerit sequi Christum et penetrare cum eo
5 interius tabernaculum et caelorum excelsa conscendere,
iam *non erit homo*, sed secundum verbum ipsius erit
tamquam angelus Dei[b]. Aut forte etiam ille super eum sermo
complebitur, quem ipse Dominus dixit : *Ego dixi, dii estis*

---

10 c. Matth. 26, 28 ‖ d. Cf. Lév. 16, 14 ‖ e. Cf. Zach. 6, 12 ‖ f. Cf. I
Tim. 2, 5 ‖ g. Cf. Bar. 4, 36 ‖ h. Cf. Mal. 4, 2 (3, 20) ‖ i. Cf. Jn 12, 35
11 a. Cf. Lév. 16, 17 ‖ b. Cf. Matth. 22, 30

---

1. Sur l'usage de se tourner vers l'Orient pour la prière, cf. *De
or.* 22, 1 ; *In Num. hom.* 5, 1, *SC* 29, tr. A. Méhat, p. 113, à la note 3,
autres références patristiques.

2. « Cependant, le prêtre 'ne sera pas homme' selon Moïse,
quand il entre dans le Saint des saints, 'jusqu'à ce qu'il en sorte' :
en cela il ne s'agit pas du corps, mais des mouvements de son âme.
L'intellect, en effet, lorsqu'il est avec pureté à l'office de Dieu, n'est

sang de la chair ; apprends plutôt à connaître le sang du
Verbe, et entends celui-ci te dire : « Ceci est mon sang,
répandu pour vous en rémission des péchés[c]. » Quand on
est pénétré des mystères, on connaît la chair et le sang du
Verbe de Dieu. Ne nous arrêtons donc point à ce qui est
connu des initiés et ne peut être découvert aux ignorants.

Orient   Que l'aspersion se fasse du côté de
l'Orient[d], ne le tiens pas pour superflu.
De l'Orient te vient la propitiation ; car c'est de là qu'est
l'homme, dont « le nom est Orient[e] », établi « Médiateur
entre Dieu et les hommes[f] ». C'est donc pour toi une
invitation à toujours regarder « vers l'Orient[g] », d'où se
lève pour toi « le Soleil de justice[h] », d'où naît pour toi la
lumière[1] : pour que jamais tu ne « marches dans les
ténèbres[i] » et que le dernier jour ne te saisisse pas dans les
ténèbres ; pour que la nuit et l'obscurité de l'ignorance ne
te prennent en traître, mais que sans cesse tu te trouves
dans la clarté de la science, sans cesse tu aies le grand jour
de la foi, sans cesse tu obtiennes la lumière de la charité
et de la paix.

11. Après cela, l'Écriture ajoute :
**Condition
humaine**   « Et il n'y aura pas d'homme quand
le pontife entrera derrière le voile
intérieur dans la tente du témoignage[a]. » Dans quel sens,
« il n'y aura pas d'homme[2] » ? Pour moi, j'entends que
celui qui pourra suivre le Christ, pénétrer avec lui à
l'intérieur de la tente et monter à la cime des cieux,
désormais ne sera plus un homme mais, selon sa parole,
sera « comme un ange de Dieu[b] ». Ou peut-être même
s'accomplira en lui la parole qu'a dite le Seigneur : « J'ai

pas humain mais divin ; s'il sert, au contraire, quelque chose d'humain,
le voici détourné, descendu du ciel ou plutôt tombé sur la terre
et ' il sort ', même si son corps reste au-dedans. » Philon, *Quis rer.
div. her.* 84, tr. M. Harl.

*et filii Excelsi omnes*c. Sive ergo spiritalis effectus unus cum
10 Domino spiritus fiat, sive per resurrectionis gloriam in
angelorum ordinem transeat, recte iam *non erit homo*; sed
unusquisque ipse sibi hoc praestat, ut vel excedat hominis
appellationem vel intra conditionem huius vocabuli
censeatur.

15   Si enim factus homo *ab initio*d servasset illud, quod ad
eum Scriptura dicit : *Ecce, posui ante oculos tuos mortem
et vitam, elige vitam*e, si hoc fecisset, numquam profecto
humanum genus mortalis conditio tenuisset. Sed quoniam
derelinquens vitam mortem secutus est, homo factus est;
20 et non solum homo, sed et terra, propter quod et *in terram
redire*f dicitur. Requiro tamen, quae sit ista mors, quam
dicit : *Ante oculos tuos posui*g. De vita enim non dubitatur
quod semet ipsum indicet Deus, qui dixit : *Ego sum veritas
et vita*h. Quae est ergo ista mors vitae contraria, quam
25 *posuit* Deus *ante oculos* nostros ? De illo dici puto, de quo
Paulus dicit : *Novissimus inimicus destruetur mors*i. Iste
est ergo *inimicus* diabolus, qui primo quidem *ante oculos*
positus est, sed *novissimus destruetur*. Positus autem fuerat
ante oculos, non ut sequeremur eum, sed ut vitaremus.
30 Unde et arbitror quod ipsa per se anima humana neque
mortalis neque immortalis dici potest. Sed si contigerit
vitam, ex participio vitae erit immortalis (in vitam enim
non incidit mors); si vero avertens se a vita participium
traxerit mortis, ipsa se facit esse mortalem. Et ideo
35 propheta dicit : *Anima quae peccat, ipsa morietur*j, quamvis
mortem eius non ad interitum substantiae sentiamus, sed
hoc ipsum, quod aliena et extorris sit a Deo, qui vera vita
est, mors ei esse credenda est.

---

11 c. Ps. 81, 6 ‖ d. Cf. Mc 10, 6 ‖ e. Cf. Deut. 30, 15 ‖ f. Cf. Gen.
3, 19 ‖ g. Cf. Deut. 30, 15 ‖ h. Jn 14, 6 ‖ i. I Cor. 15, 26 ‖ j. Éz. 18, 4

---

1. Voir la note complémentaire 24.

dit : tous, vous êtes des dieux et des fils du Très-Haut[c]. »
Que donc, devenu spirituel, il soit un seul esprit avec le
Seigneur, ou que par la gloire de la résurrection il passe
dans l'ordre des anges, il est exact que désormais il ne sera
plus un homme ; mais chacun répond de lui-même, soit
pour dépasser l'appellation d'homme, soit pour être classé
dans la condition ainsi nommée.

Car si, fait homme « dès l'origine[d] », il avait observé ce
que lui dit l'Écriture : « Vois : j'ai placé devant tes yeux la
mort et la vie, choisis la vie[e] », s'il avait fait ce choix,
jamais assurément la condition mortelle n'aurait saisi le
genre humain. Mais comme, abandonnant la vie, il a suivi
la mort, il a été fait homme ; et non seulement homme,
mais aussi terre, à cause de quoi il doit « retourner en
terre[f] ». Cependant, je cherche quelle est cette mort dont
il est dit : « Je l'ai placée devant tes yeux[g]. » Car, par la
vie, il n'est pas douteux que Dieu se désigne lui-même,
lui qui déclara : « Je suis la vérité et la vie[h]. » Quelle est
donc cette mort, contraire à la vie, que Dieu a placée
devant nos yeux ? Il s'agit, je pense, de celui dont Paul a
dit : « Le dernier ennemi sera détruit, la mort[i]. » C'est cet
ennemi, le diable, qui en premier lieu a été placé devant
nos yeux, mais sera détruit le dernier. Or, il avait été
placé devant nos yeux, non pas pour que nous le suivions,
mais que nous l'évitions. J'en conclus que d'elle-même
l'âme humaine ne peut être dite ni mortelle, ni immortelle.
Mais si elle s'attache à la vie, par participation à la vie,
elle sera immortelle, car la mort n'a point de prise sur la
vie ; si au contraire, se détournant de la vie, elle contracte
la participation de la mort, elle se rend mortelle[1]. Et c'est
pourquoi le prophète dit : « L'âme qui pèche, c'est elle qui
mourra[j]. » Non que nous pensions que cette mort aille
jusqu'à la destruction de la substance ; mais, du fait
qu'elle est étrangère à Dieu et éloignée de lui qui est
la vie véritable, il faut croire que la mort existe pour
elle.

Nulla ergo *participatio* sit *iustitiae cum iniquitate, nulla*
40 *societas luci ad tenebras, nulla consonantia Christo cum*
Belial[k]. Si elegimus vitam, semper vivemus, *mors nobis*
non dominabitur[1], et complebitur in nobis sermo Domini,
qui dixit : *Qui credit in me, etiamsi moriatur, vivet*[m].
Eligamus ergo vitam, eligamus lucem, ut *in die honeste*
45 *ambulemus*[n], ut et nos sequentes Iesum intra velamen
tabernaculi interioris iam non simus ut homines mortales,
sed ut angeli immortales, cum *novissimum inimicum*
destruxerit mortem[o] ipse Dominus noster Iesus Christus, qui
est *via et veritas et vita*[p], *cui gloria et imperium in saecula*
50 *saeculorum! Amen*[q].

11 k. II Cor. 6, 14-15 ‖ l. Cf. Rom. 6, 9 ‖ m. Jn 11, 25 ‖ n. Cf.
Rom. 13, 13 ‖ o. Cf. I Cor. 15, 26 ‖ p. Cf. Jn 14, 6 ‖ q. Cf. I Pierre
4, 11 ; Apoc. 1, 6

Qu'il n'y ait donc « aucun rapport entre la justice et l'iniquité », « aucune communion de la lumière avec les ténèbres, aucun accord du Christ avec Bélial[k] ». Si nous choisissons la vie, sans cesse nous vivrons, « la mort ne nous dominera point[1] », et s'accomplira en nous la parole du Seigneur : « Celui qui croit en moi, même s'il est mort vivra[m]. » Choisissons donc la vie, choisissons la lumière, pour que « nous marchions en plein jour dans l'honnêteté[n] », afin que, nous aussi, suivant Jésus derrière le voile de la tente intérieure, nous ne soyons plus comme des hommes mortels, mais comme des anges immortels, quand notre Seigneur Jésus-Christ en personne « détruira le dernier ennemi, la mort[o] », lui qui est « la voie, la vérité, la vie[p] », « à qui est gloire et puissance pour les siècles des siècles. Amen[q]. »

HOMILIA X

De ieiunio, quod in die propitiationis fit, et de hirco, qui
in eremum dimittitur[a].

1. Nos quidem, qui de Ecclesia sumus, merito Moysen
recipimus et scripta eius legimus sentientes de eo quod
propheta sit et Deo sibi revelante in symbolis et figuris
ac formis allegoricis conscripserit futura mysteria, quae
5 in tempore suo docemus impleta. Qui vero huiusmodi
in eo non recipit sensum, sive Iudaeorum quis sive etiam
nostrorum est, is ne prophetam quidem eum docere potest;
quomodo etenim prophetam probabit, cuius litteras asserat
esse communes, futuri nullius conscias nec occulti aliquid
10 mysterii continentes ? Hunc itaque qui ita sentit, legentem
haec arguit sermo divinus et dicit : *Putasne intelligis
quae legis*[a]*?*

Est ergo lex et omnia, quae in lege sunt, secundum
Apostoli sententiam *usque ad tempus correctionis imposita*[b],
15 et, sicut hi, quibus artificium est signa ex aere facere et
statuas fundere, antequam verum opus aeris producant aut
argenti vel auri, figmentum prius luti ad similitudinem

Tit. a. Cf. Lév. 16, 10
1 a. Act. 8, 30 ‖ b. Cf. Hébr. 9, 10

---

1. « Ayant montré que Moïse est le meilleur des rois, des légis-
lateurs, des grands prêtres, j'en arrive à... montrer qu'il fut aussi
le plus illustre des prophètes. » Philon, *De vit. Mosis* II, 187, tr.
R. Arnaldez, etc.
2. La comparaison du culte ancien à une maquette remonterait
à Méliton de Sardes, *Homélie sur la Passion*, encore que l'attri-

X

< JEÛNE. BOUC ÉMISSAIRE >

Le jeûne observé au jour de la propitiation; le bouc chassé au désert[a].

Sens typique   **1.** Nous qui sommes de l'Église, à bon droit nous recevons Moïse et nous lisons ses écrits dans la pensée qu'il est un prophète[1] et que, Dieu se révélant à lui, il a décrit en symboles, figures et tournures allégoriques, des mystères à venir que nous montrons accomplis en leur temps. Mais si l'on n'admet pas ce sens chez lui, qu'on soit l'un des Juifs ou même des nôtres, on ne peut même pas enseigner qu'il est un prophète ; en effet, comment prouvera-t-on qu'est prophète l'auteur dont on assure que les écrits sont ordinaires, sans rien connaître de l'avenir ni contenir un sens mystérieux caché ? Aussi bien, le lecteur qui a cette pensée, la parole divine le convainc d'erreur : « Crois-tu comprendre ce que tu lis[a] ? »

Dès lors la Loi et tout ce qu'elle contient, au sentiment de l'Apôtre, sont « imposés jusqu'au temps de la réforme[b] ». Ceux dont l'art est de couler des effigies de bronze et de fondre des statues, avant d'exécuter l'œuvre véritable en bronze, en argent ou en or, modèlent d'abord une maquette d'argile à la ressemblance de la future statue[2]. La maquette

bution de l'œuvre ait été contestée, cf. H. Crouzel, *Connaissance*, p. 283, n. 8. Le rapport maquette/chef-d'œuvre et les illustrations qui suivent expriment, comme en un puissant raccourci, une caractéristique essentielle de la pensée chrétienne, cf. *Introd.* p. 44 s. et la note complémentaire 25.

futurae imaginis formant — quod figmentum necessarium
quidem est, sed usquequo opus quod principale est,
20 expleatur; cum autem fuerit effectum opus illud, propter
quod figmentum luti fuerat formatum, usus eius ultra
non quaeritur —, tale aliquid intellige etiam in his, quae
in typo[c] et figura futurorum in lege et prophetis vel scripta
vel gesta sunt. Venit enim ipse artifex et auctor omnium
25 et *legem, quae umbram habebat futurorum bonorum*, transtulit
ad *ipsam imaginem rerum*[d]. Sed ne forte difficile tibi
probari posse, quae dicimus, videantur, recognosce per
singula.

Erat prius Ierusalem urbs illa magna regalis, ubi
30 templum famosissimum Deo fuerat exstructum. Postea
vero quam venit ille, qui erat verum templum Dei et
dicebat de templo corporis sui : *Solvite templum hoc*[e], et
qui *caelestis Ierusalem*[f] coepit aperire mysteria : deleta
est illa terrena, ubi *caelestis* apparuit, et in templo illo non
35 remansit *lapis super lapidem*[g], ex quo verum templum
Dei facta est caro Christi. Erat prius pontifex *sanguine
taurorum et hircorum*[h] purificans populum; sed ex quo venit
verus pontifex, qui *sanguine suo sanctificaret*[i] credentes,
nusquam est ille pontifex prior nec ullus ei relictus est
40 locus. Altare fuit prius et sacrificia celebrabantur; sed ut
venit verus agnus, qui *se ipsum hostiam obtulit Deo*[j],
cuncta illa velut pro tempore posita cessaverunt.

Non tibi ergo videtur quod secundum figuram, quam
supra posuimus, veluti formae fuerint quaedam e luto
45 fictae, per quas veritatis exprimerentur imagines ? Propterea denique divina dispensatio procuravit, ut et civitas
ipsa et templum et omnia illa pariter subverterentur; ne
qui forte adhuc *parvulus et lactans in fide*[k], si videret illa
constare, dum sacrificiorum ritum, dum ministeriorum

---

1 c. Cf. I Cor. 10, 11 ‖ d. Cf. Hébr. 10, 1 ‖ e. Jn 2, 19 ‖ f. Cf.
Hébr. 12, 22 ‖ g. Cf. Matth. 24, 2 ‖ h. Cf. Hébr. 10, 4 ‖ i. Cf. Hébr.
13, 12 ‖ j. Cf. Éphés. 5, 2 ‖ k. Cf. Hébr. 5, 13 ; Rom. 14, 1

est bien nécessaire, mais jusqu'à l'achèvement du chef-
d'œuvre. Une fois terminée l'œuvre pour laquelle avait
été modelée la maquette d'argile, on ne cherche plus à
s'en servir. Comprends qu'il en va de même pour ce qui a
été écrit ou accompli dans la Loi et les prophètes « en
typeᶜ » et en figure des choses à venir. Car est venu en
personne l'artiste et l'auteur de toutes choses ; et « la Loi
qui possédait l'ombre des biens à venir », il l'a transformée
en « l'image même des réalitésᵈ ». Mais de peur que nos
affirmations ne te semblent difficiles à prouver, examine-les
une à une.

Il y avait jadis Jérusalem, cette grande ville royale où
l'on avait élevé à Dieu un temple très célèbre. Mais après
que fut venu celui qui était le véritable temple de Dieu et
disait du temple de son corps : « Détruisez ce templeᵉ », et
qui entreprit de dévoiler les mystères de « la Jérusalem
célesteᶠ », cette ville terrestre fut détruite dès qu'apparut la
céleste, et dans ce temple il n'est pas resté pierre sur
pierreᵍ, depuis que la chair du Christ est devenue le
véritable temple de Dieu. Il y avait jadis un pontife
purifiant le peuple « avec le sang des taureaux et des
boucsʰ » ; mais depuis qu'est venu le véritable pontife qui
a sanctifié les croyants par son sangⁱ, nulle part n'existe
plus ce premier pontife, et aucune place ne lui fut laissée.
Il y eut jadis un autel et on célébrait des sacrifices ; mais
dès que vint l'Agneau véritable « qui s'est offert à Dieu en
victimeʲ », tous ces sacrifices, comme institutions provisoires, ont pris fin.

Alors, ne te semble-t-il pas que, selon la figure établie
plus haut, il y eut comme des maquettes façonnées d'argile
qui représentaient les images de la vérité ? Bref, c'est
pour cette raison que l'économie divine a pourvu à ce que
la ville même et le temple et tout le reste fussent pareillement détruits : de peur que celui qui serait encore
« petit enfant et nourri au lait dans la foiᵏ », à les voir
subsister, alors que le rite des sacrifices, alors que l'ordon-

50 ordinem attonitus stupet, ipso diversarum formarum
raperetur intuitu. Sed providens Deus infirmitati nostrae
et volens multiplicari Ecclesiam suam omnia illa subverti
fecit et penitus auferri, ut sine ulla cunctatione illis
cessantibus haec esse vera, pro quibus in illis typus prae-
55 cesserat, crederemus.

2. Unde et nunc dicenda nobis sunt aliqua etiam ad
eos, qui putant pro mandato legis sibi quoque Iudaeorum
ieiunium ieiunandum, et primo omnium sermonibus utar
Pauli dicentis quia, si qui vult unum aliquid custodire de
5 observationibus legis, *obnoxius est universae legis faciendae*[a].
Qui ergo observat ista ieiunia, adscendat et *ter in anno* in
Ierusalem, ut *appareat ante templum Domini*[b], ut offerat
se sacerdoti; requirat altare, quod in pulverem versum
est, offerat hostias nullo adstante pontifice. Scriptum est
10 enim, ut *duos hircos*[c] ieiunans populus offerat in sacrificium,
super quos sortes mitti debeant, ut unus ex his fiat *Domini
sors*[d] et hostia Domino offeratur, alterius vero sors fiat,
ut dimittatur *in eremum vivus*[e], qui et habeat in se peccata

---

2 a. Cf. Gal. 5, 3 ‖ b. Cf. Ex. 23, 17 ‖ c. Cf. Lév. 16, 5 ‖ d. Cf.
Lév. 16, 9 ‖ e. Cf. Lév. 16, 10

1. Ce jeûne du peuple était compris dans l'attitude de pénitence
prescrite : « Vous affligerez vos âmes » (*Lév.* 16, 29.31) ; cf. Osty.
La sentence paulinienne est formulée à propos de la circoncision, qui déterminait en effet l'orientation religieuse de toute
la vie. Si Origène l'applique au jeûne, c'est que celui-ci
faisait partie du système de pratiques juives, comme aussi le triple
pèlerinage annuel, cf. *Ex.* 23, 17, etc. Depuis la ruine du Temple,
ce pèlerinage a cessé. Et le jeûne des Juifs, lié à des institutions
abolies, comme elles est périmé. Le jeûne chrétien, en rapport avec
l'histoire et le mystère de Jésus, est à la fois un témoignage rendu
à l'ancien jeûne et une substitution par sa signification nouvelle.
« Vous toutes qui observez le jeûne juif en femmes qui ne comprennent
pas le jour de propitiation qui existe depuis l'avènement de Jésus,
vous n'avez pas entendu la propitiation de manière cachée, mais

nance des cérémonies l'étonnent et l'émerveillent, ne fût séduit par la seule vue des diverses figures. Mais Dieu, veillant sur notre faiblesse, et voulant que son Église se multiplie, a fait que toutes ces choses soient détruites de fond en comble, pour que nous n'ayons aucune hésitation, elles disparues, à croire véritables celles dont elles contenaient d'avance le type.

2. Aussi nous faut-il à présent dire

Jeûne des juifs   quelques mots encore à ceux qui croient, en vertu du commandement de la Loi, devoir pratiquer eux aussi le jeûne des Juifs. Avant tout, je m'appuierai sur les paroles de Paul disant que, si l'on veut garder une des observances de la Loi, « on est tenu de pratiquer toute la Loi[a] ». Alors, que celui qui observe ces jeûnes monte aussi « trois fois l'an » à Jérusalem, pour « se présenter devant le temple du Seigneur[b] », pour s'offrir au prêtre ; qu'il recherche l'autel tombé en poussière, qu'il offre des victimes en l'absence de tout pontife. Car il est écrit que pendant qu'il jeûne[1], le peuple doit offrir en sacrifice « deux boucs[c] » sur lesquels on doit mettre des sorts, pour que l'un d'eux devienne « la part du Seigneur[d] » et soit offert en victime au Seigneur, mais que l'autre ait pour sort d'être envoyé « vivant dans le désert[e] » et d'avoir

seulement visible ; car entendre la propitiation de manière cachée, c'est entendre comment Dieu a exposé Jésus en victime de propitiation pour nos péchés... » *In Jer. hom.* 12, 13, SC 238, p. 47 s., tr. P. Nautin. Le jeûne véritable consiste d'une part en sentiments d'humilité et d'allégresse, de l'autre en abstention d'actions, de paroles, de pensées mauvaises. L'abstinence chrétienne même se pratique à d'autres jours que le jeûne juif : « Que vos jeûnes n'aient pas lieu en même temps que ceux des hypocrites ; ils jeûnent en effet le deuxième et le cinquième jour de la semaine ; pour vous, jeûnez le quatrième ainsi que le jour de la parascève (le mercredi et le vendredi) », *Didachè* 8, 1. « Le vrai gnostique sait aussi les énigmes de ces jours de jeûne, je veux dire du quatrième jour et de la parascève », CLEM. ALEX., *Strom.* 7, 12, 75, 2 (III, 54, St.).

populi. Haec tibi omnia consequenter explenda sunt, qui
15 vis secundum praeceptum legis observare ieiunium; de
quibus a nobis quidem, prout potuimus, superiori disputatione dissertum est.

Tamen quoniam dives est sermo Dei et secundum
sententiam Salomonis non simpliciter, sed et dupliciter et
20 *tripliciter describendus in corde est*[f], temptemus etiam nunc
addere aliqua ad ea, quae dudum pro viribus dicta sunt,
ut ostendamus, quomodo *in typo futurorum*[g] etiam hic
unus hircus Domino oblatus est hostia et alius *vivus*
dimissus est. Audi in Evangeliis Pilatum dicentem ad
25 sacerdotes et populum Iudaeorum : *Quem vultis ex duobus
dimittam vobis, Iesum, qui dicitur Christus, aut Barabban*[h]?
Tunc clamavit omnis populus, ut *Barabban* dimitteret,
Iesum vero morti traderet[i]. Ecce habes hircum, qui dimissus
est *vivus in eremum* peccata secum populi ferens clamantis
30 et dicentis : *Crucifige, crucifige*[j]. Iste est ergo hircus *vivus*
dimissus *in eremum* et ille est hircus, qui Domino oblatus
est hostia ad repropitianda peccata et veram propitiationem
in se credentibus populis fecit. Quod et si hoc requiras,
qui sit, qui hunc hircum perduxit *in eremum*, ut probetur
35 in eo etiam quod lotus sit et mundus effectus, potest
Pilatus ipse accipi *homo paratus*[k]. Iudex quippe gentis
ipsius erat, qui eum per sententiam suam emisit *in eremum*.
Audi autem quomodo lotus sit et mundus effectus[l]. Cum
ad populum diceret : *Vultis dimittam vobis Iesum, qui
40 dicitur Christus*[m]? et acclamasset omnis populus dicens :
Si hunc dimittis, non es amicus Caesaris[n], tunc *proposcit*
inquit *Pilatus aquam et lavit manus suas coram populo,
dicens : mundus ego a sanguine huius ; vos videritis*[o]. Sic
ergo videbitur lotis manibus suis mundus effectus.

---

2 f. Cf. Prov. 22, 18.20 ‖ g. Cf. I Cor. 10, 11 ; Hébr. 10, 1 ‖ h. Matth. 27, 17 ‖ i. Cf. Matth. 27, 21 s. ‖ j. Lc 23, 21 ‖ k. Cf. Lév. 16, 21.22 ‖ l. Cf. Lév. 16, 24 ‖ m. Cf. Mc 15, 9 ; Matth. 27, 17 ‖ n. Jn 19, 12 ‖ o. Matth 27, 24

sur lui les péchés du peuple. Voilà tout ce qu'on doit logiquement accomplir, si l'on veut selon le précepte de la loi observer le jeûne ; nous l'avons expliqué de notre mieux dans l'examen qui précède.

Sens typiques des deux boucs

Cependant, comme la parole de Dieu est riche et, d'après la sentence de Salomon, « doit être », non pas une, mais deux et « trois fois écrite dans notre cœur[f] », essayons encore ici d'ajouter quelque peu aux explications fournies naguère selon nos forces, afin de montrer que c'est aussi « en type des biens à venir[g] » que ce premier bouc a été offert en victime au Seigneur et que l'autre a été chassé « vivant ». Écoute, dans les Évangiles, Pilate dire aux prêtres et au peuple des Juifs : « Lequel des deux voulez-vous que je vous relâche, Jésus qu'on appelle Christ, ou Barabbas[h] ? » Alors, tout le peuple de crier qu'il relâche Barabbas, mais livre Jésus à la mort[i]. Vois : on a le bouc qui fut envoyé « vivant dans le désert », portant avec lui les péchés du peuple qui criait : « Crucifie, crucifie[j] ! » Celui-ci est donc le bouc vivant envoyé dans le désert ; et celui-là est le bouc qui fut offert en victime propitiatoire et accomplit la propitiation véritable pour les peuples qui croient en lui. Que si tu cherches encore quel est celui qui a conduit ce bouc au désert, pour vérifier qu'il s'est aussi lavé et est devenu pur, c'est Pilate qu'on peut regarder comme « l'homme prêt[k] ». De fait, il était le juge de la nation elle-même, qui par sa sentence l'a envoyé au désert. Mais apprends qu'il s'est lavé et rendu pur[l]. Après qu'il eut dit au peuple : « Voulez-vous que je vous relâche Jésus qu'on appelle Christ[m] ? » et que tout le peuple se fut écrié : « Si tu le relâches, tu n'es pas l'ami de César[n] », alors « Pilate demanda de l'eau et se lava les mains devant le peuple, en disant : Je suis pur du sang de cet homme ; à vous de voir[o] ! » Ainsi donc, ses mains lavées, il semblera rendu pur.

45   Nostra igitur, id est qui non *umbrae et exemplari servi-*
*mus*ᵖ, sed veritati, haec est propitiationis dies, in qua data
est nobis remissio peccatorum, cum *Pascha nostrum*
immolatus est Christus�q. *Quomodo* ergo cognita veritate
convertimur iterum ad infirma et egena elementa huius
50 *mundi, quibus rursus a capite servire vultis dies observantes*
*et menses et tempora et annos*ʳ? Audi quomodo etiam
propheta huiusmodi ieiunium respuit et dicit : *Non hoc*
ieiunium elegi, dicit Dominus, neque diem, ut humiliet
*homo animam suam*ˢ. Tu si vis ieiunare secundum Christum
55 et *humiliare animam tuam*, omne tibi tempus apertum
est totius anni ; immo totius vitae tuae dies habeto *ad humi-*
liandam animam tuam, si tamen *didicisti* a Domino
Salvatore nostro *quia mitis est et humilis corde*ᵗ. Quando
ergo non est tibi humiliationis dies, qui Christum sequeris,
60 qui est *humilis corde* et humilitatis magister ?

    Tu itaque si vis ieiunare, ieiuna secundum praeceptum
Evangelii et observa in ieiuniis evangelicas leges, in quibus
hoc modo Salvator de ieiuniis mandat : *Tu autem si*
*ieiunas, unge caput tuum et lava faciem tuam*ᵘ. Quod si
65 requiris, quomodo *laves faciem tuam*, Paulus Apostolus
docet, quemadmodum *revelata facie gloriam Domini*
contempleris, ad eandem imaginem reformatus a gloria in
*gloriam, tamquam a Domini Spiritu*ᵛ. *Unge* etiam *caput*
tuum, sed observa ne oleo peccati : *oleum* enim *peccatoris*
70 *non impinguet caput tuum*ʷ. Sed *unge caput* oleo exsulta-
tionis, *oleo laetitiae*ˣ, oleo misericordiae, ita ut secundum
mandatum Sapientiae *misericordia et fides non deserant*
*te*ʸ. Propterea enim et Apostolus Paulus volens abstrahere
nos ab his visibilibus et terrenis et erigere animos sensusque
75 nostros ad caelestia clamat et dicit : *Si resurrexistis cum*

---

    2 p. Cf. Hébr. 8, 5 ‖ q. I Cor. 5, 7 ‖ r. Gal. 4, 9-10 ‖ s. Cf. Is. 58,
5 ‖ t. Matth. 11, 29 ‖ u. Matth. 6, 17 ‖ v. II Cor. 3, 18 ‖ w. Ps. 140, 5
‖ x. Cf. Ps. 44, 8 ‖ y. Prov. 3, 3

Jeûne du chrétien Eh bien ! à nous qui « ne sommes plus soumis à l'ombre et à la copie ᵖ », mais à la vérité, notre jour de propitiation, c'est celui où nous fut donnée la rémission des péchés, quand « le Christ notre Pâque a été immolé ᑫ ». « Comment » donc, la vérité une fois connue, « retourner aux éléments sans force et sans valeur de ce monde, auxquels vous voulez de nouveau comme jadis vous asservir, célébrant les jours, les mois, les saisons, les années ʳ ? » Apprends que le prophète aussi rejette un jeûne de cette sorte : « Je n'ai pas choisi ce jeûne, dit le Seigneur, ni ce jour pour que l'homme humilie son âme ˢ. » Toi, si tu veux jeûner selon le Christ et « humilier ton âme », tout le temps de toute l'année t'est ouvert ; bien plus, de toute ta vie consacre les jours à « humilier ton âme », si du moins « tu as appris » du Seigneur notre Sauveur « qu'il est doux et humble de cœur ᵗ ». Quand donc n'est-ce pas un jour d'humiliation pour toi qui suis le Christ, « humble de cœur » et maître d'humilité ?

Ainsi toi, si tu veux jeûner, jeûne suivant le précepte de l'Évangile et observe pour les jeûnes les lois évangéliques dans lesquelles le Sauveur donne cette prescription pour les jeûnes : « Pour toi, si tu jeûnes, parfume ta tête et lave ton visage ᵘ. » Que si tu demandes comment laver ton visage, l'apôtre Paul enseigne que, « le visage dévoilé, tu contempleras la gloire du Seigneur, transfiguré en cette même image toujours plus glorieuse, comme par l'Esprit du Seigneur ᵛ ». « Parfume » encore « ta tête », mais garde-toi de le faire avec l'huile du péché : « Que l'huile du pécheur n'enduise point ta tête ʷ ! » Mais « parfume ta tête » de l'huile de jubilation, « de l'huile d'allégresse ˣ », de l'huile de miséricorde, réalisant l'ordre de la Sagesse : « Que miséricorde et pitié ne te quittent pas ʸ ! » C'est pourquoi aussi l'apôtre Paul, voulant nous détourner de ces choses visibles et terrestres, élever nos esprits et nos sentiments vers les réalités célestes, s'écrie : « Si vous êtes ressuscités

Christo, quae sursum sunt quaerite, non quae super terram[z].
Nonne aperte tibi dicit : noli quaerere in terris Ierusalem
nec observantias legis nec ieiunium Iudaeorum, sed
ieiunium Christi ? Ieiunans enim debes adire pontificem
80 tuum Christum, qui utique non in terris requirendus est,
sed in caelis, et per ipsum debes offerre hostiam Deo.

Vis tibi adhuc ostendam, quale te oportet ieiunare
ieiunium ? Ieiuna ab omni peccato, nullum cibum sumas
malitiae, nullas capias epulas voluptatis, nullo vino
85 luxuriae concalescas. Ieiuna a malis actibus, abstine a
malis sermonibus, contine te a cogitationibus pessimis.
Noli contingere panes furtivos perversae doctrinae. Non
concupiscas fallaces philosophiae cibos, qui te a veritate
seducant. Tale ieiunium Deo placet. *Abstinere* vero *a cibis,*
90 *quos Deus creavit ad percipiendum cum gratiarum actione*
fidelibus[aa] et hoc facere cum his, qui Christum crucifixerunt,
acceptum esse non potest Deo. Indignati sunt aliquando
et Pharisaei Domino, cur non ieiunarent discipuli eius.
Quibus ille respondit quia : *Non possunt filii sponsi ieiunare,*
95 *quamdiu cum ipsis est sponsus*[ab]. Illi ergo ieiunent, qui
perdiderunt sponsum, nos habentes nobiscum sponsum
ieiunare non possumus.

Nec hoc tamen ideo dicimus, ut abstinentiae christianae
frena laxemus; habemus enim quadragesimae dies ieiuniis
100 consecratos, habemus quartam et sextam septimanae diem,
quibus sollemniter ieiunamus. Est certe libertas Christiano
per omne tempus ieiunandi, non observantiae superstitione,
sed virtute continentiae. Nam quomodo apud eos castitas
incorrupta servatur nisi artioribus continentiae fulta
105 subsidiis ? Quomodo Scripturis operam navant, quomodo

---

2 z. Col. 3, 1.2 ‖ aa. I Tim. 4, 3 ‖ ab. Cf. Matth. 9, 15

---

1. « Tout d'abord, garde-toi de toute parole mauvaise et de tout
désir mauvais et purifie ton cœur de toutes les vanités de ce siècle.

avec le Christ, recherchez ce qui est en haut, non ce qui est sur terre[z]. » N'est-ce pas en clair te dire : ne cherche pas sur la terre Jérusalem, ni les observances de la Loi, ni les jeûnes des Juifs, mais le jeûne du Christ ? Car c'est en jeûnant que tu dois approcher ton pontife le Christ, lequel n'est certes pas à chercher sur la terre mais au ciel, et que par lui tu dois offrir une victime à Dieu.

Veux-tu que je te montre encore quel jeûne tu dois pratiquer ? Jeûne de tout péché, ne prends aucun aliment de malice, n'accepte aucun mets de volupté, ne t'échauffe d'aucun vin de luxure. Jeûne des actions mauvaises, abstiens-toi de paroles méchantes, garde-toi de pensées perverses[1]. Ne touche pas aux pains volés d'une doctrine corrompue. Ne désire pas les aliments fallacieux de la philosophie qui te détournent de la vérité. Un tel jeûne plaît à Dieu. Mais « s'abstenir d'aliments que Dieu a créés pour être pris avec action de grâce par les fidèles[aa] », et le faire avec ceux qui ont crucifié le Christ, ne peut être agréé de Dieu. Les pharisiens s'indignèrent un jour contre le Seigneur de ce que ses disciples ne jeûnaient pas. Il leur répondit : « Les fils de l'époux ne peuvent pas jeûner tant que l'époux est avec eux[ab]. » Que jeûnent donc ceux qui ont perdu l'époux ; nous qui avons l'époux avec nous, nous ne pouvons pas jeûner.

Cependant nous ne disons point cela pour relâcher les freins de l'abstinence chrétienne ; car nous avons les jours de carême consacrés aux jeûnes, nous avons le quatrième et le sixième jour de la semaine où nous jeûnons habituellement. Il y a certes liberté pour le chrétien de jeûner en tout temps, non par scrupule d'observance, mais par vertu de continence. Car comment chez eux la chasteté est-elle gardée intacte à moins d'être soutenue par les étais serrés de la continence ? Comment s'adonner aux

Si tu observes cela, ton jeûne sera parfait », Hermas, *Sim.* 5, 3, 6, *SC* 53 *bis*, p. 231, tr. R. Joly.

scientiae et sapientiae student ? Nonne per continentiam
ventris et gutturis ? Quomodo quis *se ipsum castrat
propter regnum caelorum*ᵃᶜ, nisi ciborum affluentiam resecet,
nisi abstinentia utatur ministra ? Haec ergo Christianis
110 ieiunandi ratio est. Sed est et alia adhuc religiosa, cuius
laus etiam quorundam Apostolorum litteris praedicatur.
Invenimus enim in quodam libello ab Apostolis dictum :
Beatus est, qui etiam ieiunat pro eo, ut alat pauperem. Huius
ieiunium valde acceptum est apud Deum et revera digne
115 satis; imitatur enim illum, *qui animam suam posuit pro
fratribus suis*ᵃᵈ. Quid ergo veteribus pannis nova indumenta
miscemus ? Quid in utres veteres mittimus vinum
novumᵃᵉ ? *Vetera transierunt: ecce, facta sunt omnia nova*ᵃᶠ,
per Christum Dominum nostrum, *cui est gloria et imperium
120 in saecula saeculorum. Amen*ᵃᵍ.

2 ac. Cf. Matth. 19, 12 ‖ ad. Cf. I Jn 3, 16 ‖ ae. Cf. Matth. 9, 16.
17 ‖ af. II Cor. 5, 17 ‖ ag. Cf. I Pierre 4, 11 ; Apoc. 1, 6

Écritures, comment s'appliquer à la science et à la sagesse ?
N'est-ce point par la continence du ventre et du gosier ?
Comment « se rendre eunuque en vue du royaume des
cieux[ac] » sans rogner sur l'abondance des aliments, sans
recourir à l'aide de l'abstinence ? Voilà pour les chrétiens
une manière de jeûner. Il en est encore une autre, religieuse
aussi, dont la louange est même proclamée par la lettre
de certains apôtres. On trouve en effet dans un écrit cette
parole des apôtres : « Heureux celui qui jeûne aussi afin
de nourrir le pauvre. » Son jeûne est très agréable à Dieu,
et en vérité fort digne[1] ; car il imite « celui qui a livré
sa vie pour ses frères[ad] ». Pourquoi donc, aux vieux haillons,
mêler les habits neufs ? Pourquoi dans de vieilles outres
verser le vin nouveau[ae] ? « L'ancien est passé ; vois : tout
est neuf[af] », par le Christ notre Seigneur, « à qui est gloire
et puissance pour les siècles des siècles. Amen[ag]. »

1. « Le jour où tu jeûneras, tu ne prendras rien, sauf du pain
et de l'eau, et tu calculeras le prix des aliments que tu aurais pu
manger ce jour-là et tu le mettras de côté pour le donner à une
veuve, à un orphelin ou à un indigent », *ibid.*, p. 231 s.

HOMILIA XI

De eo quod scriptum est : *Sancti estote, quia et ego sanctus*
sum, dicit Dominus[a].

1. Nuper in auribus Ecclesiae recitatus est sermo Dei
dicens : *Estote sancti, quia et ego sanctus sum Dominus*
Deus vester[a]. Nomen hoc *sanctus* quid sibi velit, quidve
significet in Scripturis divinis, diligentius requirendum est,
5 ut, cum vim verbi didicerimus, etiam opus eius possimus
implere.

Congregemus ergo de Scripturis divinis, super quibus
sanctum dici invenimus, et deprehendimus non solum
homines, sed etiam muta animalia *sancta* appellata[b];
10 invenimus et *vasa* ministerii *sancta* vocitata[c] et vestimenta
sancta[d] dici et loca nihilominus, quae in urbibus vel
suburbibus posita sunt et sacerdotibus deputata[e]. Ex mutis
quidem animalibus *primogenita*[f] boum vel pecorum sancti-
ficari per legem Domino iubentur et dicitur : ne facias,
15 inquit, in iis opus ullum, quoniam Domino sanctificata
sunt. Super vasis vero, cum in tabernaculo testimonii vasa
ministerii *turibula* vel *phialae* vel cetera huiusmodi *vasa*
sancta appellantur[g]. Super vestimentis etiam cum *stola*
pontificis Aaron et *tunica linea* et cetera huiusmodi
20 vestimenta *sancta* dicuntur[h].

Tit. a. Cf. Lév. 20, 7
1 a. Lév. 20, 7 ∥ b. Cf. Ex. 13, 2 ∥ c. Cf. Ex. 40, 9 ∥ d. Cf. Ex. 28, 2 ∥
e. Cf. Nombr. 35, 1 s. ? ∥ f. Cf. Ex. 13, 2 ; Deut. 15, 19 ∥ g. Cf. Ex. 25,
28 ; 40, 9 ∥ h. Cf. Lév. 16, 32. 4

XI

< EXIGENCE DE SAINTETÉ >

Sur le texte : « Soyez saints, car moi aussi je suis saint, dit
le Seigneur[a]. »

Le terme « saint »
dans l'Écriture

1. On vient de lire aux oreilles de
l'assemblée la parole de Dieu : « Soyez
saints, car moi aussi je suis saint, le
Seigneur votre Dieu[a]. » Que veut dire ce terme de « saint »,
quelle acception a-t-il dans les Écritures divines, il faut le
rechercher avec grand soin, afin que, après avoir appris le
sens du mot, nous puissions accomplir l'œuvre qu'il
désigne.

Dès lors, groupons à partir des Écritures divines les
êtres que l'on trouve qualifiés de saints. Nous trouvons
non seulement des hommes, mais encore des animaux
muets dits saints[b] ; nous trouvons même des objets du
culte dénommés saints[c], et des habits appelés saints[d], non
moins que des lieux situés dans les villages ou les banlieues
et réservés aux prêtres[e]. Parmi les animaux muets, la Loi
ordonne de consacrer au Seigneur «les premiers-nés[f]» du gros
ou du petit bétail et dit : Ne fais avec eux aucun travail,
car ils sont consacrés au Seigneur. Pour les objets, des
objets du culte dans la tente du témoignage, « encensoirs »,
« coupes » et autres du même genre sont appelés « des
objets saints[g] ». Quant aux habits, « la robe » du pontife
Aaron, « la tunique de lin » et les autres de ce genre sont
dits des habits « saints[h] ».

Si ergo intueamur, quo sensu haec omnia *sancta* nominata sunt, advertemus, quomodo etiam nos dare operam debeamus, ut sancti esse possimus. Natus est mihi primogenitus bos : non mihi licet occupare eum ad opus commune;
25 est enim Domino consecratus et ideo dicitur sanctus. Intelligimus ergo ex hoc muto animali, quomodo lex, quod sanctum vult esse, nulli alii id deservire iubet nisi Domino soli. Iterum *pateras* vel *phialas* quas dicit sanctas, illae sunt, quae numquam iubentur exire de templo, sed
30 esse semper in sanctis nec ullis penitus humanis usibus ministrare. Similiter et *vestimenta*, quae *sancta* nominantur, non iubentur intra domum usui deservire pontificis, sed in templo esse et inde omnino numquam efferri, sed ad hoc tantum consecrata esse, ut iis Deo ministrans pontifex
35 induatur et sint semper in templo, ad ceteros vero usus communes utatur communibus indumentis. Similiter et *pateris ac phialis* his, quae *sancta* appellantur, ad humanos et communes usus uti non licet, sed tantum ad divina ministeria.

40 Quod si intellexisti, quomodo vel animal vel vas vel vestimentum sanctum appellatur, consequenter intellige quod his observationibus et legibus etiam homo sanctus appelletur. Si qui enim se ipsum devoverit Deo, si qui nullis se negotiis saecularibus implicaverit, *ut ei placeat,*
45 *cui se probavit*[1], si qui separatus est et segregatus a reliquis hominibus carnaliter viventibus et mundanis negotiis obligatis non *quaerens ea, quae super terram, sed quae in caelis sunt*[j], iste merito sanctus appellatur. Donec enim

---

1 i. Cf. II Tim. 2, 4 ‖ j. Cf. Col. 3, 1.2

---

1. Des personnes, Origène dit : « On appelle saints ceux qui se sont voués à Dieu. » Et des animaux : « D'où aussi le bélier, par exemple, s'il est voué à Dieu, est appelé saint, et il n'est pas permis de le tondre pour des usages profanes. De même le jeune taureau,

Si donc nous percevons dans quel sens tout cela est nommé saint, nous remarquerons que nous devons, nous aussi, nous efforcer de pouvoir être saints. Il naît chez moi un premier-né de vache : il ne m'est pas permis de l'employer à un travail profane, car il est consacré au Seigneur et, pour cette raison, dit saint. Ainsi cet animal muet nous fait comprendre ceci : ce qu'elle veut saint, la Loi ordonne de ne l'utiliser que pour le seul Seigneur[1]. D'autre part, « les patères » ou « les coupes » qu'elle dit saintes sont celles dont on prescrit qu'elles ne sortent jamais du temple, mais soient toujours dans le sanctuaire et ne servent absolument à aucun usage humain. Il en est de même des habits qualifiés de saints : on ordonne qu'ils ne servent point à l'usage du pontife dans sa maison, qu'ils restent dans le temple et ne soient absolument jamais emportés de là, mais qu'ils soient uniquement consacrés à revêtir le pontife au service de Dieu et soient toujours dans le temple, alors que pour tous les autres emplois ordinaires, il use d'habits ordinaires. De même encore, de ces « patères et coupes » appelées saintes, il n'est pas permis d'user pour des emplois humains et ordinaires, mais uniquement pour des services divins.

Sainteté de l'homme

Si l'on a compris dans quel sens un animal, un objet, un habit sont appelés saints, comprenons en bonne logique que c'est pour ces observances et ces lois que l'homme aussi est appelé saint. En effet, se consacrer soi-même à Dieu, ne s'engager dans aucune affaire séculière « afin de plaire à celui à qui on s'est voué[1] », se séparer et s'écarter du reste des hommes qui vivent selon la chair et sont astreints aux affaires mondaines, « ne cherchant pas ce qui est sur la terre mais ce qui est au ciel[j] », c'est mériter

s'il a été consacré à Dieu, est aussi appelé saint, et il n'est pas permis de l'atteler pour un travail profane. » *In Num. hom.* 24, 2, *GCS* 7, p. 230, 14 s.

permixtus est *turbis*[k] et in multitudine fluctuantium
50 volutatur nec vacat soli Deo segregatus a vulgo, non
potest esse sanctus. Nam de his quid dicemus, qui cum
gentilium turbis ad spectacula maturant et conspectus suos
atque auditus impudicis et verbis et actibus foedant ?
Non est nostrum pronuntiare de talibus. Ipsi enim sentire
55 et videre possunt, quam sibi delegerint partem.

Tu ergo, qui haec audis, cui lex divina recitatur, quem
ipsius etiam Dei sermo convenit dicens : *Sancti estote, quia
et ego sanctus sum Dominus Deus vester*[1], sapienter intellige
quae dicuntur, ut sis beatus, cum feceris ea. Hoc est enim,
60 quod dicitur tibi : *Separa te* ab omni non solum homine, sed
et *fratre inquiete ambulante et non secundum traditiones*[m]
apostolicas. *Separamini* etenim *qui portatis* inquit *vasa
Domini, et exite de medio eorum, dicit Dominus*[n]. *Separa te*
a terrenis actibus, *separa te* a concupiscentia mundi :
65 *Omne enim quod in mundo est* secundum Apostolum
*concupiscentia carnis est et concupiscentia oculorum, quae
non est a Deo*[o]. Cum ergo separaveris te ab his omnibus,
devove te Deo tamquam primogenitum vitulum; non
operetur per te peccatum nec iugum tibi imponat malitia,
70 sed esto semotus et segregatus, usibus tantum sacerdotalibus tamquam primogenitum animal mancipatus. Segre-
gare et secernere, tamquam *phialae* sanctae et sancta
turibula[p] solius templi usibus et Dei ministerio vacans.
Separa te et semove ab omni pollutione peccati et esto
75 semotus et segregatus intra templum Dei tamquam sancta
indumenta pontificis. In templo namque Dei est segregatus
et separatus ille, *qui in lege Dei meditatur die ac nocte*[q] et
qui *in mandatis eius cupit nimis*[r]. *Sancti* ergo *estote, dicit
Dominus, quia et ego sanctus sum*[s]. Quid est : *quia et ego
80 sanctus sum*? Sicut ego, inquit, segregatus sum et longe

---

1 k. Cf. Matth. 13, 34 ‖ l. Lév. 20, 7 ‖ m. Cf. II Thess. 3, 6 ‖ n. Cf.
Is. 52, 11 ; Apoc. 18, 4 ‖ o. Cf. I Jn 2, 16 ‖ p. Cf. Ex. 25, 29 ‖ q. Cf. Ps.
1, 2 ‖ r. Cf. Ps. 111, 1 ‖ s. Lév. 20, 7

le nom de saint. Car tant qu'on est mêlé « aux foules[k] », ballotté au gré des fluctuations de la multitude et non point occupé de Dieu seul à l'écart de la foule, on ne peut être saint. Et que dire de ceux qui courent aux spectacles avec les masses des païens, et souillent leurs yeux et leurs oreilles par des paroles et des actions impures ? Ce n'est point à nous d'en juger. A eux de savoir et d'apprécier la part qu'ils se sont choisie.

Mais toi qui entends cela, à qui est lue la Loi divine, qu'interpelle cette parole de Dieu : « Soyez saints, car je suis saint, moi aussi, le Seigneur votre Dieu[1] », aie la sagesse de comprendre ce qu'elle veut dire, afin d'être heureux pour l'avoir mise en pratique. Ce sens pour toi, le voici : « Sépare-toi », non seulement de tout homme, mais encore de « tout frère à la conduite désordonnée et non conforme aux traditions[m] » apostoliques. « Séparez-vous, vous qui portez les ustensiles du Seigneur, et sortez du milieu d'eux, dit le Seigneur[n]. » « Sépare-toi » des actions terrestres, « sépare-toi » de la convoitise du monde : « Car tout ce qui est dans le monde », au dire de l'Apôtre, « est convoitise de la chair et convoitise des yeux, chose qui ne vient pas de Dieu[o]. » Une fois séparé de tout cela, consacre-toi à Dieu comme un jeune taureau premier-né ; que le péché n'agisse point par toi, que la malice ne t'impose pas son joug, mais éloigne-toi, reste à part, dédié aux services sacerdotaux comme l'animal premier-né. Reste à part et à l'écart, comme « les coupes » saintes et les saints « encensoirs[p] », vaquant aux emplois du seul temple et au service de Dieu. Sépare-toi, éloigne-toi de toute souillure du péché, reste éloigné et à part à l'intérieur du temple de Dieu comme les saints habits du pontife. On est en effet à l'écart et séparé dans le temple de Dieu quand « on médite la Loi de Dieu jour et nuit[q] » et « se délecte à ses préceptes[r] ». « Soyez saints, dit le Seigneur, car moi aussi, je suis saint[s]. » Qu'est-ce à dire, « car moi aussi, je suis saint » ? Ceci : moi, je suis à l'écart et séparé,

separatus ab omnibus, quae adorantur vel coluntur sive
in terra, sive in caelo; sicut ego excedo omnem creaturam
atque ab universis, quae a me facta sunt, segregor : ita
et vos segregati estote ab omnibus, qui non sunt sancti nec
85 Deo dicati.

Segregari autem dicimus non locis, sed actibus, nec
regionibus, sed conversationibus. Denique et ipse sermo in
graeca lingua, quod dicitur ἅγιος, quasi extra terram esse
significat. Quicumque enim se consecraverit Deo, merito
90 extra terram et extra mundum videbitur; potest enim et
ipse dicere : super terram ambulantes *conversationem in
caelis habemus*[t]. Solomon quoque in Proverbiis dicit :
*Laqueus est viro forti cito aliquid de suis sanctificare;
postea enim quam voverit evenit paenitere*[u]. Et hoc est
95 utique quod dicit, ne quis forte, *cum fructus ex area aut
vinum ex torcularibus colligit*[v] et dixerit : volo tantum
offerre Ecclesiae vel in usum pauperum aut peregrinorum
tantum praebere; si postea ex eo modo, quem vovit,
aliquid ad usus proprios praesumat, iam non de suis
100 fructibus praesumpsit, sed sancta Dei violavit. Et ideo
laqueus forti est sanctificare aliquid, hoc est vovere Deo et
postmodum paenitentia ductum ad usus proprios ea, quae
consecraverat, revocare.

Sed et si nos ipsos consecramus et offerimus Deo aut
105 etiam si alios vovemus, observemus hunc *laqueum*, ne
forte, posteaquam nos Deo vovimus, iterum humanis
usibus vel actibus subiugemur. Vovet autem se unusquisque, verbi gratia, sicut Nazaraei faciebant tribus aut
quattuor aut quot placuisset annis templo se consecrantes

---

1 t. Cf. Phil. 3, 20 (19) ‖ u. Prov. 20, 19 (25) ‖ v. Cf. Deut. 16, 13

---

1. Au lieu de *fortis*, je lis *forti*, comme le conjecture Baehrens
sans l'adopter : reprise partielle de la citation de *Prov.* 20, 19.

loin de tout ce qu'on adore et honore, sur terre comme au
ciel ; moi, je surpasse toute créature, je suis à l'écart de
tout ce qui a été créé par moi ; de même, vous aussi, soyez
à l'écart de tous ceux qui ne sont pas saints ni dédiés à
Dieu.

Il s'agit d'être à l'écart non point de lieux mais d'actions,
non point de régions mais de manières de vivre. C'est
ainsi que l'expression même dans la langue grecque, le
terme *hagios* signifie être comme en dehors de la terre. Car
quiconque se consacre à Dieu paraît à juste titre en dehors
de la terre et en dehors du monde ; il peut dire lui aussi :
tout en cheminant sur la terre, « nous avons une cité dans
le ciel[t] ». De plus, Salomon dans les *Proverbes* dit : « C'est
un piège pour l'homme fort de consacrer à la hâte un de
ses biens : après avoir fait le vœu, il arrive qu'on le
regrette[u]. » Il le dit assurément pour que, « après avoir
recueilli le produit de son aire ou le vin de son pressoir[v] »,
on n'aille dire : je veux seulement faire une offrande à
l'Église ou seulement pourvoir aux besoins des pauvres et
des voyageurs ; si ensuite, de la quantité vouée, on prélève
quelque chose pour des usages personnels, ce n'est plus sur
ses produits qu'on prélève, ce sont des biens sacrés de
Dieu qu'on profane. Donc, « c'est un piège pour l'homme
fort[1] de consacrer un bien », à savoir de le vouer à Dieu, et
bientôt après, conduit par le regret, retenir pour des usages
personnels ce qu'on avait consacré.

De plus, si nous-mêmes nous consacrons et nous offrons
à Dieu, ou encore si nous lui vouons d'autres personnes[2],
gardons-nous de ce « piège » : de crainte qu'après nous être
voués à Dieu nous ne retombions sous le joug des usages
ou des actes humains. Mais que chacun se voue, par
exemple, comme le faisaient les Nazaréens, se consacrant
au temple de Dieu pour trois, quatre ou autant d'années

2. Les deux sortes de vœux mentionnés ici le seront encore dans
In Num. hom. 24, 2, *GCS* 7, p. 229, 17 s.

110 Dei, ut ibi semper vacarent observantes illa, quae de
Nazaraeis scripta sunt; ut comam capitis nutrirent *nec
adscenderet ferrum super caput eorum* toto voti sui tempore,
ut vinum non contingerent neque aliquid *ex vite* et cetera
quaecumque complexa fuisset voti professio[w]. Sed et
115 alium quis ita vovet Deo, sicut Anna fecit Samuelem;
ante enim quam nasceretur, obtulit eum Deo dicens :
Et dabo eum Domino datum omnibus diebus vitae suae[x].
Ex quibus omnibus clarum est, quomodo unusquisque
nostrum, qui vult esse sanctus, consecrare se debeat Deo
120 et nullis praeterea negotiis vel actibus, qui ad Deum
minime pertinent, occupari.

2. Post haec scriptum est : *Servate* inquit *praecepta mea
et facite ea, ego Dominus*[a] et his addidit : *Homo homo si
maledixerit patrem aut matrem suam, moriatur*[b] ; et post
multa, quae praecepit, quibus etiam poenas praevaricationis
5 adscripsit, addit in clausula : *Et servate omnia praecepta
mea et iustificationes meas et iudicia mea*[c]. Unde consequens
mihi videtur requirere, quid in his singulis indicetur.

Equidem secundum quod observare potui, *praeceptum*
est sive *mandatum* illud, quod, verbi gratia, in decalogo
10 dicitur : *Non occides, non adulterabis*[d] ; hoc enim solum
praecipitur et non adscribitur poena commissi. Nunc autem
iterantur quidem eadem, sed additis poenis; dicitur enim :
*Homo homo quicumque adulteraverit uxorem viri et uxorem
proximi sui, morte moriatur is, qui adulterat, et quae adulte-
15 ratur. Et si quis dormierit cum uxore patris sui, turpitudinem
patris sui detexit, morte moriantur, ambo rei sunt*[e]. De his

---

1 w. Cf. Nombr. 6, 5.4 ‖ x. I Sam. 1, 11
2 a. Lév. 20, 8 ‖ b. Lév. 20, 9 ‖ c. Cf. Lév. 20, 22 ‖ d. Deut. 5,
17.18 ‖ e Lév. 20, 10-11

qu'il leur plaisait, afin de s'y adonner sans cesse aux
observances qu'on rapporte des Nazaréens : laisser croître
leur chevelure, « ne point passer le rasoir sur leur tête »
tout le temps de leur vœu, ne goûter ni vin ni produit de
la vigne, et tout le reste que comprenait la déclaration du
vœu[w]. En outre on peut en vouer un autre à Dieu comme
Anne fit de Samuel ; car avant sa naissance, elle l'offrit à
Dieu en disant : « Et je le donnerai au Seigneur pour tous
les jours de sa vie[x]. » Tous ces exemples montrent à
l'évidence que chacun de nous qui veut être saint doit se
consacrer à Dieu et ne plus s'occuper d'affaires ou d'actions
qui n'ont rien à voir avec Dieu.

2. Après cela, il est écrit : « Observez
mes préceptes, mettez-les en pratique,
c'est moi le Seigneur[a] », et on y
ajoute : « Tout homme qui maudit son père ou sa mère,
qu'il meure[b] » ; et après plusieurs prescriptions par lesquelles on a fixé les châtiments de la transgression, on
ajoute pour conclure : « Et observez tous mes préceptes,
mes ordonnances et mes sentences[c]. » En conséquence, il
me paraît bon de rechercher ce que chaque terme indique.

**« Précepte,
jugement »**

En vérité, d'après ce que j'ai pu observer, « précepte »
ou « commandement » est, par exemple, ce qui est dit dans
le Décalogue[1] : « Tu ne tueras point, tu ne commettras
point d'adultère[d]. » Cela seul est prescrit, sans qu'on
ajoute la peine de l'acte commis. Or ici, on reprend les
mêmes injonctions, mais avec l'addition des peines :
« Tout homme qui commet l'adultère avec la femme d'un
homme et la femme de son prochain sera mis à mort,
l'homme adultère et la femme adultère. Et l'homme qui
couche avec la femme de son père, il a découvert la nudité
de son père, ils seront mis à mort, tous deux sont
coupables[e]. » Pour ces cas, on avait précédemment déjà

1. Cf. *hom.* 16, 2.

autem in prioribus iam data fuerant praecepta, sed non
observantem quae maneret poena, non fuerat adscriptum.
Nunc ergo eadem repetuntur et uniuscuiusque peccati
20 poena decernitur; et ideo recte haec iustificationes et
iudicia appellantur, quibus quod iustum est recipere
iudicatur ille qui peccat.

Sed intuere ordinem divinae sapientiae; non continuo
poenas cum primis statuit praeceptis. Vult enim, ut non
25 metu poenae, sed amore pietatis Patris praecepta custodias;
sed si contempseris, non tam homini iam quam contemptori
poena mandatur. Primo ergo benignitate provocaris ut
filius : *Ego enim dixi : dii estis, et filii Éxcelsi omnes*[f]. Quod
si filius esse obediens non vis, contemptor plecteris ut
30 servus. Post haec dicit : *Et si quis dormierit cum nuru sua,
morte moriantur ambo, impietatem fecerunt, rei sunt*[g]. Et
has leges vel haec praecepta absque poenis superius
dederat; dixerat enim : *Turpitudinem nurus tuae non
denudabis, quoniam uxor filii tui est, non revelabis turpi-
35 tudinem eius*[h], et omnia quae subsequuntur. Et hunc locum
simili modo ibi absque suppliciis, hic vero cum diversis
suppliciorum generibus adscripsit.

Quo in loco recordor sermonis illius, quem beatus
Apostolus Paulus ad Hebraeos scribens dicit : *Irritam quis
40 faciens legem Moysis sine ulla miseratione duobus aut
tribus testibus moritur; quanto maioribus suppliciis dignus
putabitur, qui Filium Dei conculcaverit et sanguinem
testamenti pollutum duxerit, in quo sanctificatus est, et
Spiritui gratiae contumeliam fecerit*[i]? Sed quam ob causam
45 mentionem fecerim Scripturae huius, ausculta. Secundum
legem adulter vel *adultera morte moriebantur*[j] nec poterant
dicere : paenitentiam petimus et veniam deprecamur. Non

2 f. Ps. 81, 6 ‖ g. Lév. 20, 12 ‖ h. Lév. 18, 15 ‖ i. Hébr. 10, 28.29 ‖
j. Cf. Lév. 20, 10

donné des préceptes, mais non ajouté la peine réservée à qui ne les observerait pas. Ici, on répète les mêmes injonctions, et on décrète la peine de chaque péché ; aussi est-ce avec raison qu'on nomme justifications et « jugements » ce qui condamne le pécheur à recevoir une juste sanction.

Mais considère l'ordre de la divine sagesse : elle ne fixe pas d'emblée les peines avec les premiers préceptes. Car elle veut que ce soit non par crainte de la peine, mais par amour filial du Père, qu'on observe les préceptes ; et si on les méprise, la peine prescrite vise moins l'homme que l'auteur du mépris. C'est donc d'abord par bonté que l'on est invité comme un fils : « Car j'ai dit : Tous, vous êtes des dieux et des fils du Très-Haut[f]. » Si on ne veut pas être un fils obéissant, alors méprisant, on sera puni comme un esclave. Après quoi il dit : « Si quelqu'un couche avec sa bru, qu'on les mette à mort tous les deux, ils ont commis une impiété, ils sont coupables[g]. » Ces lois ou préceptes, on les avait donnés plus haut sans mentionner de peines ; car on avait dit : « La nudité de ta bru, tu ne la découvriras pas, parce qu'elle est la femme de ton fils, tu ne découvriras point sa nudité[h] », et tout ce qui suit. Et ce passage, on l'a écrit de la même manière, là sans supplices, mais ici, avec divers genres de supplices.

Peines de la Loi, peines de l'Évangile A ce passage, je me rappelle cette parole que le bienheureux apôtre Paul dit en écrivant aux Hébreux : « Qui viole la loi de Moïse est impitoyablement mis à mort sur la foi de deux ou trois témoins : de peines combien plus graves sera jugé digne celui qui aura foulé aux pieds le Fils de Dieu, profané le sang de l'alliance dans lequel il a été sanctifié, et outragé l'Esprit de la grâce[i] ? » Pour quelle raison je fais mention de ce passage de l'Écriture, écoute. D'après la Loi, l'homme ou la femme adultère étaient punis de mort[j] et ne pouvaient dire : Nous demandons la pénitence et sollicitons le pardon. Il n'y

154 SUR LE LÉVITIQUE

erat lacrimis locus nec emendationi ulla concedebatur
facultas, sed omnimodis puniri necesse erat, qui incurrisset
50 in legem. Hoc autem servabatur et in singulis quibusque
criminibus, quibus erat poena mortis adscripta. Apud
Christianos vero si adulterium fuerit admissum, non est
praeceptum, ut *adulter vel adultera* corporali interitu
puniantur, nec potestas data est episcopo Ecclesiae
55 adulterum praesenti morte damnare, sicut tunc secundum
legem fiebat a presbyteris populi. Quid igitur ? Dicemus
quod lex Moysi crudelis est quae iubet puniri *adulterum
vel adulteram* et Evangelium Christi per indulgentiam
resolvit auditores in deterius ? Non ita est. Propterea
60 enim sermonem Pauli protulimus in superioribus dicentis :
*Quanto magis deterioribus suppliciis dignus est, qui Filium
Dei conculcaverit*[k] et cetera. Audi ergo, quomodo neque
tunc crudelis fuerit lex neque nunc dissolutum videatur
Evangelium propter veniae largitatem, sed in utroque
65 Dei benignitas diversa dispensatione teneatur.

Hoc quod secundum legem, verbi causa, *adulter vel
adultera* praesenti morte puniebatur : propter hoc ipsum,
quod peccati sui pertulit poenam et commissi sceleris
exsolvit digna supplicia, quid erit post haec, quod animabus
70 eorum ultionis immineat, si nihil aliud deliquerunt, si aliud
peccatum non est, quod condemnet eos, sed hoc solum
commiserunt et tunc tantum, cum puniti sunt et legis pro
hoc supplicium pertulerunt ? *Non vindicabit Dominus bis
in id ipsum*[1] ; receperunt enim peccatum suum et consumpta
75 est criminis poena. Et ideo invenitur hoc genus praecepti

2 k. Hébr. 10, 29 ‖ 1. Cf. Nah. 1, 9

1. « Compare les châtiments des pécheurs dans la Loi aux châtiments des pécheurs dans l'Évangile et tu verras que les premiers
(pécheurs), comme de petits enfants, ont été avertis de châtiments
appropriés aux enfants qu'ils étaient, tandis que nous, comme des
adultes, parfaits par l'âge, nous sommes avertis de châtiments plus

avait pas de place pour les larmes, on n'accordait aucune
faculté de s'amender, mais de toute manière s'imposait la
punition de celui qui avait contrevenu à la Loi. C'est ce
qu'on observait même dans le cas de chacune des fautes
pour lesquelles était fixée la peine de mort. Chez les
chrétiens au contraire, si un adultère a été commis, il n'est
pas prescrit que l'homme ou la femme adultère soient
punis de la mort corporelle, et aucun pouvoir n'est donné
à l'évêque de l'Église de condamner l'adultère à la mort
présente, comme jadis d'après la Loi c'était le fait des
anciens du peuple. Quoi donc ? Dirons-nous que la Loi de
Moïse est cruelle, elle qui ordonne de punir l'homme ou la
femme adultères, et que l'Évangile du Christ par indulgence libère les auditeurs pour le pire ? Il n'en est rien[1].
C'est bien pourquoi j'ai produit plus haut la parole de
Paul : « De peines combien plus graves est digne celui qui
aura foulé aux pieds le Fils de Dieu[k] », etc. Apprends donc
ceci : la Loi n'a pas été cruelle alors, et maintenant
l'Évangile n'a point à paraître relâché vu sa largesse à
pardonner ; mais de part et d'autre la bonté de Dieu
subsiste dans une économie différente.

Selon la Loi, par exemple, un homme ou une femme
adultère étaient punis de la mort présente : du fait même
d'avoir supporté la peine de leur péché et subi des supplices
dignes de la faute commise, qu'y aura-t-il après cela en
matière de punition qui menace leurs âmes, s'ils n'ont
failli en rien d'autre, s'il n'y a pas d'autre péché qui les
condamne, mais s'ils ont commis cette seule faute et alors
précisément qu'ils sont punis et ont subi le supplice que
lui réservait la Loi ? « Le Seigneur ne punira pas deux fois
pour la même faute[1] » ; car ils ont reçu le prix de leur péché,
et la peine de leur faute est purgée. Aussi découvre-t-on

pénibles. Y avait-il autrefois un homme ou une femme adultère,
la menace n'était pas la géhenne, n'était pas le feu éternel, mais la
lapidation... » *In Jer. hom.* 19, 19, *SC* 238, p. 245, tr. P. Nautin.

non crudele, sicut haeretici asserunt accusantes legem Dei
et negantes in ea humanitatis aliquid continueri, sed plenum
misericordia, idcirco quod per hoc purgaretur ex peccatis
populus magis quam condemnaretur.

80   Nunc vero non infertur poena corpori nec purgatio
peccati per corporale supplicium constat, sed per paenitentiam; quam utrum quis digne gerat, ita ut mereri pro ea
veniam possit, videto. Multi sunt enim, qui nec ad hoc
inclinantur nec paenitentiae refugium quaerunt, sed, cum
85   ceciderint, surgere ultra nolunt; delectantur enim in eo
luto, quo haeserint, volutari. Nos tamen non obliviscimur
praecepti illius, quo dicitur : *Qua mensura mensi fueritis,
eadem remetietur vobis*[m]. Dicimus enim et ad Deum quoniam : *Dedisti nobis panem lacrimarum, et potasti nos in
90   lacrimis in mensura*[n]. Sunt ergo ista *peccata*, quae dicuntur
ad mortem[o]; unde et consequens est, ut, quotiens commiserit
quis tale peccatum, totiens moriatur. Multas enim esse
peccati mortes significat etiam Apostolus Paulus, cum
dicit : *Qui de tantis mortibus eripuit nos et eripiet; in quo
95   speramus quia et adhuc eripiet*[p]. Quas ergo hic mortes
plures commemorat nisi peccatorum ? Si enim haec non
diceret de mortibus peccatorum, videbatur Paulus secundum sententiam suam immortalis esse mansurus ab hac

2 m. Matth. 7, 2 ‖ n. Ps. 79, 6 ‖ o. Cf. I Jn 5, 16 ‖ p. II Cor. 1, 10

---

1. Un développement semblable sera repris, *hom.* 14, 4. Outre
l'interprétation des textes, le prédicateur donne une réponse, ici,
aux hérétiques qui abusent d'eux (Marcion), là, à tous ceux qui
se scandalisent de la peine de mort. Et surtout, il justifie la pénitence
dans l'économie chrétienne. Jadis, des violations de la Loi étaient
punies de mort. Or, les fautes contre le Fils méritent un châtiment
plus grave, selon un passage de Paul qu'Origène vient de citer deux
fois. Qu'est-ce à dire, puisque les mêmes fautes n'encourent plus la
peine de mort? Est-ce contradiction, ou du moins traitement inégal,

que ce genre de précepte n'est pas cruel, comme le
soutiennent les hérétiques qui accusent la Loi de Dieu et
lui dénient toute humanité[1], mais qu'il est plein de miséricorde pour cette raison que par lui le peuple est purifié
de ses péchés plus qu'il n'est condamné.

Maintenant au contraire, on n'inflige plus de peine au
corps, et la purification du péché n'est pas le fait d'un
supplice corporel, mais de la pénitence ; peut-on l'accomplir
assez dignement pour mériter par elle le pardon, c'est à toi
de voir. Nombreux sont en effet ceux qui n'y sont pas
enclins et ne cherchent pas le refuge de la pénitence, mais
une fois tombés ne veulent plus se relever ; ils prennent
plaisir à se vautrer dans cette fange à laquelle ils adhèrent.
Nous n'oublions pas, quant à nous, ce précepte : « C'est
avec la même mesure dont vous mesurez qu'il vous sera
remis [m]. » Car nous disons même à Dieu : « Tu nous as donné
un pain de larmes, tu nous as abreuvés de larmes à pleine
mesure [n]. » Il y a donc ces péchés qui sont dits mener à la
mort [o] ; de là suit que, autant de fois on commet un tel péché,
autant de fois on doit mourir. Qu'il y ait plusieurs morts
du péché, l'apôtre Paul l'indique en déclarant : « C'est Lui
qui nous a délivrés de tant de morts et nous en délivrera ;
en Lui nous espérons qu'il nous délivrera encore [p]. »
Quelles sont donc ces morts nombreuses dont il fait ici
mention[2], sinon celles des péchés ? Car s'il n'avait pas dit
cela des morts des péchés, Paul semblait, d'après sa
sentence, devoir rester immortel, exempt de cette mort

là cruel, ici relâché ? Pure apparence, d'après Origène. Jadis, c'était
la mort, mais elle effaçait le péché : c'était donc miséricorde. Maintenant, plus de châtiment corporel, mais la pénitence, accomplie de
plein gré, efface le péché : c'est une plus grande miséricorde. Et la
justice n'est pas moins rigoureuse, car refuser l'offre de la bonté
de Dieu expose à diverses « morts du péché ». Et la punition qu'on
mérite est reportée au futur.

2. En réalité, le pluriel est un sémitisme, et la traduction est :
« à une telle mort », OSTY, *TOB*.

communi morte, qui dicit quia : *De tantis mortibus eripuit*
100 *nos et eripiet; in quo speramus quia et adhuc eripiet.* Si
enim et *eripuit* et *eripiet*, numquam erit quando moriatur,
quem Dominus semper *eripiet.*

Et ideo secundum ea, quae discussimus, videndum est
ne forte aliquanto etiam gravius sit nobis, qui pro peccato
105 communi hac morte minime punimur, quam illis, quos
legis sententia corporaliter condemnabat; quia nobis ultio
reponitur in futurum, illos absolvebant commissi sui
persoluta supplicia. Quod et si aliquis est, qui forte praeventus est in huiuscemodi peccatis, admonitus nunc verbo
110 Dei ad auxilium confugiat paenitentiae, ut, si semel
admisit, secundo non faciat, aut, si et secundo iam aut
etiam tertio praeventus est, ultra non addat. Est enim
apud iudicem iustum poenae moderatio, non solum pro
qualitate, verum etiam pro quantitate.

3. Inter cetera ergo peccata, quae morte puniuntur,
refert divina lex quod et *qui maledixerit patri aut matri,*
morte moriatur[a]. Nomen patris grande mysterium est et
nomen matris arcana reverentia est. Pater tibi secundum
5 spiritum Deus est; mater *Hierusalem caelestis*[b] est.
Propheticis haec et apostolicis testimoniis disce. Hic ipse
Moyses scribit in cantico : *Nonne hic ipse Pater tuus*
acquisivit te et possedit te[c]*?* Apostolus vero dicit de

---

3 a. Lév. 20, 9 ‖ b. Cf. Gal. 4, 26 ; Hébr. 12, 22 ‖ c. Deut. 32, 6

---

1. Origène parle de différentes morts : — la mort commune,
naturelle et indifférente, séparation de l'âme et du corps, *In Jo.* 13,
140, *SC* 222, p. 106 ; — la mort du péché, ennemie, mauvaise et
malfaisante, séparation de l'âme d'avec Dieu, d'avec le Seigneur et
d'avec le Saint-Esprit, *ibid.* ; — la mort au péché, amie du Christ,
bienheureuse, *Entr. avec Hér.* 25, 9, *SC* 67, p. 102 s. Autres références,
par C. Blanc, *SC* 157, p. 87-88.

commune[1], lui qui déclare : « Il nous a délivrés de tant de
morts et nous en délivrera ; en Lui nous espérons qu'il
nous délivrera encore. » Car s'il a délivré et délivrera,
jamais ne se trouvera un temps où mourra celui que le
Seigneur délivrera sans cesse.

C'est pourquoi, d'après ce que nous avons exposé, il
faut prendre garde qu'il n'y ait même notablement plus
de sévérité pour nous, qui ne sommes nullement punis
pour le péché par cette mort commune, que pour ceux que
la sentence de la Loi condamnait corporellement ; car
pour nous la punition est reportée au futur ; eux, les
supplices subis les absolvaient de la faute commise. Et s'il
est quelqu'un qui d'aventure se trouve surpris dans des
péchés de ce genre, averti maintenant par la parole de
Dieu, qu'il se réfugie dans le secours de la pénitence afin
que, s'il l'a commis une fois, il ne le fasse pas une seconde
fois, ou s'il a été surpris déjà une seconde et même une
troisième fois, il n'en ajoute plus[2]. Car il y a chez le juste
juge une mesure de la peine non seulement pour la qualité
mais encore pour la quantité.

Père, mère   **3.** Entre autres péchés qui sont
punis de mort, la Loi divine a cette
consigne : « Tout homme qui maudit son père ou sa mère
sera mis à mort[a]. » Le nom de père signifie un grand
mystère, et celui de mère, un secret vénérable. Selon
l'esprit, le père pour toi c'est Dieu ; et la mère, la Jérusalem
céleste[b]. Apprends-le des déclarations prophétiques et
apostoliques. Ce même Moïse écrit dans son cantique :
« N'est-ce pas lui, ton Père, celui qui t'a acquis et possédé[c] ? »

---

2. Cf. *In Jos. hom.* 7, 6, *SC* 71, p. 212 s., cité à la note complémentaire 15. « Il s'agit donc d'un cas fréquent avant la première
(unique) pénitence de l'Église ; mais il n'est pas dit qu'une telle
pénitence soit plusieurs fois possible », K. RAHNER, *Doctrine*, p. 77 s.,
n. 122. Voir en effet *hom.* 15, 2 fin : « Pour les crimes plus graves,
on n'accorde qu'une seule fois une place à la pénitence. »

Hierusalem caelesti quia : *libera est, quae est* inquit *mater*
10 *omnium nostrum*[d]. Primo ergo tibi pater Deus est, qui
genuit spiritum tuum, qui et dicit : *Filios genui et exaltavi*[e].
Sed et Paulus Apostolus dicit : *Obtemperemus Patri
spirituum et vivemus*[f].

Secundo tibi pater est carnis pater, cuius ministerio in
15 carne natus es atque in hunc mundum venisti, qui te
portavit *in lumbis*; sicut dicitur de Levi quia : *Adhuc in
lumbis erat Abrahae, quando occurrit ei Melchisedech*[g],
*regresso a caede regum, et benedixit eum, et decimas accepit
ab eo*[h]. Quia igitur tam sacratum nomen est patris et tam
20 venerabile, idcirco *qui maledixerit patri aut matri, morte
morietur*[i]. Similia etiam de matre aestimanda sunt, cuius
labore, cuius cura, cuius ministerio et natus es et nutritus.
Et oportet te secundum Apostolum parem gratiam referre
parentibus[j]. Si enim dehonoraveris patrem carnalem,
25 huius contumelia ad *Patrem spirituum*[k] redit; et si iniuriam
feceris matri carnali, ad illam *matrem Hierusalem caelestem*[l]
redundat iniuria. Sic et servus si domino irreverens sit,
per hunc corporalem dominum in *Dominum maiestatis*[m]
contumeliam iactat; ille enim huic carnali domino suum
30 nomen imposuit.

Et ideo nullo genere adversum patrem aut matrem, ne
verbo quidem, habendum certamen est aut movenda
contradictio. Pater est, mater est; ut ipsis videtur, agant,

---

3 d. Gal. 4, 26 ‖ e. Is. 1, 2 ‖ f. Hébr. 12, 9 ‖ g. Cf. Hébr. 7, 10 ‖
h. Cf. Gen. 14, 17 s. ‖ i. Lév. 20, 9 ‖ j. Cf. Rom. 1, 30 ‖ k. Cf. Hébr. 12,
9 ‖ l. Cf. Gal. 4, 26 ; Hébr. 12, 22 ‖ m. Cf. Ps. 28, 3

---

1. La leçon commune *Jacobus* est une faute évidente et doit
être corrigée, avec *E*[1]*F*, *Ald. Del.*, en *Paulus*. Origène attribue
couramment l'épître à l'Apôtre. Sur la question de fond, sa position
est nuancée et favorablement jugée aujourd'hui : « Origène a donné
l'opinion la plus sage, qui est devenue celle de l'Église catholique :
' Pour moi, si je donnais mon avis, je dirais que les pensées sont

Et l'Apôtre dit de la Jérusalem céleste : « Elle est libre, c'est notre mère à tous[d]. » D'abord donc, pour toi, le père c'est Dieu, qui a engendré ton esprit, qui d'ailleurs dit : « J'ai engendré et fait grandir des enfants[e]. » De plus, l'apôtre Paul[1] dit : « Soumettons-nous au Père des esprits et nous vivrons[f]. »

Ensuite, pour toi, le père c'est le père de ta chair, par le ministère de qui tu es né dans la chair et tu es venu dans ce monde, qui t'a porté « dans ses reins » comme il est dit de Lévi : « Il était encore dans les reins d'Abraham lorsque Melchisédech vint à sa rencontre[g] », « comme il revenait de battre les rois, et il le bénit et reçut de lui la dîme[h] ». C'est parce que le nom de père est si sacré et si vénérable que, pour cette raison, « celui qui maudit son père ou sa mère sera mis à mort[i] ». La même estime est due à la mère, au travail, à la sollicitude, au ministère de laquelle tu dois d'être né et d'être nourri. Et il te faut, selon l'Apôtre, témoigner en retour une égale gratitude à tes parents[j]. Car si tu déshonores ton père charnel, l'outrage qui lui est fait remonte au « Père des esprits[k] » ; et si tu fais injure à ta mère charnelle, l'injure rejaillit sur la noble « mère, la Jérusalem céleste[l] ». Ainsi en va-t-il du serviteur qui manque de respect à son maître ; à travers ce maître corporel, c'est contre « le Seigneur de majesté[m] » qu'il lance l'outrage ; car c'est lui qui a donné son nom à ce maître charnel.

Aussi bien, en aucune façon, à l'égard du père ou de la mère, ne doit-on, pas même en parole, avoir un conflit ou élever une contestation. Il est le père, elle est la mère ; à

---

de l'Apôtre ; mais la phrase et la composition sont de quelqu'un qui rapporte les enseignements de l'Apôtre, et pour ainsi dire de l'écolier qui écrit les choses dictées par le maître... Mais qui a rédigé la lettre ? Dieu sait la vérité ', voir Eusèbe, *Hist. Eccl.* VI, 25, 13-14, tr. Grapin. » Osty, p. 2493. Pour l'ensemble de la critique, cf. par exemple, *TOB*, *NT*, p. 663-666.

faciant, dicant; ipsi noverint. Quantumcumque detulerimus
35 obsequii, nondum reddimus vicem gratiae, qua geniti
sumus, qua portati, qua hausimus lucem, qua nutriti
sumus, fortassis et eruditi et honestis artibus instituti.
Et ipsis fortasse auctoribus agnovimus Deum et ad
Ecclesiam Dei venimus et sermonem divinae legis audivi-
40 mus. Propter haec ergo omnia *quicumque maledixerit patri
aut matri, morte morietur*[n]. Quod si haec de corporalibus
parentibus decernuntur, quid illi facient, qui Deum Patrem
maledicis vocibus lacessunt ? qui eum negant conditorem
esse mundi aut qui *caelestem Hierusalem, quae est mater
45 omnium nostrum*[o], indignis sensibus intelligentes dicta
prophetica ad conditionem terrenae alicuius urbis addu-
cunt ?

Bonum ergo est observare ne quando aut carnalem
patrem aut caelestem minus digna honorificentia venere-
50 mur, similiter et matrem; observare etiam omne mandatum,
quod nobis pudicitiam castitatemque commendat, ut
neque in praesenti vita secundum legem obnoxii simus
morti neque secundum spiritalem legem futura nos poena
maneat ignis aeterni; ex quo effugere et evadere omnibus
55 nobis concedat Dominus noster Iesus Christus, *cui est
gloria et imperium in saecula saeculorum. Amen*[p]!

---

3 n. Lév. 20, 9 ‖ o. Cf. Gal. 4, 26 ; Hébr. 12, 22 ‖ p. Cf. I Pierre 4,
11 ; Apoc. 1, 6

---

1. « 'Que celui qui maudit son père et sa mère périsse.' En effet,
Moïse élève presque la voix et proclame qu'aucun blasphémateur
n'a droit au pardon. Car si ceux qui ont maudit leurs parents mortels

eux d'agir, de faire, de dire, comme il leur plaît ; à eux de savoir. Si grande soit la soumission qu'on leur témoigne, ce n'est pas encore payer de retour le bienfait d'avoir été engendrés, d'avoir été portés, d'avoir rempli nos yeux de lumière, d'avoir été nourris, peut-être même instruits et pourvus de culture générale. Et grâce à leur autorité peut-être, nous connaissons Dieu, nous venons à l'Église de Dieu et entendons la parole de la Loi divine. Pour tous ces motifs, « quiconque maudit son père ou sa mère sera mis à mort[n] ». Si telle est la décision quand il s'agit de nos parents corporels, qu'adviendra-t-il à ceux qui provoquent Dieu le Père par des paroles injurieuses[1], qui nient qu'il soit le Créateur du monde, ou qui réduisent « la Jérusalem céleste, qui est notre mère à tous[o] », interprétant les paroles prophétiques dans des sens indignes, à la condition d'une quelconque ville terrestre ?

Il est donc bien de veiller à ne jamais rendre des honneurs insuffisamment dignes ou au père charnel ou au Père céleste, et pareillement à la mère ; de garder aussi toute prescription qui nous recommande la pureté et la chasteté, pour éviter dans la vie présente d'être, selon la Loi, exposés à la mort, et que, selon la Loi spirituelle, ne nous attende la peine future du feu éternel; à cela, que notre Seigneur Jésus-Christ nous accorde à tous d'échapper et de nous soustraire, « Lui à qui est gloire et puissance pour les siècles des siècles. Amen[p]. »

---

sont conduits au supplice, de quel châtiment faut-il estimer dignes ceux qui osent blasphémer le Père et Créateur de l'univers ? » PHILON, *De fuga* 83, 84, tr. E. Starobinski-Safran.

HOMILIA XII

De magno sacerdote.

1. Omnis qui inter homines sacerdos est, ad illum sacerdotem, de quo dixit Deus : *Tu es sacerdos in aeternum secundum ordinem Melchisedech*[a], parvus est et exiguus. Ille est autem *magnus sacerdos*[b], qui potest *penetrare*
5 *caelos*[c] et universam supergredi creaturam et adscendere ad eum, qui *lucem habitat inaccessibilem*[d], Deum et Patrem universitatis. Propter quod et ille, qui apud Iudaeos *magnus* dicebatur *sacerdos*[e], introibat quidem in sancta, sed manu facta, sed lapidibus exstructa ; non adscendebat
10 in caelum nec adstare poterat apud *Patrem luminum*[f]. Sed quia horum umbram[g] implebat et imaginem, idcirco etiam *magni sacerdotis* nomen per umbram gerebat et

---

1 a. Ps. 109, 4 ‖ b. Cf. Lév. 21, 10 ‖ c. Cf. Hébr. 4, 14 ‖ d. I Tim. 6, 16 ‖ e. Cf. Lév. 21, 10 ‖ f. Cf. Ps. 105, 7 ‖ g. Cf. Col. 2, 17 ; Hébr. 10, 1

---

1. « L'ensemble de la création » : formé de deux ordres de créatures, les visibles et les invisibles (cf. *hom.* 5, 1 et *Introd.* p. 20) et comportant des lieux différents. Ailleurs, à propos de la destinée des âmes, sont distingués « le monde entier et la voûte du ciel », puis « le lieu supracéleste » (*CC* 3, 60, 6 s., *SC* 136, p. 178) ou, à propos des anges portant nos prières, « les régions célestes les plus pures du monde, et les supracélestes, plus pures que celles-là » (*Id.* 5, 4, 10 s., *SC* 147, p. 20). « Le Christ a donc atteint une région supracéleste, ou mieux, transcosmique, et participe pleinement à l'ubiquité du *Logos* (*De princ.* 4, 31, *SC* 268, p. 408 s. ; *Id.*, 2, 11, 6, *SC* 252, p. 410). Il est coextensif au monde (*In Jo.* 4, 15, *GCS* 4, p. 140). » VON BALTHASAR, *Parole*, p. 107 (voir la suite, sur la transcendance

XII

LE GRAND PRÊTRE

Le Grand Prêtre véritable **1.** Quiconque est prêtre parmi les hommes, comparé à ce Prêtre dont Dieu a dit : « Tu es prêtre pour l'éternité selon l'ordre de Melchisédech[a] », est petit et faible. Il est, lui, « le Grand Prêtre[b] » qui peut « pénétrer dans les cieux[c] », dépasser l'ensemble de la création[1] et s'élever auprès de Celui qui « habite une lumière inaccessible[d] », le Dieu et Père de l'univers. C'est pourquoi même celui qui portait le nom de « grand prêtre[e] » chez les Juifs entrait certes dans un sanctuaire, mais fait à la main, mais construit en pierres ; il ne s'élevait pas au ciel et ne pouvait s'établir auprès du « Père des lumières[f] ». Mais comme il en réalisait l'ombre[g] et l'image, pour cette raison aussi il portait le nom de grand prêtre par ombre et par

par rapport au temps). Ici est souligné un aspect de la fonction de Médiateur : « Il est véritablement le Grand Prêtre qui remet les péchés. » Un autre aspect est qu'il assume nos prières : Au Dieu suprême nous présentons nos « prières comme par Celui qui, médiateur entre la nature de l'Inengendré et celle de toutes les créatures, à la fois nous apporte les bienfaits du Père et, à la façon du grand prêtre, transporte nos prières jusqu'au Dieu suprême. » *CC*, 3, 34 fin, *SC* 136, p. 80 s. Il faut passer « par le Souverain Prêtre qui est au-dessus de tous les anges, Logos vivant et Dieu », *CC* 5, 4 fin, *SC* 147, p. 22 s. et note. Cf. *In Jo.* 1, 35 (45), cité à la note complémentaire 12. Rang hors pair : « Peuvent être grands prêtres selon l'ordre d'Aaron, les hommes, mais selon l'ordre de Melchisédech, le Christ de Dieu. » *In Jo.* 1, 2, *GCS* 4, p. 5, 16.

imaginem. Unde et Iudaei per hoc, quod ad fidem proximi
esse debuissent, quia apud ipsos adumbratio quaedam
15 et imago praeluxerat veritatis, dum typos veritatem
putant, veritatem ipsam tamquam mendacium respuerunt.
Nos autem, qui recipimus *magnum sacerdotem*, intelligere
debemus quomodo vere ipse sit *magnus sacerdos*. Vere
magnus sacerdos est, qui peccata dimittit non *per sanguinem*
20 *taurorum et hircorum, sed per sanguinem suum*[h]. Quia ergo
cognovimus, qui sit *magnus sacerdos*, et confitemur ea,
quae in lege scripta sunt, de *magno sacerdote* scripta esse,
id est de Salvatore, quem vere *magnum sacerdotem* esse
superior tractatus ostendit, videamus nunc quae sint, quae
25 de eo lex prophetico spiritu scribit.

2. *Et sacerdos* inquit *magnus ex fratribus suis, cui
infusum est super caput eius oleum chrismatis et perfectas
habet manus suas, ut induat sancta vestimenta, de capite
cidarim non deponet, vestimenta sua non disrumpet, et ad
5 omnem animam mortuam non intrabit; in patre suo, vel
in matre sua non contaminabitur, et de sanctis non exibit et
non coinquinabit nomen quod est sanctificatum Dei super se,
quia sanctum oleum chrismatis Dei sui in ipso est; ego
Dominus. Hic uxorem virginem de genere suo accipiet.*
10 *Viduam autem et eiectam et pollutam et meretricem, has non
accipiet; sed virginem ex genere suo accipiet uxorem; et
non maculabit semen suum in populo suo; ego Dominus,
qui sanctifico eum*[a].
Fuerit quidem etiam apud Iudaeos imago huius obser-
15 vantiae et custodita sint, quae lex statuit, a pontificibus
Iudaeorum, sed et si diligenter cuncta servata sint et si
omnia, quae lex praecepit, impleta sint, nec sic quidem
omnis haec observatio magnum potuit facere sacerdotem.

1 h. Cf. Hébr. 9, 12 ; 10, 4
2 a. Lév. 21, 10-15

image. D'où vient que les Juifs, alors qu'ils auraient dû
être les plus proches de la foi, puisque chez eux avait
brillé d'avance en quelque sorte une esquisse, une image
de la vérité, en prenant les types pour la vérité, ont
repoussé la vérité elle-même comme un mensonge. Mais
nous qui avons accepté le Grand Prêtre, nous devons
comprendre dans quel sens il est véritablement le Grand
Prêtre. Il est véritablement le Grand Prêtre qui remet les
péchés, non « par le sang des taureaux et des boucs », mais
« par son sang[h] ». Et puisque nous connaissons quel est le
Grand Prêtre, et que nous affirmons que ce qui est écrit
dans la Loi est écrit du Grand Prêtre, c'est-à-dire du
Sauveur dont l'exposé qui précède a montré qu'il est véritablement le Grand Prêtre, voyons maintenant qu'est-ce
que la Loi dans un esprit prophétique écrit de lui.

2. « Le grand prêtre parmi ses frères, celui sur la tête
duquel a été versée l'huile d'onction, et qui a les mains
parfaites pour revêtir les habits sacrés, ne déposera pas la
tiare de sa tête, ne déchirera pas ses habits, et d'aucune
âme morte n'approchera ; il ne sera pas souillé dans son
père ou dans sa mère, du sanctuaire il ne sortira pas, et il
ne profanera pas le nom de Dieu qui a été sanctifié sur
lui, car l'huile sainte de l'onction de son Dieu est sur lui ;
je suis le Seigneur. Et lui, il prendra comme épouse une
vierge de sa race. Mais une veuve, une répudiée, une
souillée, une prostituée, de celles-là il ne prendra point ;
c'est une vierge de sa race qu'il prendra comme épouse ;
et il ne profanera pas sa semence parmi son peuple ; je
suis le Seigneur qui le sanctifie[a]. »

Grandeur, petitesse   Il est vrai que l'image de cette
observance exista chez les Juifs, et ce
que la Loi prescrit fut gardé par les pontifes des Juifs ;
mais que tout ait été ponctuellement observé, que tout ce
que prescrit la Loi ait été accompli, même dans ce cas,
toute cette observance n'a pas pu rendre un prêtre grand.

Quomodo etenim *magnus* dici potest *sacerdos*, qui peccare
20 potest ? Quod autem sub peccato fuerint omnes etiam
magni sacerdotes, et ex hoc ipso facile advertimus quod
lex praecipit *ut prius pro suis, post etiam pro populi peccatis
offerat hostiam*[b] sacerdos. Quomodo ergo *magnus* est sub
peccato positus ? Meus autem sacerdos magnus Iesus
25 idcirco *magnus* est, quia *peccatum non fecit nec inventus
est dolus in ore eius*[c] et quia venit ad eum *princeps huius
mundi et non invenit in eo quicquam*[d]. Ideo ergo et Gabriel
archangelus nativitatem eius adnuntians dicit : *Hic erit
magnus et Filius Altissimi vocabitur*[e].

30 Peccatum hominem parvum facit et exiguum, virtus
eminentem praestat et magnum. Sicut enim aegritudo
corporis exile et exiguum facit corpus hominis, sanitas
vero laetum reddit et validum, ita intellige quia et animam
aegritudo quidem peccati humilem facit et parvam,
35 sanitas vero interioris hominis et virtutis opera magnam
faciunt eam et eminentem et quanto in virtutibus crescit,
tanto prolixiorem reddit magnitudinem sui. Sic ego
intelligo illud, quod de Iesu scriptum est quia : *Proficiebat
sapientia et aetate et gratia apud Deum et homines*[f]. Nam quis
40 est hominum, qui non *proficiat aetate* in pueritia, ut hoc
velut egregium quiddam de Iesu scriberetur ? Ad te
haec dico, qui corporaliter audis quod Iesus *aetate proficeret*.
Intellige ergo quia *aetate* animae *proficiebat* et magna fiebat
anima eius propter magna et ingentia opera, quae faciebat.

---

2 b. Cf. Hébr. 7, 27 ‖ c. Is. 53, 9 ‖ d. Cf. Jn 14, 30 ; 16, 11 ‖ e. Lc
1, 32 ‖ f. Lc 2, 52

---

1. « Si on l'appelle ' prince de ce monde ', ce n'est pas qu'il ait
créé le monde, c'est que les pécheurs sont nombreux dans le monde.
Parce qu'il est le prince du péché, on l'a nommé aussi ' prince de ce
monde ', c'est-à-dire de ceux qui n'ont pas encore abandonné le
monde pour se tourner vers le Père. Dans le même sens il est dit :
' Le monde entier est au pouvoir du Malin. ' » *In Num. hom.* 12, 4,

En effet, comment dire « grand » le « prêtre » qui peut pécher ? Or que tous aient été sous le péché, y compris les grands prêtres, nous le remarquons facilement à ce fait que la Loi prescrit que le prêtre « offre une victime d'abord pour ses péchés, puis pour ceux du peuple[b] ». Comment donc est-il grand, s'il est placé sous le péché ? Mais mon Grand Prêtre Jésus est grand pour cette raison : « Il n'a pas fait de péché, et on n'a point trouvé de fraude en sa bouche[c] » ; et « le prince de ce monde[1] » vint à lui « et ne trouva rien en lui[d] ». Aussi, l'archange Gabriel, annonçant sa naissance, dit-il : « Il sera grand et sera appelé Fils du Très-Haut[e]. »

Le péché rend l'homme petit et faible, la vertu l'exalte et le grandit. En effet, de même que la maladie du corps rend le corps de l'homme maigre et faible, et la santé le rend épanoui et fort, de même comprends que la maladie du péché rend l'âme basse et petite, tandis que la santé de l'homme intérieur et les œuvres de la vertu la rendent grande et éminente, et plus elle progresse en vertus, plus elle accroît sa grandeur. Pour moi, c'est ainsi que j'entends ce qui est écrit de Jésus : « Il croissait en sagesse, en âge et en grâce devant Dieu et devant les hommes[f]. » Car quel est celui des hommes qui ne croît pas en âge dans son enfance, pour qu'on l'ait écrit de Jésus comme un trait remarquable ? Je te le dis, à toi qui comprends au sens corporel que Jésus croissait en âge. Entends donc qu'il croissait en âge de l'âme, et que son âme grandissait en raison des œuvres d'une immense grandeur qu'il faisait[2]. Enfin, c'est

GCS 7, p. 104, 18 s. « Il exerce la principauté sur ceux qui sont soumis à sa malice. » De princ. 1, 5, 5, SC 252, p. 192.

2. « Il progressait donc non seulement en sagesse mais en âge. Car il y a aussi un progrès en âge. L'Écriture parle de deux sortes d'âges : l'âge du corps qui ne dépend pas de nous, mais d'une loi naturelle ; l'âge de l'âme qui est vraiment en notre pouvoir et selon lequel, si nous le voulons, nous pouvons croître chaque jour et

45 Denique sciens et Apostolus hanc aetatem de interiori
homine sentiendam ita scribit : *Donec omnes occurramus in
virum perfectum, in mensuram aetatis plenitudinis Christi*[g].
Nam secundum corpus crescere et magnum fieri non
est in nobis. Corpus enim ex genitali origine quantitatis
50 materiam sumit, ut vel magnum vel exiguum fiat; anima
vero in nobis habet causas et arbitrii libertatem, ut vel
magna vel parva sit. Si ergo *pusilla* et parva sit anima,
etiam *scandalizari* potest; sic enim scriptum est in
Evangelio quia : *Expedit praecipitari in profundum maris
55 quam scandalizare unum de pusillis istis*[h]. Qui magnus est,
non *scandalizatur*, sed qui *pusillus* est. Qui magnus est,
quodcumque viderit, quodcumque passus fuerit, non
declinat a fide. Qui autem *pusillus* est animo et parvus,
occasiones quaerit, quomodo *scandalizetur*, quomodo in
60 fide videatur offendi. Propterea denique oportet nos maxime
his consulere, qui parvi sunt in fide, nec tantam curam
circa magnos et fortes, quantam erga *parvulos* et incipientes
debemus impendere. Fortis enim *omnia tolerat, omnia
suffert et numquam cadit*[i]. *Parvuli* vero et *infirmi in fide*[j]
65 observandum est, ne occasione nostri offendantur et rece-
dant a fide ac decidant a salute.

Aut ostende mihi de Scripturis, ubi aliquis peccator
aut parvi meriti *magnus* appellatus sit. Nusquam, opinor,
invenies. Audi vero, qui sunt, qui *magni* appellantur. De
70 Isaac dicitur quia *proficiebat valde, usquequo factus est
magnus, magnus valde*[k]. Moyses *magnus*[l] dictus est et
Iohannes baptista *magnus*[m] dictus est, nunc autem Iesus
magnus[n] dicitur et post hunc iam nullus appellatus est

---

2 g. Éphés. 4, 13 ‖ h. Lc 17, 2 ‖ i. Cf. I Cor. 13, 7.8 ‖ j. Cf. Hébr.
5, 13 ; Rom. 14, 1 ‖ k. Cf. Gen. 26, 13 ‖ l. Cf. Ex. 11, 3 ‖ m. Cf. Lc 1,
15 ‖ n. Cf. Lc 1, 32

---

parvenir à son sommet, au point de ne plus être de petits enfants
' ballottés et emportés à tout vent de doctrine ', mais, cessant d'être

en sachant qu'il fallait comprendre cet âge à propos de
l'homme intérieur que l'Apôtre écrit : « Jusqu'à ce que
nous parvenions tous à l'état d'homme parfait, dans la
force de l'âge de la plénitude du Christ[g]. »

Corporellement croître et grandir ne dépend pas de
nous. Le corps tire de son origine génitale une matière
suffisante pour devenir ou grand ou petit ; mais l'âme en
nous a les principes et la libre décision d'être ou grande ou
petite. Si donc l'âme est toute petite et faible, elle peut
aussi être scandalisée ; car il est écrit dans l'Évangile :
« Mieux vaut être précipité au fond de la mer que de
scandaliser un de ces tout-petits[h]. » Qui est grand n'est pas
scandalisé, mais bien qui est tout-petit. Qui est grand,
quoi qu'il voie, quoi qu'il souffre, ne s'écarte pas de la foi.
Mais qui est de cœur tout-petit et faible cherche des
occasions de scandale et d'achoppement dans la foi. En
conséquence, il nous faut particulièrement veiller sur ceux
qui sont faibles dans la foi, et nous ne devons pas prodiguer
autant de sollicitude pour les grands et les forts que pour
les petits enfants et les commençants. Le fort « supporte
tout, endure tout, et ne tombe jamais[i] ». Quant aux petits
enfants et aux faibles dans la foi[j], gardons-nous de leur
fournir une occasion de s'achopper, de se retirer de la foi
et de s'écarter du salut.

**Jésus
seul grand**   Ou alors montre-moi par les Écritures, où un homme pécheur ou de
faible mérite soit appelé grand. Nulle
part, je crois, tu ne le trouveras. Écoute au contraire quels
sont ceux qui sont appelés grands. D'Isaac, il est dit qu'il
« croissait de plus en plus jusqu'à devenir grand, très
grand[k] ». Moïse fut dit grand[l], Jean-Baptiste fut dit
grand[m], désormais, Jésus est dit grand[n], mais plus

petits enfants, commencer à devenir des hommes. » *In Luc. hom.*
20, 6 ; cf. 11, 1, *SC* 87, p. 286 et 198 ; *In Matth.* 13, 26, *GCS* 10,
p. 250, 24 s.

magnus. Prius enim quam adesset, qui vere *magnus* est,
75 ad comparationem reliquorum hominum *magni* appellati
sunt sancti, quorum superius fecimus mentionem. Ubi
vero advenit ipse, qui non ex comparatione ceterorum, sed
sui magnitudine vere *magnus* erat, de quo etiam scriptum
est quia : *Exsultavit ut gigas ad currendam viam*°, ultra
80 iam *magnus* nullus appellatus est. Hic est ergo, de quo
scribitur : *Magnus sacerdos ex fratribus suis* ᴾ. Quibus
fratribus ? De quibus dixit, cum resurrexisset a mortuis :
*Vade ad fratres meos et dic iis : adscendo ad Patrem meum
et ad Patrem vestrum et ad Deum meum et ad Deum vestrum*�q.
85 Si autem vis et ex antiquis litteris discere fratres Iesu,
lege vicesimum primum psalmum, ubi ex persona Christi
dicitur : *Narrabo nomen tuum fratribus meis, in medio
Ecclesiae laudabo te*ʳ. *Ex fratribus* ergo *suis magnus* est
Iesus, ex his, qui prius *magni* fuerant appellati; et sicut
90 *pastorum pastor*ˢ est et *pontificum pontifex*ᵗ et *dominantium
Dominus* et *regum rex*ᵘ, ita et magnorum magnus est; et
ideo addidit : *magnus ex fratribus suis.*

3. Post haec vero : *Cui* inquit *infusum est oleum
chrismatis super caput eius*ᵃ. Istud *oleum* noli requirere in
terris, quod *super caput* infunditur *magni sacerdotis*, ut
fiat Christus; sed si videtur, disce a propheta David istud
5 *oleum*, quale sit : *Dilexisti* inquit *iustitiam et odisti iniquitatem; propterea unxit te Deus Deus tuus oleo laetitiae prae
participibus tuis*ᵇ. Istud est ergo *oleum laetitiae*, quod
capiti eius infusum fecit eum Christum.

---

2 o. Ps. 18, 6 ‖ p. Lév. 21, 10 ‖ q. Jn 20, 17 ‖ r. Ps. 21, 23 ‖ s.
Cf. I Pierre 5, 4 ‖ t. Cf. Hébr. 4, 14 ‖ u. Cf. I Tim. 6, 15
3 a. Cf. Lév. 21, 10 ‖ b. Ps. 44, 8

---

1. « C'est pourquoi l'ange lui dit (à Marie) : ' Il sera grand '...
Il est dit de Jean aussi : ' Il sera grand '... ; mais à la venue de Jésus,

personne après lui n'est appelé grand[1]. C'est avant que
vînt celui qui véritablement est grand, qu'en comparaison
du reste des hommes furent appelés grands ceux dont on
vient de faire mention. Mais dès que vint en personne
celui qui, non point en comparaison des autres, mais de sa
propre grandeur véritablement était grand, et dont il est
encore écrit : « Il bondit en héros pour courir sa carrière[o] »,
plus personne ne fut appelé grand. C'est donc lui dont il
est écrit : «Le Grand Prêtre parmi ses frères[p]. » Quels
frères ? Ceux dont il a dit, après sa résurrection des morts :
«Va vers mes frères et dis-leur que je monte vers mon
Père et vers votre Père, vers mon Dieu et vers votre
Dieu[q]. » Si tu veux en outre, même par les anciens écrits,
apprendre quels sont les frères de Jésus, lis le psaume
vingt et unième où on fait dire au Christ : «J'annoncerai
ton nom à mes frères, en pleine assemblée je te louerai[r]. »
C'est donc parmi ses frères que Jésus est appelé grand,
parmi ceux qui auparavant avaient été appelés grands ;
et de même qu'il est «Pasteur des pasteurs[s] », «Pontife
des pontifes[t] », «Seigneur des seigneurs et Roi des rois[u] »,
de même est-il Grand des grands ; et c'est pourquoi on
ajouta : «Grand parmi ses frères ».

Huile de l'onction   **3.** Il est dit ensuite : «Celui sur la
tête duquel a été versée l'huile de
l'onction[a]. » Ne cherche pas sur terre cette huile qui est
versée «sur la tête du Grand Prêtre » pour qu'il devienne
Christ. Mais, s'il te plaît, apprends du prophète David
quelle est cette huile : «Tu as aimé la justice et haï
l'iniquité ; c'est pourquoi Dieu, ton Dieu, t'a oint de
l'huile d'allégresse, de préférence à tes compagnons[b]. »
C'est donc cette huile d'allégresse qui, versée sur sa tête,
l'a constitué Christ.

vraiment grand, vraiment sublime, Jean qui auparavant avait été
grand est devenu plus petit. » *In Luc. hom.* 6, 7-8, *SC* 87, p. 149.

Sed addit adhuc ad laudes eius : *Qui consummatas* inquit
10 *habet manus*[c]. Cuinam, quaeso, hominum hoc convenit
dici ? In quo mortalium *perfectas* invenire possumus
manus ? Etiamsi Aaron iste sit, cuius mentio fieri videtur,
quomodo *consummatas* putabitur *habuisse manus*, quibus
vitulum fabricavit[d], quibus idolum sculpsit ? Etiamsi ipsum
15 Moysen proferas, quomodo *consummatas habuisse* videbitur
manus, qui non glorificavit Dominum *ad aquam contra-*
dictionis ? Pro quo delicto etiam vita iubetur excedere[e].
Quod si et alium quem sanctorum memorare velis, occurrit
tibi sermo Scripturae, qui dicit quia : *Non est homo super*
20 *terram, qui faciat bonum et non peccet*[f]. Merito ergo solus
Iesus *consummatas habet manus*, qui solus *peccatum non*
fecit[g], hoc est qui perfecta et integra opera manuum
habet.

Et ideo de ipso recte dicitur : *Qui consummatas habet*
25 *manus, ut induatur sancta*[h]. Hic enim est qui vere *indutus*
est sancta, non illa, quae *in typo*[i] erant, sed ipsa, quae vere
sancta sunt. Quod si vis audire de excelsioribus indumentis
eius, accipe verba prophetica : *Amictus* inquit *lumen sicut*
vestimentum, abyssus sicut amictum vestimentum eius[j].
30 Hic est mei magni pontificis habitus, quo indicatur profunda
scientiae et sapientiae luce vestitus, quae vere *sancta*
sunt indumenta.

Non inquit *auferet de capite suo cidarim*[k]. Iam et prius
diximus *cidarim* genus esse operimenti, quod capiti

---

3 c. Cf. Lév. 21, 10 ‖ d. Cf. Ex. 32, 4 ‖ e. Cf. Nombr. 20, 24 ; 27, 13
s. ‖ f. Eccl. 7, 20 ‖ g. Cf. I Pierre 2, 22 ‖ h. Cf. Lév. 21, 10 ‖ i. Cf. I Cor.
10, 11 ‖ j. Ps. 103, 2.6 ‖ k. Lév. 21, 10

---

1. Même reproche à Moïse : « Il rend sur lui-même ce témoignage
qu'il a péché en disant : ... ' Pourrons-nous vous faire sortir de
l'eau de cette pierre ? ' Par ces paroles, il ne sanctifie pas le Seigneur
' auprès de l'eau de la contestation ', autrement dit, il n'eut pas

« Mains parfaites » Le texte ajoute encore à sa louange : « Il a les mains parfaites[c]. » Auquel des hommes, je le demande, convient une telle parole ? Chez lequel des mortels pouvons-nous trouver des mains parfaites ? Même si Aaron est celui dont il semble qu'il soit fait mention, comment pensera-t-on qu'il a eu les mains parfaites, mains par lesquelles il a fabriqué le veau[d], par lesquelles il a sculpté l'idole ? Même si tu produis Moïse lui-même, comment semblera-t-il avoir eu des mains parfaites[1], lui qui n'a pas glorifié le Seigneur « auprès de l'eau de la contestation » ? Faute d'ailleurs qui lui valut l'ordre de quitter la vie[e]. Que si tu veux rappeler quelque autre des saints, à toi s'oppose l'expression de l'Écriture : « Il n'est homme sur terre qui fasse le bien et ne pèche pas[f]. » Par conséquent, Jésus seul « a les mains pures », lui qui seul « n'a point commis de péché[g] », c'est-à-dire qui a parfaites et pures les œuvres de ses mains.

« Habits sacrés » Aussi est-ce de lui qu'il est dit avec raison : « Il a les mains parfaites pour revêtir les habits sacrés[h]. » Car lui est véritablement revêtu d'habits sacrés : non de ceux qui étaient sacrés « en type[i] », mais de ceux qui sont véritablement sacrés. Que si tu veux entendre parler de ces habits supérieurs, prends les paroles prophétiques : « Drapé de lumière comme d'un manteau ; l'abîme comme son manteau l'enveloppe[j]. » Telle est la mise de mon Grand Pontife qui le révèle, vêtu de la lumière sans fond de la science et de la sagesse[2], habits véritablement sacrés.

« Tiare » « Il n'enlèvera pas la tiare de sa tête[k]. » Déjà plus haut nous avons dit que la tiare est une sorte de coiffure qui, placée sur la tête

confiance dans la force de Dieu. » *In Num. hom.* 6, 3, *GCS* 7, p. 34, 15 s.

2. « Manteau du Seigneur, la science véritable : qui en est revêtu en est illuminé. » *Sel. in Ps.* 103, 2, *PG* 12, 1559 D.

35 superpositum pontifici praestat ornatum. Hic ergo *magnus pontifex* meus numquam deponit sacri capitis ornatum. Quid sit autem *caput Christi*, ab Apostolo disce, qui dicit : *Caput autem Christi Deus*[1]. Merito igitur istum capitis sui, qui *Deus* est, numquam deponit ornatum, quia semper *est*
40 *Pater in Filio, sicut Filius* semper *in Patre*[m].

Et vestimenta sua non disrumpet[n]. Vere hic est, qui *vestimenta sua non disrumpet*, sed semper ea munda, semper integra, semper casta servabit.

Et ad omnem animam defunctam non intrabit[o]. Quae est
45 *anima defuncta* ? Quae est mortua; propheta dicit : *Anima quae peccat, ipsa morietur*[p]. Super hanc ergo animam mortuam Christus non supervenit, quia *sapientia*[q] est et sapientia non intrat ad animam malivolam. Ipsa est enim mortua, quia, cui inest malitia, inest et peccatum.
50 *Peccatum autem cum consummatum* inquit *fuerit, generat mortem*[r]. Et propter hoc Iesus *non intrat ad animam mortuam*. Si autem vivat anima, hoc est si non habeat in se mortale peccatum, tunc Christus, qui est *vita*[s], venit ad animam viventem; quia sicut *lux non potest esse cum*
55 *tenebris nec cum iniquitate iustitia*[t], ita nec vita potest esse cum morte. Et ideo si quis sibi conscius est quod habeat intra se mortale peccatum neque id a se per paenitentiam plenissimae satisfactionis abiecit, non speret quod *intret* Christus *ad animam* eius, qui *ad omnem animam*
60 *defunctam non intrat*[u], quia *magnus sacerdos* est.

4. *In patre suo et in matre sua non contaminabitur*[a]. Hic Scripturae locus difficillimus est ad explanandum, sed si orationibus vestris Deum Patrem Verbi deprecemini, ut

3 l. I Cor. 11, 3 ‖ m. Cf. Jn 14, 10 ‖ n. Lév. 21, 10 ‖ o. Lév. 21, 10 ‖ p. Éz. 18, 4 ‖ q. I Cor. 1, 24 ‖ r. Jac. 1, 15 ‖ s. Cf. Jn 11, 25 ‖ t. II Cor. 6, 14 ‖ u. Cf. Lév. 21, 10
4 a. Lév. 21, 11

du pontife, sert de parure. Donc, mon Grand Pontife ne dépose jamais la parure de sa tête sacrée. Or quelle est la tête du Christ, apprends-le de l'Apôtre qui dit : « La tête du Christ, c'est Dieu[1]. » En conséquence il ne dépose jamais cette parure de sa tête qui est Dieu, car sans cesse « le Père est dans le Fils, comme le Fils dans le Père[m] » sans cesse.

« Et il ne déchirera pas ses habits[n]. » En vérité c'est bien lui qui « ne déchirera pas ses habits », mais les gardera toujours purs, toujours intacts, toujours sans tache.

« Et d'aucune âme défunte il

« Ame morte » n'approchera[o]. » Quelle est l'âme défunte ? Celle qui est morte ; le prophète dit : « L'âme qui pèche, c'est elle qui mourra[p]. » Près de cette âme morte, le Christ ne survient donc pas, car il est la sagesse[q], et la sagesse n'entre pas dans une âme mal disposée. En effet celle-ci est morte, car où habite la malice, habite aussi le péché. « Or le péché une fois consommé engendre la mort[r]. » Et c'est pourquoi Jésus « n'approche pas d'une âme morte ». Mais si l'âme vit, c'est-à-dire si elle n'a point de péché mortel en elle, alors le Christ, qui est « la vie[s] », vient à l'âme vivante ; car, comme « la lumière ne peut coexister avec les ténèbres, ni la justice avec l'iniquité[t] », la vie non plus ne peut coexister avec la mort. Voilà pourquoi, si quelqu'un a conscience d'avoir en lui un péché mortel et ne l'a pas rejeté de lui par la pénitence d'une satisfaction complète, qu'il n'espère pas que le Christ approche de son âme, lui qui « n'approche d'aucune âme défunte », parce qu'il est « Grand Prêtre[u] ».

4. « Ni dans son père ni dans sa

Le Pontife est pur mère il ne sera souillé[a]. » Ce passage
dans son père de l'Écriture est très difficile à expli-
et dans sa mère quer, mais si par vos prières vous suppliez Dieu le Père du Verbe[1] qu'il daigne nous illuminer,

---

1. Cf. *hom.* 6, 1 fin et note.

nos illuminare dignetur, ipso donante poterit explanari.
5 Omnis qui ingreditur hunc mundum, in quadam contami-
natione effici dicitur. Propter quod et Scriptura dicit :
Nemo mundus a sorde, nec si unius diei fuerit vita eius [b].
Hoc ipsum ergo quod *in vulva* [c] matris est positus et quod
materiam corporis ab origine paterni seminis sumit, *in*
10 *patre et matre contaminatus* [d] dici potest. Aut nescis quia,
cum quadraginta dierum factus fuerit puer masculus,
offertur ad altare, ut ibi purificetur [e], tamquam qui pollutus
fuerit in ipsa conceptione vel paterni seminis vel uteri
materni ? Omnis ergo homo *in patre et in matre pollutus*
15 *est*, solus vero Iesus Dominus meus in hanc generationem
mundus ingressus est, *in matre non est pollutus*. Ingressus
est enim *corpus incontaminatum*. Ipse enim erat, qui et
dudum per Solomonem dixerat : *Magis autem cum essem*
bonus, veni ad corpus incoinquinatum [f]. *Non est* ergo *conta-*
20 *minatus in matre*, sed ne *in patre* quidem. Nihil enim Ioseph
in generatione eius praeter ministerium praestitit et
affectum; unde et pro fideli ministerio patris ei vocabulum
Scriptura concessit. Sic enim Maria ipsa dicit in Evangelio :
Ecce, ego et pater tuus dolentes quaerebamus te [g]. Sic ergo solus
25 est hic *sacerdos magnus*, qui *neque in patre pollutus sit*
neque in matre.

Videamus autem, si adhuc possumus aliquid sublimius

---

4 b. Cf. Job 14, 4-5 ‖ c. Cf. Job 3, 11 ‖ d. Cf. Lév. 21, 11 ‖ e.
Cf. Lév. 12, 2 s. ‖ f. Sag. 8, 20 ‖ g. Lc 2, 48

---

1. Cf. *hom.* 5, 10 ; 9, 6. La souillure n'est pas identique au péché.
Il y a une souillure de la naissance, *hom.* 8, 3 début. Le Seigneur Jésus
en est exempt, lui qui n'a été souillé ni dans son père ni dans sa mère,
explique notre passage. Il y a une souillure inhérente à la condition
charnelle : Jésus l'a évidemment subie et n'en fut délivré que vers
le soir en lavant les habits de sa nature humaine dans son sang,
hom. 9, 5 début et 6 fin. Mais il n'a pas connu le péché, comme le
rappelle Origène, *hom.* 3, 1, et *infra*.

grâce au don de Dieu l'explication sera possible. Quiconque
entre dans ce monde, on dit qu'il est formé avec une
certaine souillure[1]. Ce qui fait dire à l'Écriture : « Personne
n'est pur de toute souillure, sa vie fût-elle d'un jour[b]. »
Du fait même qu'il est placé dans le sein de sa mère[c], et
qu'il a reçu la matière de son corps de la source de la
semence paternelle, on peut dire que « dans son père et
dans sa mère il est souillé[d] ». Ou ne sait-on pas que l'enfant
mâle, quarante jours après sa mise au monde, est offert à
l'autel pour y être purifié[e], comme ayant été souillé dans
la conception même, soit de la semence paternelle, soit du
sein maternel ? Donc tout homme « est souillé dans son
père et dans sa mère », mais seul mon Seigneur Jésus est
entré pur dans cette génération, « n'a pas été souillé dans
sa mère ». Car il est entré dans « un corps sans souillure ».
En effet, c'était lui qui avait dit jadis par Salomon : « Ou
plutôt, comme j'étais bon, je suis venu dans un corps sans
souillure[f]. » Donc, « il n'est pas souillé dans sa mère », mais
pas non plus « dans son père ». Car Joseph ne prêta d'autre
concours pour sa génération que son dévouement et son
affection ; et c'est en raison de son fidèle dévouement que
l'Écriture lui accorda le nom de père[2]. Car Marie dit
elle-même dans l'Évangile : « Vois, ton père et moi nous te
cherchions tout angoissés[g]. » Ainsi donc, seul il est ce
« Grand Prêtre » qui « n'est souillé ni dans son père ni
dans sa mère ».

Mais voyons si nous pouvons encore trouver un sens

2. « Quelle raison y a-t-il donc de mentionner comme père celui
qui en réalité ne fut pas son père ? Si l'on se contente d'une explication élémentaire, on dira : le Saint-Esprit a honoré du titre de
père celui qui avait nourri le Sauveur. Mais qui cherche un sens
plus profond peut dire ceci : la généalogie du Christ part de David
pour arriver à Joseph et, pour que Joseph ne paraisse pas nommé
en vain, celui qui n'avait pas été effectivement le père du Sauveur
est appelé ' père ' du Sauveur et l'ordre généalogique garde ainsi
son sens. » *In Luc. hom.* 17, 1, *SC* 87, p. 250 s. et note.

et pro dignitate tanti pontificis invenire. Pater omnium
verus dicitur Deus. *Matrem* autem Apostolus *Ierusalem*
30 dicit esse *caelestem*[h]. Omnes ergo qui peccant, *contaminan-*
tur in patre, a quo creati sunt. Sive enim egimus aliquid
impium sive locuti sumus sive cogitavimus contra Deum,
cum non credidimus Deo, *contaminati sumus in patre*.
Sed atque utinam tunc solum per incredulitatem factum
35 sit, cessatum sit vero postquam credidimus! Sic ergo
etiam *in matre contaminamur*, si credentes Deo vel
Ecclesiam laedimus vel libertatem *matris caelestis* indigna
peccati servitute foedamus. Solus vero Dominus noster
Iesus Christus, *qui peccatum nescit*[i], *neque in Patre neque*
40 *in matre contaminatus est* et *de sanctis non exivit*.

Fuerant quidem nonnulla et in superioribus proponenda
Iudaeis, ad quae respondere non possent, sed omissis illis
de hoc interim sermone quid nobis dicunt vel ipsi vel qui
secundum ipsorum sensum intelligi legem volunt : si haec
45 ad pontificem nostrum et Salvatorem non referantur,
quomodo secundum litteram probabitur quod *de sanctis*
non exivit magnus sacerdos[j], qui utique et uxorem accipiebat,
sicut inferius dicitur, *virginem de genere suo*[k] ? Si *de sanctis*
non exit, si nusquam procedit, quomodo aut ad quos usus
50 *accipere* iubetur *uxorem* ? Neque enim putandum est quod
cum uxore intra sancta manere potuerit. Sed haec putent
illi, quibus placent *iudaicae fabulae*[l].

Nos autem habemus *sacerdotem magnum secundum*
ordinem Melchisedech[m] Christum Iesum *numquam de*
55 *sanctis exeuntem*; semper enim in sanctis est et manet
semper sanctus in verbis suis, sanctus in actibus suis,

---

4 h. Cf. Gal. 4, 26 ; Hébr. 12, 22 ‖ i. Cf. II Cor. 5, 21 ‖ j. Cf.
Lév. 21, 12 ‖ k. Cf. Lév. 21, 14 ‖ l. Cf. Tite 1, 14 ‖ m. Cf. Ps. 109, 4

plus sublime et qui convienne à la dignité d'un si grand
Pontife. Dieu est dit le véritable Père de tous. Et l'Apôtre
dit que « la Jérusalem céleste est notre mère[h] ». Donc, tous
ceux qui pèchent « sont souillés dans le Père » par lequel
ils ont été créés. En effet, auteurs soit d'une action impie,
soit de paroles soit de pensées hostiles à Dieu, tant que
nous n'avons pas cru en Dieu, nous fûmes souillés dans
notre Père. Fasse le ciel que cela n'ait eu lieu qu'au temps
de l'incrédulité, mais ait cessé depuis que nous avons cru !
Et de même nous nous souillons dans notre mère si,
croyant en Dieu, nous offensons l'Église, ou nous déshono-
rons la liberté de notre mère céleste par l'indigne esclavage
du péché. Seul, notre Seigneur Jésus-Christ, « qui ne
connaît pas le péché[i] », « ne fut souillé ni dans son père ni
dans sa mère », et « n'est pas sorti du sanctuaire ».

Dans le sanctuaire   Il y avait déjà plus haut plusieurs
questions à poser aux Juifs, auxquelles
ils ne pourraient pas répondre ; mais, celles-là omises, à
présent que nous disent-ils sur cette parole, eux-mêmes ou
ceux qui veulent que la Loi soit comprise d'après leur
sens : si ces traits ne s'appliquent pas à notre Pontife et
Sauveur, comment prouvera-t-on selon la lettre que « le
grand prêtre n'est pas sorti du sanctuaire[j] », lui surtout
qui avait pris comme épouse, on le dit plus bas, « une
vierge de sa race[k] » ? S'il ne sort pas du sanctuaire, s'il ne
s'en va nulle part, comment ou à quel usage reçoit-il
l'ordre de prendre une épouse ? Car il n'est pas concevable
qu'il ait pu rester avec son épouse à l'intérieur du sanctuaire. Qu'ils le croient ceux à qui plaisent les fables[1]
juives[1] !

Mais nous avons, nous, « un Grand Prêtre », « selon
l'ordre de Melchisédech[m] », Jésus-Christ, « qui ne sort
jamais du sanctuaire » : il est toujours dans le sanctuaire
et reste toujours saint dans ses paroles, saint dans ses

---

1. Cf. *hom.* 3, 3 fin.

sanctus in omnibus voluntatibus suis et solus est, qui
numquam inveniatur extra sancta. Qui enim peccat,
exit de sanctis et quotiensque quis peccat, totiens efficitur
60 extra sancta. Christus autem, *qui numquam peccavit*[n],
numquam exiit de sanctis.

Sed et tu, qui sequeris Christum et imitator eius es,
si permaneas in verbo Dei, si *in lege eius mediteris die ac
nocte*[o], si in mandatis eius exercearis, semper in sanctis
65 es nec umquam inde discedis. Neque enim in loco sancta
quaerenda sunt, sed in actibus et vita ac moribus. Quae
si secundum Deum sint et secundum praeceptum Dei
habeantur, etiamsi in domo sis, etiamsi in foro — et quid
dico in foro ? — etiamsi in theatro inveniaris verbo Dei
70 deserviens, in sanctis te esse non dubites. Aut non tibi
videtur Paulus, cum ingressus est theatrum vel cum
ingressus est *Areum pagum*[p] et praedicavit Atheniensibus
Christum, in sanctis fuisse ? Sed et cum perambularet aras
et idola Atheniensium, ubi invenit scriptum : *Ignoto Deo*
75 et ex hoc verbo sumpsit Christi praedicationis exordium,
etiam ibi *aras* gentilium *lustrans*[q] in sanctis positus erat,
quia sancta cogitabat. Sed et quicumque custodit se post
acceptam gratiam Dei ne incidat *in homicidium, in adulterium, in furtum, in falsum testimonium*[r] et alia his similia,
80 sed permanet mundus ab omni contagione peccati, *non
exivit* iste *de sanctis*, et non contaminavit sanctificationem
Dei sui in semet ipso, quia sanctum *oleum chrismatis*[s]
Dei sui super ipsum est.

Illud *oleum*, de quo in Exodo scriptum est, quomodo
85 potest secundum litteram proprie oleum Dei dici, quod

---

4 n. Cf. I Pierre 2, 22 ‖ o. Cf. Ps. 1, 2 ‖ p. Cf. Act. 17, 19 ‖ q. Cf.
Act. 17, 23 ‖ r. Cf. Matth. 15, 19 ‖ s. Cf. Ex. 29, 7 s.

actions, saint dans toutes ses volontés, et il est le seul à ne
jamais se trouver hors du sanctuaire. Car pécher, c'est
sortir du sanctuaire, et toutes les fois qu'on pèche, autant
de fois on se met hors du sanctuaire. Mais le Christ, « qui
n'a jamais péché[n] », « n'est jamais sorti du sanctuaire[1] ».

De plus, toi qui suis le Christ, et qui es son imitateur, si
tu demeures dans la parole de Dieu, si « tu médites sa Loi
jour et nuit[o] », si tu t'appliques à ses commandements,
toujours tu es dans le sanctuaire et jamais tu ne t'en
éloignes. Car ce n'est pas dans un lieu qu'il faut chercher
le sanctuaire, mais dans tes actes, ta vie et ta conduite.
Qu'ils soient conformes à Dieu et conformes au commandement de Dieu, même si tu es à la maison, même sur la
place — que dis-je, sur la place ? — même si tu te trouves
au théâtre, servant la parole de Dieu, tu es dans le
sanctuaire, n'en doute pas. Ou alors ne te semble-t-il pas
que Paul, quand il entra à « l'Aréopage[p] » et prêcha le
Christ aux Athéniens, a été dans le sanctuaire ? En outre,
quand il circulait parmi les autels et les idoles d'Athènes,
où il trouva l'inscription « au Dieu inconnu », expression
dont il fit l'exorde de sa prédication du Christ, même là où
« il considérait les autels[q] » des païens, il était placé dans
le sanctuaire, parce qu'il avait des pensées saintes.
Davantage, quiconque se garde, après avoir reçu la grâce
de Dieu, de tomber « dans l'homicide, dans l'adultère,
dans le vol, dans le faux témoignage[r] » et autres choses
semblables, mais demeure pur de toute infection du péché,
celui-là n'est pas sorti du sanctuaire, n'a point souillé la
sanctification de son Dieu en lui, parce que la sainte huile
de l'onction[s] de son Dieu est sur lui.

Huile de Dieu   Cette huile, dont il est question
dans l'*Exode*, comment pourrait-on
la dire selon la lettre au sens propre huile de Dieu, confec-

---

1. Il s'agit d'une séparation ou retraite non matérielle, mais
spirituelle, et d'une consécration. Cf. *hom.* 11, 1 fin.

arte myrepsica confectum est a pigmentario ? Sed si vis
videre oleum Dei, audi quem propheta dicat unctum esse
oleo Dei, illum sine dubio, de quo dicit : *Propterea unxit
te Deus Deus tuus oleo laetitiae prae participibus tuis*[t].
90 Hic ergo est *magnus sacerdos*, qui solus oleo Dei unctus est
et in quo semper sanctum permansit divini *chrismatis
oleum.*

5. Sed quid additur post haec ? *Hic uxorem virginem
de genere suo accipiet, viduam autem et eiectam et meretricem
non accipiet, sed virginem de genere suo accipiet; et non
contaminabit semen suum in populo suo; ego Dominus, qui
5 sanctifico eum*[a]. Quia ergo totius expositionis ordo ad
verum *sacerdotem magnum* revocatus est Christum, videamus nunc quid et de nuptiis eius intelligi debeat.

Paulus Apostolus dicit : *Volo autem vos omnes uni viro
virginem castam exhibere, Christo. Timeo autem, ne sicut
10 serpens seduxit Evam astutia sua, corrumpantur sensus
vestri a simplicitate, quae in Christo est*[b]. Vult ergo Paulus
omnes Corinthios virginem castam exhibere Christo; quod
utique numquam vellet, nisi id possibile videret. Unde et
mirum fortasse videatur, quomodo hi, qui diversis peccatis
15 corrupti ad fidem Christi venerunt, omnes simul *virgo
casta* dicantur; quae virgo tam sancta, tam casta sit, ut
mereatur etiam Christi nuptiis copulari. Verum quoniam
haec ad carnis integritatem referre non possumus, certum
est quod ad integritatem animae spectent, cuius secundum
20 ipsius Pauli sententiam *simplicitas fidei, quae in Christo
est*[c], virginitas eius appellata est, et per hoc, quoniam

4 t. Ps. 44, 8
5 a. Lév. 21, 13-15 ‖ b. II Cor. 11, 2-3 ‖ c. Cf. II Cor. 11, 3

tionnée qu'elle est selon l'art du parfumeur[1] par un droguiste ? Mais si tu veux voir l'huile de Dieu, écoute celui que le prophète déclare oint de l'huile de Dieu, celui à n'en pas douter dont il dit : « C'est pourquoi Dieu, ton Dieu t'a oint de l'huile d'allégresse, de préférence à tes compagnons[t]. » C'est donc lui, le Grand Prêtre, qui seul a été oint de l'huile de Dieu, et sur qui a toujours subsisté la sainte huile de l'onction divine.

Noces du Christ   **5.** Mais qu'est-ce qui est ajouté ensuite ? « Il prendra comme épouse une vierge de sa race ; une veuve, une répudiée, une prostituée, il ne prendra pas d'elles, c'est une vierge de sa race qu'il prendra ; et il ne profanera pas sa semence au milieu de son peuple ; je suis le Seigneur qui le sanctifie[a]. » Vu que l'ordre de toute l'explication converge vers le véritable Grand Prêtre, le Christ, voyons maintenant ce qu'on doit comprendre de ses noces.

L'apôtre Paul dit : « Je veux vous présenter tous à un époux unique, comme une vierge pure, au Christ. Mais j'ai peur que, comme le serpent séduisit Ève par sa ruse, vos pensées ne se corrompent loin de la simplicité envers le Christ[b]. » Paul veut donc « présenter au Christ tous les Corinthiens comme une vierge pure » : chose que sûrement il ne voudrait jamais s'il ne la voyait possible. A ce point qu'il semble peut-être même étonnant que ces hommes corrompus par divers péchés, venus à la foi au Christ, soient qualifiés tous ensemble de « vierge pure » ; vierge si sainte, si pure, qu'elle mérite même d'être unie aux noces du Christ. Mais pourtant, comme on ne peut l'entendre de l'intégrité de la chair, il est sûr qu'il s'agit de l'intégrité de l'âme, âme dont, de l'avis de Paul même, « la simplicité de la foi envers le Christ[c] » a été appelée sa virginité ; et

---

1. « Il prit l'onguent le plus suave, chef-d'œuvre de l'art du parfumeur. » PHILON, *De vita Mosis* II, 146, tr. R. Arnaldez, etc.

cessantibus vel philosophorum sophismatibus vel supersti-
tionibus iudaicis in fide simplici Christus sibi adsumpsit
Ecclesiam, *virginem de genere suo accepit uxorem*[d]. Huius
25 namque fidem non corrumpit philosophicus sensus nec
circumcisionis ambitio, sed in simplicitate confessionis
tamquam in virginali integritate permansit. Sic enim et
dudum promiserat per prophetam dicens : *Desponsabo
te mihi in fide*[e].

30 *Omnis* ergo secundum Apostolum, *qui in Christo est,
nova creatura est*[f]. Et sicut idem Apostolus dicit : *Ut
exhibeat ipse sibi gloriosam Ecclesiam non habentem maculam
aut rugam aut aliquid eiusmodi, sed ut sit sancta et immaculata*[g]. Quomodo ergo eam, quae rugosa est, facit esse
35 sine *ruga*, nisi quia *renovat* eam secundum quod scriptum
est : *Nam etsi is, qui deforis est, homo noster corrumpitur,
sed qui intus est, renovatur de die in diem*[h]?

Viduam sane *et meretricem et eiectam non accipit*[i]
Christus nec intrat talis anima thalamos sponsi. Qui enim
40 *ingressus fuerit illuc non habens indumenta nuptialia*,
perferet illud, quod scriptum esse nostis in Evangelio[j].
Virginem ergo accipiet, *viduam non accipiet neque meretricem neque eiectam aut contaminatam. Meretricem* quidem
et abiectam animam *et pollutam* cur *non suscipiat* Christus
45 in coniugium, non est laboris exponere; *vidua* vero cur
non recipiatur, diligentius intuendum est. Paulus Apostolus
ad Romanos scribens *virum animae legem* dicit *eamque,
cum mortuus fuerit vir, solutam esse* pronuntiat *a lege viri,
ut iam non sit adultera, si nupserit Christo*[k]. Quod si
50 eveniat, ut lex quidem animae ipsi moriatur, id est ut
anima discedat a lege nec tamen constringat se castioris
conubii disciplinis et a lege discedens evangelici dogmatis

---

5 d. Cf. Lév. 21, 13 ‖ e. Os. 2, 20 (22) ‖ f. II Cor. 5, 17 ‖ g. Éphés.
5, 27 ‖ h. II Cor. 4, 16 ‖ i. Cf. Lév. 21, 14 ‖ j. Cf. Matth. 22, 12.13 ‖
k. Cf. Rom. 7, 1-3

par conséquent, comme prennent fin les sophismes des philosophes et les superstitions juives, c'est dans la foi simple que le Christ s'est acquis l'Église, « a pris comme épouse une vierge de sa race[d] ». Car sa foi n'est corrompue ni par la pensée philosophique, ni par la prétention de la circoncision : elle est restée dans la simplicité de la confession comme dans une intégrité virginale. Comme il l'avait promis jadis par le prophète : « Je te fiancerai à moi dans la foi[e]. »

D'après l'Apôtre donc, « quiconque est dans le Christ est une créature nouvelle[f] ». Et comme le même Apôtre déclare : « Il a voulu se présenter à lui-même une Église glorieuse, sans tache, ni ride, ni rien de tel, mais qui soit sainte et immaculée[g]. » Comment donc, elle qui est ridée, la rend-il sans ride, sinon parce qu'il la renouvelle, selon ce qui est écrit : « Même si l'homme extérieur en nous dépérit, l'homme intérieur se renouvelle de jour en jour[h] » ?

Mais « une veuve, une prostituée, une répudiée » le Christ « ne prend pas[i] » d'elles, et une âme telle n'entre pas dans la chambre nuptiale de l'époux. Car « celui qui entre là sans porter l'habit des noces » subira le sort que vous savez décrit dans l'Évangile[j]. C'est donc « une vierge » qu'il prendra, « il ne prendra pas une veuve, ni une prostituée, ni une répudiée ou une profanée ». Que le Christ ne prenne pas en mariage une âme « prostituée, répudiée, souillée », on n'a pas de peine à l'expliquer ; mais pourquoi une âme « veuve » n'est pas prise, il faut l'examiner avec plus d'attention. L'apôtre Paul, écrivant aux Romains, dit que « la Loi est l'époux de l'âme », et déclare que celle-ci, après la mort de l'époux, « est affranchie de la loi de l'époux, de sorte qu'alors elle n'est point adultère si elle épouse le Christ[k] ». Arrive-t-il que la Loi meure pour l'âme elle-même, c'est-à-dire que l'âme se sépare de la Loi, sans toutefois s'astreindre aux règles d'un mariage plus chaste, et se séparant de la Loi, ne prend pas le joug de la doctrine évangélique ? Cette âme

non suscipiat iugum : haec *nubere Christo* non poterit, quae
libertatis lasciviam quaesierit, non fidei virginalis et
55 simplicis cultum.

Hic ergo *sacerdos magnus uxorem virginem accipiet de
genere suo*[1]. Potest et propter hoc dictum videri *de genere
suo*, quod anima Christi ex genere et ex substantia fuerit
humanarum omnium animarum. Potest et secundum hoc,
60 quod fratres vocat credentes in se, *de genere suo* dici anima,
quae ei in fide tamquam nuptiis sociatur. Illud tamen nolo
nos lateat, quod Hebraei negant se scriptum habere, quod
nos apud septuaginta interpretes invenimus : *de genere
suo*. Et recte illi non habent scriptum. Ablata est enim ab
65 illis propinquitas Dei, ablata est adoptio filiorum et
translata est ad Ecclesiam Christi. Illi ergo non habent
scriptum quia *de genere* Christi sint, sicut nec esse merue-
runt. Nos autem qui hoc scriptum habemus et legimus,
gaudeamus quidem de dignatione Dei, sed caute et sollicite
70 curemus, ne nos vita nostra et actus ac mores faciant
aliquando degeneres, ne et hoc ipsum nobis ad condemna-
tionem ducatur quod, *cum genus simus Christi*[m], indignis et
foedis et diabolicis actibus serviamus. *Qui habet* ergo
sponsam, sponsus est[n]. Audis, quomodo *sponsus* dicitur
75 Christus, *sponsa* vero eius anima dicitur, quae fidei
simplicitate et actuum puritate incorrupta probatur et
virgo. Dicit enim Dominus et per Hieremiam prophetam :
*Nonne sicut Dominum me vocasti et patrem et principem
virginitatis tuae*[o]?

---

5 l. Cf. Lév. 21, 13 ‖ m. Cf. Act. 17, 29 ‖ n. Jn 3, 29 ‖ o. Jér. 3, 4

ne pourra « épouser le Christ », elle qui cherche une liberté
sans frein et non la parure d'une foi virginale et simple.

« De sa race » Ce « grand prêtre prendra comme
épouse une vierge de sa race[1] ». On
peut croire l'expression « de sa race » employée parce que
l'âme du Christ a été de la race et de la substance de toutes
les âmes humaines[1]. On peut encore, du fait qu'il appelle
frères ceux qui croient en lui, dire qu'est de sa race l'âme
qui lui est unie dans la foi comme par des noces. Cependant
je ne veux pas méconnaître que les Hébreux nient avoir
dans leur texte ce que nous trouvons chez les traducteurs
de la Septante : « de sa race ». C'est même à juste titre
qu'ils ne l'ont pas. La parenté de Dieu leur a été enlevée,
l'adoption filiale enlevée et transférée à l'Église du Christ.
S'ils n'ont pas dans leur texte qu'ils sont de la race du
Christ, c'est qu'ils n'ont pas mérité de l'être. Nous qui
avons et lisons ce texte, réjouissons-nous certes de la
faveur de Dieu, mais avec précaution et vigilance prenons
garde que notre vie, nos actes, notre conduite ne nous en
fassent déchoir un jour et que ne tourne à notre condam-
nation ce fait même que, « étant de la race du Christ[m] »,
nous nous livrions à des actions indignes, honteuses et
diaboliques. Donc « celui qui a l'épouse est l'époux[n] ». Tu
entends : le Christ est dit l'époux, mais est dite son épouse
l'âme qui, par la simplicité de sa foi et la pureté de ses
actions, est reconnue intacte et vierge. Car le Seigneur dit
encore par le prophète Jérémie : « Ne m'as-tu point appelé
Seigneur, père et principe de ta virginité[o] ? »

1. « Le Fils de Dieu prit... une âme humaine, semblable sans doute
par nature à nos âmes, mais semblable à lui-même par sa volonté
et sa puissance, et capable d'accomplir sans défaillance tous les
vouloirs et les plans du Verbe et de la Sagesse. » *De princ.* 4, 31,
SC 268, p. 408, etc.

6. *Viduam autem et eiectam et contaminatam non accipiet*[a]. Si quis nostrum peccaverit, *abiectus* est ; etiamsi non abiciatur ab episcopo, sive quod lateat sive quod interdum ad gratiam iudicetur, *eiectus* est tamen ipsa
5 conscientia peccati. Nec prode est hominis gratia, cum Christus huiusmodi animam tamquam *abiectam* non recipiat in coniugium. Igitur *neque viduam*, sicut supra diximus, *accipiet neque eiectam neque pollutam*. *Polluta* dicitur, quae, etiamsi non ex integro complevit peccatum, tamen
10 hoc ipso quod cogitavit, quod voluit, quod optavit, etiamsi non admisit, *polluta* est et a *magno pontifice* non eligitur. Valde enim puram, valde mundam et sinceram requirit animam, quam sibi iungat, quia *qui se iunxerit Domino, unus spiritus est*[b]. Unde etiam hoc ostenditur
15 quod sint differentiae peccatorum et qui peccaverit *peccatum ad mortem*[c], *abiectus* sit, qui autem non *peccat ad mortem*, sed inferius aliquid, *pollutus* sit. Sponsa autem Christi neque *abiecta* neque *polluta* potest esse, sed *virgo* incontaminata, incorrupta, munda. Memento enim sermo-
20 nis Apostoli, quem paulo ante proposuimus, dicentis : *Ut exhibeat ipse sibi gloriosam Ecclesiam, non habentem maculam aut rugam aut aliquid eiusmodi, sed ut sit sancta et immaculata*[d].

7. Sed et *meretricem non accipiet*[a]. Quae est anima *meretrix* ? Quae ad se recipit *amatores*, de quibus dicit propheta : *Meretricata es post amatores tuos*[b]. Qui sunt isti *amatores*, qui intrant ad animam meretricem, nisi contrariae

---

6 a. Lév. 21, 14 ‖ b. I Cor. 6, 17 ‖ c. Cf. I Jn 5, 16 ‖ d. Éphés. 5, 27
7 a. Lév. 21, 14 ‖ b. Cf. Éz. 16, 33.28

---

1. En cas de péché mortel, « l'évêque ne doit pas simplement ' ad gratiam iudicare ', c'est-à-dire s'efforcer de remédier, sans excommunication, au péché incurable par les procédés qui ne peuvent

6. « Mais il ne prendra pas une
« **Ame répudiée,** veuve, une répudiée, une profanée[a]. »
âme souillée »
Si l'un de nous a péché, il est répudié ;
même s'il n'est pas répudié par l'évêque, soit que sa faute
fut secrète, soit qu'on l'ait parfois admis au pardon[1], il est
néanmoins répudié par la conscience qu'il a de son péché.
Et le pardon de l'homme est inutile quand le Christ ne
prend pas en mariage une telle âme considérée comme
répudiée. Donc, « il ne prendra ni une veuve », comme on
l'a dit plus haut[2], « ni une répudiée, ni une souillée ». Est
dite souillée l'âme qui, même si elle n'a pas entièrement
consommé le péché, du fait pourtant qu'elle l'a pensé,
qu'elle l'a voulu, qu'elle l'a souhaité, même sans l'accepter,
est souillée et n'est pas choisie par le grand pontife. C'est
une âme très pure, très nette et intacte qu'il cherche pour
l'unir à lui, car « celui qui s'unit au Seigneur est avec lui
un seul esprit[b] ». Cela montre aussi qu'il y a des différences
de péchés : qui a commis « le péché qui mène à la mort[c] »
est répudié ; qui ne fait pas le péché qui mène à la mort,
mais une faute moins grave, est souillé. Or l'épouse du
Christ ne peut être ni répudiée, ni souillée ; mais elle est
vierge sans tache, sans corruption, pure. Souviens-toi en
effet de la parole de l'Apôtre, proposée un peu plus haut :
« Il a voulu se présenter une Église glorieuse, sans tache,
ni ride, ni rien de tel, mais qui soit sainte et immaculée[d]. »

« **Ame prostituée** »   **7.** De plus, « il ne prendra pas une
prostituée[a] ». Quelle est l'âme pros-
tituée ? Celle qui accueille chez elle des amants, dont parle
le prophète : « Tu t'es prostituée à tes amants[b]. » Quels
sont ces amants qui pénètrent jusqu'à l'âme prostituée,

---

guérir que ceux qui n'ont pas entraîné la mort spirituelle, savoir
la prière et le sacrifice. » K. Rahner, *Doctrine*, p. 431. Le recours
à la pénitence est alors nécessaire.
2. Cf. *hom.* 12, 5.

5 potestates et daemones, qui desiderium capiunt pulchritudinis eius ? Pulchra namque a Deo creata est anima
et satis decora. Audi, quomodo ipse Deus dicit : *Faciamus
hominem ad imaginem et similitudinem nostram*[c]. Vide,
cuius decoris, cuius pulchritudinis est anima; *imaginem*
10 habet *et similitudinem* Dei. Hanc pulchritudinem contrariae
potestates cum adspiciunt, id est *diabolus et angeli eius*[d],
concupiscunt speciem ipsius; et quia non possunt sponsi
eius fieri, meretricari cupiunt cum ea. Si ergo susceperis,
o homo, in cubili animae tuae adulterum *diabolum*, mere-
15 tricata est anima tua cum diabolo. Si receperis *angelos
eius*, si spiritus diversos, qui peccare te suadeant, meretricata est cum iis anima tua; si spiritus irae, si invidiae,
si superbiae, si impudicitiae ingressus fuerit ad animam
tuam et receperis eum, consenseris ei loquenti in corde
20 tuo, delectatus fueris his, quae tibi secundum suam
mentem suggerit, meretricatus es cum eo.

Meretricem ergo *non accipiet sacerdos magnus et non
contaminabit semen suum in populo suo*[e]. Quod est istud
semen, quod *contaminari* non vult ? In Evangeliis scriptum
25 est quia : *Qui seminat, verbum seminat*[f]. Non vult ergo
contaminari verbum Dei ab his, *qui seminant*. Qui sunt
autem *qui seminant* ? Qui verbum Dei in Ecclesia proferunt.
Audiant ergo doctores, ne forte animae *contaminatae*,
animae *meretricanti*, animae infideli verba Dei credant, ne
30 forte mittant *sanctum canibus et margaritas ante porcos*[g],
sed animas mundas, *virgines in simplicitate fidei, quae in*

---

7 c. Gen. 1, 26 ‖ d. Cf. Apoc. 12, 9 ‖ e. Cf. Lév. 21, 14 ‖ f. Mc 4, 14 ‖
g. Cf. Matth. 7, 6

---

1. « Nous avons souvent dit que les puissances adverses aiment
la beauté de l'âme humaine, et quand l'âme humaine reçoit les
semences de ses amants, d'une certaine manière elle fornique avec
eux. » *In Ez. hom.* 8, 1, *GCS* 8, p. 401, 24 s.

sinon les puissances hostiles et les démons, qui sont épris
de sa beauté? Car l'âme a été créée par Dieu belle et bien
parée. Écoute comme Dieu lui-même dit : « Faisons
l'homme à notre image et ressemblance[c]. » Vois de quelle
parure est l'âme, de quelle beauté : elle est à « l'image et
la ressemblance » de Dieu. A la vue de cette beauté, les
puissances hostiles, « le diable et ses anges[d] », s'éprennent
de son éclat ; et comme ils ne peuvent devenir ses époux,
ils désirent se prostituer à elle[1]. Si donc, ô homme, tu
accueilles dans la chambre de ton âme le diable adultère,
ton âme se prostitue au diable. Si tu accueilles « ses anges »,
les différents esprits qui te persuadent de pécher, ton âme
se prostitue à eux[2] ; si un esprit de colère, ou d'envie, ou
d'orgueil, ou d'impureté aborde ton âme et que tu
l'accueilles, tu lui donnes ton assentiment quand il parle
dans ton cœur, tu prends plaisir à ce qu'il t'inspire selon
sa pensée, tu te prostitues à lui.

**« Semence
de la parole
de Dieu »**
« Le grand prêtre ne prendra pas
une prostituée et ne profanera pas sa
semence parmi son peuple[e]. » Quelle
est cette semence qu'on ne veut pas
voir profaner? Dans les Évangiles il est écrit : « Le semeur
sème la parole[f]. » On ne veut donc pas que la parole de
Dieu soit profanée par ceux qui sèment. Or quels sont
ceux qui sèment? Ceux qui exposent la parole de Dieu
dans l'Église. Qu'ils entendent donc, ceux qui enseignent :
pour qu'ils n'aillent pas confier les paroles de Dieu à l'âme
« profanée », à l'âme « prostituée », à l'âme infidèle, qu'ils
n'aillent pas jeter « ce qui est sacré aux chiens, et les perles
devant les porcs[g] » ; mais qu'ils choisissent des âmes pures,

---

2. « Comprenons-le..., l'âme veut se prostituer aux démons et
avoir plusieurs amants, si bien que tantôt entre chez elle l'esprit
de fornication, puis à son départ, l'esprit d'avarice, après celui-ci
l'esprit d'orgueil, puis l'esprit de colère, de haine, de vaine gloire,
et beaucoup d'autres. » *In Ex. hom.* 8, 5, *GCS* 6, p. 227, 16.

Christo est[h], eligant, ipsis committant secreta mysteria, ipsis verbum Dei et arcana fidei proloquantur, ut in ipsis *Christus formetur* per fidem. Aut nescis quia ex isto semine

35 verbi Dei, quod seminatur, Christus nascitur in corde auditorum ? Hoc enim et Apostolus dicit : *Donec formetur Christus in nobis*[i]. Concipit ergo anima ex hoc verbi semine et conceptum format in se Verbum, donec pariat spiritum timoris Dei. Sic enim per prophetam dicunt

40 animae sanctorum : *A timore tuo, Domine, concepimus in utero et parturivimus et peperimus; spiritum salutis tuae fecimus super terram*[j]. Iste est sanctarum animarum partus, iste conceptus, ista sunt sancta coniugia, quae conveniunt et apta sunt magno pontifici Christo Iesu Domino nostro,

45 *cui gloria et imperium in saecula saeculorum. Amen*[k]!

---

7 h. Cf. II Cor. 11, 3 ‖ i. Cf. Gal. 4, 19 ‖ j. Is. 26, 18 ‖ k. Cf. I Pierre 4, 11 ; Apoc. 1, 6

« vierges » « dans la simplicité de la foi envers le Christ[h] »,
qu'ils leur transmettent les mystères cachés, leur exposent
la parole de Dieu et les secrets de la foi, afin qu'en elles
« le Christ soit formé » par la foi. Ou ne sais-tu pas que de
cette semence de la parole de Dieu qui est semée, le Christ
naît dans le cœur des auditeurs ? C'est ce que dit aussi
l'Apôtre : « jusqu'à ce que le Christ soit formé en nous[i] ».
Donc l'âme conçoit de cette semence de la parole, et
forme en elle le Verbe ainsi conçu, jusqu'à ce qu'elle
enfante l'esprit de la crainte de Dieu. Ainsi s'expriment
par le prophète les âmes des saints : « Par ta crainte,
Seigneur, nous avons conçu en notre sein, nous avons été
en travail et nous avons enfanté ; nous avons fait naître
sur la terre l'esprit de ton salut[j]. » Tel est l'enfantement
des âmes saintes, telle la conception, telles les saintes
épousailles qui conviennent et sont appropriées au Grand
Pontife, le Christ Jésus notre Seigneur ; « à Lui gloire et
puissance pour les siècles des siècles. Amen[k]. »

HOMILIA XIII

De diebus festis et lucerna et candelabro et oleo ad lumen
et de mensa et panibus propositionis.

1. Qui *perfectus*[a] est, ab ipso Deo docetur de sollemnita-
tum ratione et homine ad haec discenda magistro non
utitur, sed a Deo discit, si qui potest capere Dei vocem.
Qui autem non est talis, sed inferior, discit ab eo, qui
5 didicerit a Deo. Est haec ergo de sollemnitatibus duplex
quaedam ratio doctrinae. Una, qua illuminata per Spiritum
prophetica mens docetur, quae, ut ita dicam, magis
intuitu mentis discitur quam sono vocis, per quam veritas
ipsa, non umbra[b] et imago veritatis agnoscitur. Hi vero,
10 qui ipsam Dei claritatem capere non possunt nec totum
fulgorem veritatis intenta mentis acie conspicari, audiunt
de sollemnitatibus secundo loco ab his, qui primo didice-
runt; et cum illis veritatem rerum ipsa inspectionis
proprietas dederit, ad istos veritatis umbram perfert solus
15 auditus. Huius mysterii Apostolus conscius dicebat de

---

1 a. Cf. p. ex. Matth. 19, 21 ‖ b. Cf. Hébr. 10, 1

1. « Le Père qui est dans les cieux enseigne ou bien en personne
ou par l'intermédiaire du Christ, ou dans l'Esprit Saint, ou encore
par l'intermédiaire de Paul, mettons, ou de Pierre, ou de l'un des
autres saints, pourvu que l'Esprit de Dieu et le Verbe de Dieu
viennent enseigner. » *In Jer. hom.* 10, 1, *SC* 232, p. 396, tr. P. Nautin.
2. « Moïse transmettait l'observance par l'ombre de la Loi...
A lui-même il a été dit : ' Regarde et fais tout selon le modèle et la
ressemblance qui t'ont été montrés sur la montagne.' » *De princ.* 3, 6,
8, *SC* 268, p. 252. Ajoutons que, entre « les parfaits » et « la multi-

XIII

< FÊTES. FLAMME PERMANENTE.
PAINS DE PROPOSITION

*Jours de fête, lampe, candélabre, huile pour la lumière,
table et pains de proposition.*

**Enseignement
à deux degrés**

1. Le « parfait[a] » est instruit par Dieu même de l'explication des fêtes solennelles, et n'a point recours à un maître humain pour l'apprendre, mais il l'apprend de Dieu, si du moins on peut saisir la voix de Dieu. Qui n'est pas de cette qualité, mais est inférieur, apprend de qui apprend de Dieu[1]. Il y a donc, sur les fêtes solennelles, deux explications de la doctrine. La première, par laquelle l'intelligence prophétique, illuminée par l'Esprit, est instruite de ce qu'on apprend, pour ainsi dire, plus par la vue de l'intelligence que par le son de la voix, et grâce à laquelle est connue la vérité même et non plus l'ombre[b] ou l'image de la vérité. Mais ceux qui ne peuvent pas saisir la clarté même de Dieu, ni voir toute la splendeur de la vérité en y appliquant la pénétration de l'esprit, entendent l'interprétation des fêtes solennelles en second lieu de la bouche de ceux qui l'ont apprise en premier ; et après que la capacité du regard intérieur a donné aux premiers la vérité des réalités, l'audition seule transmet aux seconds l'ombre de la vérité[2]. Bien conscient de ce mystère,

tude », il n'y a pas seulement différence de connaissance des fêtes solennelles, mais de leur célébration, cf. *CC* 8, 22-23, *SC* 150, p. 22 s. et note.

Iudaeis quia : *Umbrae et exemplari deserviunt caelestium*[c].
Ipsa enim *caelestia* Moyses vidisse describitur, typos
autem et imagines eorum, quae viderat, populo tradidisse;
sic enim ad eum divinum dicit eloquium : *Vide* inquit
20 *omnia facito secundum formam, quae ostensa est tibi in
monte*[d]. Tale ergo est, quod et in hoc loco recitatum est
quia Dominus locutus fuerit de sollemnitatibus ad
Moysen[e]. Et post haec : *Et locutus est Moyses* inquit *dies
sollemnes Domini Dei filiis Istrahel*[f].
25 Transacto vero de his sermone videamus quid post
haec edocetur Moyses. Primo de *lucerna* et *candelabro* et
oleo[g], quod ei infunditur; secundo in loco de *mensa* et
panibus propositionis ac numero eorum et qui iis uti
debeant[h]. Intendamus ergo animum diligentius his, quae
30 scripta sunt, et ad haec dinoscenda concedi nobis gratiam
Domini deprecemur, ut in his quae legimus litteris, quae
sit voluntas sancti Spiritus, agnoscamus. *Praecipe* inquit
*filiis Istrahel, et deferant tibi oleum de olivis mundum
expressum ad lumen, ut ardeat lucerna semper extra velum
35 in tabernaculo testimonii, et accendent illam Aaron et filii
eius a vespera usque in mane contra Dominum indesinenter,
legitimum aeternale in progenies vestras. In candelabro
mundo accendetis lucernas contra Dominum usque mane*[i].

1 c. Hébr. 8, 5 ‖ d. Ex. 25, 40 ; Hébr. 8, 5 ‖ e. Cf. Lév. 23, 1 s.
‖ f. Lév. 23, 44 ‖ g. Cf. Lév. 24, 1 s. ‖ h. Cf. 1 Lév. 24, 5 s. ‖ i. Lév.
24, 1-4

1. On notera le glissement verbal et la modification de sens.
Dans le texte de *Deut.* 25, 40, cité par *Hébr.* 8, 5 (cf. *Act.* 7, 44),
le type ou modèle est montré à Moïse sur la montagne : tabernacle
céleste dont il doit prendre copie. Origène, même quand il cite
correctement, a une interprétation propre. Dans *In Ex. hom.* 9, 2,
l'exhortation qui voisine devient : « Tu devras monter au ciel et
y chercher la magnificence du tabernacle éternel, dont Moïse a

l'Apôtre disait des Juifs : « Ils rendent un culte à une
ombre et à une copie des réalités célestes^c.» En effet, il est
écrit que Moïse a vu les réalités célestes mêmes, et a
transmis au peuple les types et les images de ce qu'il
avait vu[1]. C'est ainsi que l'oracle divin lui dit : « Regarde
et fait tout selon le modèle qui t'a été montré sur la
montagne^d. » Voilà donc qu'on vient de lire aussi dans
notre passage que Dieu a parlé des fêtes solennelles à
Moïse^e. Et il est dit ensuite : «Moïse parla des solennités du
Seigneur Dieu aux fils d'Israël^f. »

« Selon la lettre » Mais, laissant de côté ce qu'il en
dit, voyons l'enseignement que Moïse
reçoit ensuite. Il s'agit d'abord de la lampe, du candélabre
et de l'huile^g qu'on y verse ; et ensuite, de la table, des
pains de proposition et de leur nombre, et de ceux qui
doivent les manger^h. Donc, appliquons notre esprit avec
grand soin à ce passage, demandons instamment que nous
soit donnée la grâce du Seigneur pour le pénétrer, afin de
reconnaître, dans la lettre que nous lisons, quelle est
l'intention de l'Esprit.

« Commande aux fils d'Israël de te procurer de l'huile
pure extraite d'olives pour la lumière, afin que la lampe
brûle sans cesse à l'extérieur du voile dans la tente du
témoignage ; et qu'Aaron et ses fils l'entretiennent du soir
jusqu'au matin devant le Seigneur en permanence : rite
perpétuel pour vos descendants. Sur le candélabre pur,
vous tiendrez des lampes allumées jusqu'au matin[1]. »

---

esquissé la figure sur la terre *(figura per Moysen adumbratur)* »,
GCS 6, p. 237, 9 s. Dans *In Num. hom.* 17, 4, ce qui est proposé
à notre imitation immédiate, ce sont les tentes éternelles, *GCS* 7,
p. 162, 9 s., comme ici les « typos et imagines » qu'il a laissés au
peuple. Le typos *(exemplar, figura)* est passé du ciel sur la terre,
« du côté du mystère à celui de l'image » (H. Crouzel, *Connaissance*,
p. 222 ; autres exemples cités), mais de l'image qui symbolise et
préfigure la réalité céleste.

Candelabrum mundum nominat; *lucernas* accendi per
40 pontificem iubet et earum *lumen* ministrari ex *oleo*, quod
datur a populo, praecipit. Itaque nisi dederit *oleum*
populus, sine dubio exstinguetur *lucerna* et non erit
lumen in sanctis. Secundum litteram ergo haec erat
consequentia, ut conferret populus *oleum mundum de
45 olivis expressum*, ut ex eo ministraretur *lumen lucernae* ; *et
Aaron accendebat lucernas a vespera usque mane*[j], fomentis
olei, quod contulerat populus, lumini pabulum praebens.

2. Verum *quoniam lex spiritalis est*[a], petamus a Domino
— si tamen *conversi sumus ad Dominum* — *auferri* nobis
velamen de lectione Veteris Testamenti[b], ut possimus advertere, quae ratio sit *candelabri vel lucernarum* eius secundum
5 intelligentiam spiritalem. Ante adventum Domini mei
Iesu Christi sol non oriebatur populo Istrahel, sed *lucernae
lumine* utebatur. *Lucerna* enim erat apud eos sermo legis
et sermo propheticus intra angustos conclusa parietes,
quae non poterat in orbem terrae lumen effundere. Intra
10 Iudaeam namque concludebatur scientia Dei, sicut et
propheta dicit : *Notus in Iudaea Deus*[c]. Ubi vero exortus
est *Sol iustitiae*[d] Dominus et Salvator noster et natus est
vir, de quo scriptum est : *Ecce vir, Oriens nomen est ei*[e],
per universum mundum scientiae Dei lumen effusum est.
15 Sermo ergo legis et sermo propheticus erat *lucerna ardens*,
sed ardebat intra aedem nec ultra poterat emittere
splendorem suum.

---

1 j. Cf. Lév. 24, 3
2 a. Cf. Rom. 7, 14 ‖ b. Cf. II Cor. 3, 14.16 ‖ c. Ps. 75, 1 ‖ d. Cf.
Mal. 4, 2 (3, 20) ‖ e. Cf. Zach. 6, 12

---

1. « Et peut-être la parole de Dieu est-elle, selon la Loi une lampe,
selon l'Évangile une lumière. » AMBROISE, *In Ps.* 118, 105, *PL* 15,
1393 A.

Il parle d'un « candélabre pur », il ordonne que des « lampes » soient allumées par le pontife, et prescrit que leur « lumière » soit entretenue par « l'huile » donnée par le peuple. C'est pourquoi, si le peuple ne donne pas de « l'huile », à n'en pas douter « la lampe » s'éteindra, et il n'y aura plus de « lumière » dans le sanctuaire. Ainsi selon la lettre, on avait cet enchaînement : le peuple apporte « de l'huile pure extraite d'olives » pour qu'on entretienne par elle « la lumière de la lampe » ; « et Aaron tenait les lampes allumées du soir jusqu'au matin[j] », fournissant, par l'aliment de l'huile qu'avait apportée le peuple, un entretien à la lumière.

2. Mais, parce que « la Loi est
« Selon l'intelligence   spirituelle[a] », demandons au Seigneur
spirituelle »   — si du moins « nous sommes convertis
au Seigneur » — de nous « ôter le voile de la lecture de l'Ancien Testament[b] », pour que nous puissions pénétrer l'explication « du candélabre » ou de ses « lampes », selon l'intelligence spirituelle. Avant la venue de mon Seigneur Jésus-Christ, le soleil ne se levait pas sur le peuple d'Israël, mais ce dernier utilisait « la lumière d'une lampe ». Car chez eux, la parole de la Loi et la parole prophétique étaient une lampe, enfermée dans une enceinte étroite, qui ne pouvait répandre la lumière sur le globe de la terre[1]. A l'intérieur de la Judée, en effet, était enfermée la science de Dieu, comme le dit aussi le prophète : « Dieu est connu en Judée[c]. » Mais dès que se fut levé « le soleil de justice[d] », notre Seigneur et Sauveur, dès que fut né l'homme dont il était écrit : « Voici un homme, Orient est son nom[e] », à travers le monde entier se répandit la lumière de la science de Dieu. Bref, la parole de la Loi et la parole prophétique étaient une « lampe qui brûle », mais qui brûlait à l'intérieur du temple et ne pouvait au delà rayonner sa splendeur.

Quod autem sermo legis et prophetarum *lucerna* dicatur,
Dominus ipse nos docuit dicens de Iohanne baptista :
20 *Ille erat lucerna ardens et lucens, et vos voluistis ad horam*
exsultare in lumine eius[f]. Et alibi dicit quia : *Lex et*
prophetae usque ad Iohannem[g]. *Lucerna* itaque *ardens* est
Iohannes, in quo *lex* concluditur *et prophetae*. Donec ergo
populus ille habebat *oleum*, quod *conferret ad lumen*,
25 *lucerna* non est exstincta. Ubi vero defecit in iis oleum
misericordiae, oleum operum bonorum nec inventa est
apud eos puritas — purum namque oleum quaerebatur ad
lumen —, necessario exstincta *lucerna* est. Sed quid dicimus
quia illis haec evenerunt, a nobis vero aliena sunt ? Immo
30 maior cura est Christiano olei conquirendi. Vide enim,
quomodo Dominus in Evangeliis per parabolam *stultas*
virgines nominat, quae *oleum non portant in vasculis suis*,
et in tantum stultas, ut, quoniam defuit iis oleum ad
succendendas lampadas suas, thalamis exclusae sint
35 nuptiarum nec pulsantibus, quae olei curam neglexerant,
ultra aperiri iusserit sponsus[h].

Memini tamen dudum nos, cum centesimi octavi decimi
psalmi exponeremus illum versiculum, in quo scriptum
est : *Lucerna pedibus meis lex tua, Domine, et lumen semitis*
40 *meis*[i], diversitatem *lucernae* et *lucis* pro viribus ostendisse.
Dicebamus enim quod *lucernam* quidem *pedibus*, id est
inferioribus corporis partibus deputarit, *lucem* vero *semitis*
dederit, quae *semitae* in alio loco *semitae aeternae* nominantur. Quia ergo secundum quandam mysticam rationem
45 inferiores partes creaturae mundus hic intelligitur, ideo
lucerna legis his, qui in hoc mundo tamquam totius
creaturae pedes sunt, accensa memoratur. *Lux* autem

2 f. Jn 5, 35 ‖ g. Lc 16, 16 ‖ h. Cf. Matth. 25, 1, s. ‖ i. Ps. 118, 105

1. Le passage n'est ni dans les *Sel.* d'Origène, ni chez Ambroise
ou Hilaire.

« Lampe, lumière »   Or, que la parole de la Loi et des prophètes soit dite « lampe », le Seigneur en personne nous l'enseigna en disant de Jean-Baptiste : « Il était la lampe qui brûle et brille, et vous avez voulu pour une heure vous réjouir à sa lumière[f]. » Et ailleurs, il dit : « La Loi et les prophètes jusqu'à Jean[g]. » Ainsi la lampe qui brûle, c'était Jean en qui s'achèvent la Loi et les prophètes. Donc, tant que ce peuple avait de l'huile qu'il apportait pour la lumière, la lampe ne s'est pas éteinte. Mais dès que leur fit défaut l'huile de la miséricorde, l'huile des bonnes œuvres, et que ne se trouva plus chez eux la pureté — car c'est de l'huile pure qu'on demandait pour la lumière —, inévitablement « la lampe » s'éteignit. Mais pourquoi dire que cette situation fut la leur, et nous reste étrangère? Au contraire, le chrétien met plus de soin à rechercher de l'huile. Note en effet que le Seigneur, par une parabole dans les Évangiles, appelle « sottes les vierges » qui ne portent pas « d'huile dans leurs petits vases », et sottes à ce point que, faute d'huile pour allumer leurs lampes, elles furent exclues de la chambre nuptiale, et quand frappaient à la porte celles qui avaient dédaigné de s'occuper de l'huile, l'époux ordonna de ne plus leur ouvrir[h].

Cependant je me rappelle que naguère, commentant ce verset du psaume cent dix-huitième où il est écrit : « Lampe pour mes pieds est ta Loi, Seigneur, lumière pour mes sentiers[i] », j'ai montré de mon mieux la différence qu'il y a entre la lampe et la lumière[1]. Nous disions qu'il avait destiné la lampe aux pieds, c'est-à-dire aux parties inférieures du corps, et qu'il avait donné la lumière pour les sentiers, ces sentiers qu'on nomme dans un autre passage « sentiers éternels ». Et comme d'après une interprétation mystique, ce monde est compris comme les parties inférieures de la création, pour cette raison on rappelle que la lampe de la Loi est allumée pour ceux qui sont dans ce monde comme les pieds de la création tout

aeterna erit illis *semitis*, per quas in futuro saeculo
unusquisque pro meritis incedet. Sed de his in suo loco
50 sufficienter pro nostris viribus dictum est.

Nunc ergo quoniam vespera est et nox *usque ad consum-*
mationem saeculi[j] et usque quo novus dies futuri saeculi
et novae lucis effulgeat, ardet unicuique nostrum *lucerna*
haec in tantum splendorem luminis praebens, quantum
55 olei copia ubertate operum fuerit ministrata. Denique et
Iob in quodam loco, cum de bonis operum suorum exponeret, addidit etiam hoc : *Cum splenderet* inquit *lucerna*
super caput meum[k]. *Splendet* ergo unicuique nostrum
lucerna haec, in quantum oleo bonorum operum fuerit
60 accensa. Si autem male agamus et opera nostra mala sint,
non solum non accendimus, sed exstinguimus nobis istam
lucernam et completur in nobis illud, quod Scriptura
dicit quia : *Qui male agit, in tenebris ambulat, et qui odit*
fratrem suum, in tenebris ambulat[l]. Exstinxit enim *lucernam*
65 caritatis et ideo *in tenebris ambulat.* Aut non tibi videtur
exstinxisse *lucernam*, qui *lumen* caritatis exstinxit ? *Qui*
autem diligit fratrem[m], in caritatis luce perdurat et cum
fiducia potest dicere : *Ego autem sicut oliva fructifera in*
domo Dei[n] et : *Filii eius sicut novella olivarum in circuitu*
70 *mensae*[o] eius.

Oleum ergo offerri iubetur a populo et oleum non
qualecumque, sed *mundum*[p], et non ex quibuscumque
seminibus, ut fieri diversis in regionibus mos est, sed *de*
olivis expressum, in quibus indicium pacis ostenditur.
75 Neque enim accepta possunt esse Deo opera tua, nisi in
pace peragantur; sicut et Iacobus Apostolus dicit : *Fructus*
autem iustitiae in pace seminatur[q]. Idcirco, credo, etiam

---

2 j. Cf. Matth. 28, 20 ‖ k. Job 29, 3 ‖ l. Cf. I Jn 2, 11 ‖ m. Cf. I Jn 4,
21 ‖ n. Ps. 51, 10 ‖ o. Ps. 127, 3 ‖ p. Cf. Lév. 24, 2 ‖ q. Jac. 3, 18

---

1. Cf. la note complémentaire 17.

entière. Et la lumière éternelle sera pour ces sentiers où,
dans le siècle futur, chacun s'avancera selon ses mérites.
Mais de ce point il a été suffisamment traité en son lieu, à
la mesure de nos forces.

Maintenant, comme c'est le soir et la nuit[1] « jusqu'à la
consommation du siècle[j] » et jusqu'à ce que le jour nouveau
du siècle futur et de la nouvelle lumière resplendisse, cette
lampe brûle pour chacun de nous, fournissant l'éclat de la
lumière, pour autant que la provision d'huile est entretenue
par la richesse des œuvres. Ainsi par exemple Job, dans un
passage où il traitait des biens de ses œuvres, ajouta :
« Quand la lampe brillait sur ma tête[k]. » Brille donc sur
chacun de nous cette lampe, dans la mesure où elle est
entretenue par l'huile de nos bonnes œuvres. Mais si nous
faisons le mal et que nos œuvres soient mauvaises, non
seulement nous n'entretenons pas, mais nous éteignons sur
nous cette lampe, et s'accomplit pour nous ce que dit
l'Écriture : « Qui fait le mal marche dans les ténèbres, qui
hait son frère marche dans les ténèbres[l]. » C'est pour avoir
éteint la lampe de la charité qu'il marche dans les ténèbres.
Ou ne te semble-t-il pas avoir éteint la lampe, celui qui a
éteint la lumière de la charité ? Mais « qui aime son frère[m] »
demeure dans la lumière de la charité et peut dire avec
confiance : « Je suis comme un olivier qui porte des fruits
dans la maison de Dieu[n]. » Et, « ses fils sont comme des
plants d'olivier autour de sa table[o] ».

« Huile »   Il est donc ordonné que l'huile soit
                       offerte par le peuple : une huile non
pas quelconque, mais « pure[p] », non pas tirée de graines
quelconques selon la coutume en diverses régions, mais
extraite des olives, présentées comme emblème de la
paix[2]. Car tes œuvres ne peuvent être agréées de Dieu si
elles ne sont pas faites dans la paix ; comme le dit l'apôtre
Jacques : « Le fruit de la justice est semé dans la paix[q]. »

2. Cf. Virgile, *Georg.* II, 425 : « placitam Paci... olivam », etc.

Dominus discipulis suis tradebat fidele depositum dicens :
Pacem meam do vobis, pacem meam relinquo vobis[r]. De
80 hac ergo *oliva* oleum premamus operum nostrorum, ex
quo lucerna Domino possit accendi, *ut non in tenebris
ambulemus*[s]. Haec quidem nobis dicta sint, quantum ad
lucernam candelabri et *oleum* eius spectat[t].

3. Nunc vero videamus, quid etiam in consequentibus
de panibus propositionis scriptum est. *Et sumetis* inquit
*similaginem et facietis de ea duodecim panes, de duabus
decimis erit unus panis; et imponetis eos duas positiones,*
5 *sex panes una positio, super mensam mundam contra
Dominum. Et imponetis super positionem tus mundum
et salem, et erunt panes in commemorationem appositi
Domino; die sabbatorum proponentur contra Dominum
semper a filiis Istrahel, testamentum aeternum. Et erit*
10 *Aaron et filiorum eius, et edent ea in loco sancto; sunt enim
sancta sanctorum. Hoc erit illis de his, quae offeruntur
Domino, legitimum aeternale*[a].

Secundum ea, quae scripta sunt, in duodecim panibus
duodecim tribuum Istrahel videtur *commemoratio ante*
15 *Dominum* fieri et praeceptum dari, ut sine cessatione isti
duodecim panes in conspectu Domini proponantur; ut et
memoria duodecim tribuum apud eum semper habeatur,
quo veluti exoratio quaedam et supplicatio per haec pro
singulis fieri videatur. Sed parva satis et tenuis est
20 huiuscemodi intercessio. Quantum enim proficit ad repro-

---

2 r. Jn 14, 27 ‖ s. Cf. I Jn 2, 11 ‖ t. Cf. Lév. 24, 1 s.
3 a. Lév. 24, 5-9

---

1. Mémorial autre que le mémorial personnel de l'oblation,
hom. 4, 7 et 9. « Sel » est une addition de la Septante, peut-être
due à l'influence de *Lév.* 2, 13 ; sel à mettre sur toute offrande, sel
de l'alliance (voir OSTY ou *TOB*). Ici, la traduction de l'hébreu est :
« Tu placeras, sur chaque rangée, de l'encens pur ; il servira pour

Pour cette raison, je crois, le Seigneur aussi transmettait
ce sûr dépôt à ses disciples : « Je vous donne ma paix, je
vous laisse ma paix[r]. » De cette olive, extrayons l'huile de
nos œuvres, afin de pouvoir par elle tenir allumée la
lampe pour le Seigneur, « pour que nous ne marchions pas
dans les ténèbres[s] ». Tenons-nous-en là pour ce qui regarde
la lampe du candélabre et son huile[t].

3. Voyons maintenant ce qui est
« Pains
de proposition » écrit dans la suite sur les pains de
proposition. « Vous prendrez de la
fleur de farine, vous en ferez douze pains, chaque pain sera
de deux dixièmes ; vous les placerez en deux rangées, six
par rangées, sur la table pure devant le Seigneur. Puis
vous mettrez sur chaque rangée de l'encens pur et du sel,
ce seront des pains offerts au Seigneur en mémorial[1] ; au
jour du sabbat ils seront disposés constamment devant le
Seigneur par les fils d'Israël : alliance perpétuelle. Ce sera
pour Aaron et ses fils, ils les mangeront dans un lieu saint ;
car ce sont des choses très saintes. Ce sera pour eux une
part de ce qui est offert au Seigneur : loi perpétuelle[a]. »

D'après le texte, semble-t-il, des douze pains on fait
« devant le Seigneur un mémorial » des douze tribus
d'Israël[2], et on ordonne que sans interruption ces « douze
pains soient disposés en présence du Seigneur » ; cela pour
qu'il y ait constamment auprès de lui un rappel des douze
tribus, comme pour en faire une sorte de supplication et
de prière pour chacune. Mais bien faible et pauvre est une
intercession de ce genre. Quel effet propitiatoire y a-t-il là

le pain, de mémorial, de sacrifice par le feu à Yahvé. » OSTY. Dans
les deux cas, c'est l'encens, brûlé par le feu, qui fait que le pain soit
un mémorial. Pour Origène, dans notre texte, c'est l'ensemble pain,
encens et sel ; mais s'il rappelle ailleurs le symbolisme du sel, *hom.* 2, 4,
il développe ici le symbolisme du pain.

2. Voir la note complémentaire 26.

pitiandum, ubi uniuscuiusque tribus per panem fructus, per fructus opera consideranda sunt ?

Sed si referantur haec ad mysterii magnitudinem, invenies *commemorationem* istam habere ingentis repro-
25 pitiationis effectum. Si redeas ad illum *panem, qui de caelo descendit et dat huic mundo vitam*[b], illum panem propositionis, *quem proposuit Deus propitiatiorem per fidem in sanguine eius*[c], et si respicias illam *commemorationem*, de qua dicit Dominus : *Hoc facite in meam commemora-*
30 *tionem*[d], invenies quod ista est *commemoratio*[e] sola, quae propitium facit hominibus Deum. Si ergo intentius ecclesiastica mysteria recorderis, in his, quae lex scribit, futurae veritatis invenies imaginem praeformatam[f]. Sed de his non est plura disserere, quod recordatione sola
35 intelligi sufficit.

Possumus vero et aliter dicere. Omnis sermo Dei panis est, sed est differentia in panibus. Est enim aliqui sermo, qui ad communem proferri possit auditum et edocere plebem de operibus misericordiae ac totius beneficentiae;
40 et iste est panis, qui communis videbitur. Est vero alius, qui secreta contineat et de fide Dei vel rerum scientia disserat. Iste panis mundus est et ex *simila* confectus. Iste *in conspectu Domini semper ponendus est et super mensam mundam proponendus*[g]. Iste solis sacerdotibus
45 sequestratus est et filiis Aaron aeterno munere condonatus. Verum ne putes haec nos propriis sensibus excogitata narrare et non in divinis observasse voluminibus, proferam tibi de Scripturis, quomodo apud diversos viros panis diversitas pro merito uniuscuiusque servata est. Refertur
50 in Genesi quod Abraham patriarcha angelos suscepit hospitio, similiter autem et Lot[h]. Sed Abraham, qui meritis praecellebat, panes ex *simila* apposuisse describitur[i],

---

3 b. Cf. Jn 6, 33 ‖ c. Cf. Rom. 3, 25 ‖ d. I Cor. 11, 25 ‖ e. Cf. Lév. 24, 7 ‖ f. Cf. Hébr. 10, 1 ‖ g. Cf. Lév. 24, 5.8.6 ‖ h. Cf. Gen. 18, 1 s. ; 19, 1 s. ‖ i. Cf. Gen. 18, 6

où l'on doit juger, de chaque tribu, les fruits par un pain
et les œuvres par des fruits ?

Mais si on le rapporte à la grandeur du mystère, on
trouvera que ce mémorial a une immense valeur propitiatoire. Qu'on revienne à ce « pain qui descend du ciel et
donne la vie à ce monde[b] », ce pain de proposition que
« Dieu a proposé comme acte propitiatoire par son sang,
moyennant la foi[c] », et qu'on regarde ce mémorial dont
parle le Seigneur : « Faites ceci en mémoire de moi[d] » : on
trouvera que ce mémorial[e] est le seul qui rend Dieu propice
aux hommes. Donc, se rappeler plus attentivement les
mystères de l'Église fait trouver dans ces prescriptions de
la Loi une image anticipée de la vérité future[f]. Mais sur ce
point il n'est pas besoin d'insister : un simple rappel suffit
à faire comprendre.

« Pain ordinaire, pain de fleur de farine »

Une autre interprétation est possible. Toute parole de Dieu est un
pain. Mais il y a une différence parmi
les pains. Il est une parole qui peut
être exposée à l'auditoire ordinaire et instruire la foule sur
les œuvres de miséricorde et de toute bienfaisance ; c'est
le pain qui semblera ordinaire. Il en est une autre qui
renferme des secrets et traite de la foi en Dieu ou de la
science des réalités. Ce pain est pur, et fait de « fleur de
farine ». Il doit être « constamment placé en présence du
Seigneur et disposé sur une table pure[g] ». Il est réservé aux
seuls prêtres et remis aux fils d'Aaron en présent perpétuel.
Mais pour que tu ne croies pas que je raconte là une
invention de mon sens propre et que je ne l'ai pas observé
dans les divins livres, je vais te montrer par les Écritures
que chez des hommes différents subsiste une différence de
pain selon le mérite de chacun. Il est rapporté dans la
Genèse que le patriarche Abraham reçut des anges en
hospitalité, et Lot de même[h]. Or Abraham, qui l'emportait
en mérites, a servi des pains de « fleur de farine[i] », qu'il

quos et ἐγκρυφίας, id est occultos ac reconditos, nominavit.
Lot vero, quod non habuit similam, ex farina panes
55 hospitibus apposuit[j]; non quo ita pauper esset, ut non
habuerit similam, qui in divitiis non inferior patruo
scribitur[k], sed utriusque meritorum differentia per haec
designatur indicia; quod is quidem, cui erant a Domino
mysteria revelanda et ad quem dicebatur : *Non celabo a*
60 *puero meo Abraham quod facturus sum*[l], qui imbuendus erat
et edocendus de occultis et secretis Dei, ille panes *ex
simila* scribitur habuisse; ille vero, ad quem nihil sacramenti deferebatur, sed ratio praesentis salutis et vitae,
panes communes ex sola *farina* scribitur habuisse confec-
65 tos[m]. Et tu ergo si habes scientiam secretorum, si de fide
Dei, de mysterio Christi, de sancti Spiritus unitate potes
scienter cauteque disserere, panes *ex simila* offers Domino;
si vero communibus uteris ad populum monitis et moralem
scis tantummodo locum tractare, qui ad omnes pertinet,
70 communem te obtulisse noveris panem.

4. Sed videamus iam, quae sit confectio in istis panibus
propositionis, qui *ante Dominum poni semper* iubentur.
De duabus inquit *decimis sit panis unus*[a]. *Duas* quidem
decimas dixit, sed cuius mensurae sint istae *decimae*, non
5 comprehendit; cum utique consequens fuisset, si de
quantitate similae volebat agnosci, ipsam, cuius *duas
decimas* sumi iubebat, nominare mensuram. Quae ergo
ista res est, cuius mensura et modus nec comprehendi
potuit nec nominari ? Decem numerus ubique perfectus

---

3 j. Cf. Gen. 19, 3 ‖ k. Cf. Gen. 13, 5 s. ‖ l. Gen. 18, 17 ‖ m. Cf.
Gen. 18, 6 ; 19, 3
4 a. Cf. Lév. 24, 8.5

---

1. La différence des pains est expliquée, avec le terme grec cité
deux fois, et pour équivalences « occultos vel absconditos panes »,

nomma *encruphias*, c'est-à-dire mystérieux et secrets[1].
Tandis que Lot, parce qu'il n'eut pas de fleur de farine,
servit à ses hôtes des pains de farine[j] ; non qu'il fut si
pauvre qu'il n'aurait eu de la fleur de farine, car on ne le
présente pas comme inférieur en richesses à son oncle[k],
mais la différence de leurs mérites est indiquée par ces
signes. L'un, à qui les mystères devaient être révélés par
le Seigneur et auquel il était dit : « Je ne cacherai pas à
mon serviteur Abraham ce que je vais faire[1] », qui devait
être instruit et formé aux desseins cachés et secrets de
Dieu : celui-là, est-il écrit, a eu des pains de « fleur de
farine ». L'autre, auquel n'était accordé rien de secret,
mais l'explication du salut et de la vie présente : il eut,
est-il écrit, des pains ordinaires faits de la seule farine[m].
Toi aussi, par conséquent, si tu as la science des secrets, si
tu peux disserter savamment et prudemment sur la foi en
Dieu, sur le mystère du Christ, sur l'unité du Saint-Esprit,
tu offres au Seigneur des pains de fleur de farine ; mais si
tu fais des exhortations ordinaires au peuple et sais
seulement traiter une question morale qui concerne tout le
monde, tu sauras que tu offres un pain ordinaire.

4. Or, voyons la façon de préparer
ces pains de proposition qu'on ordonne
de placer constamment devant le
Seigneur : « Que chaque pain soit fait de deux dixièmes[a]. »
On a dit « deux dixièmes », mais sans préciser de quelle
mesure sont ces dixièmes ; alors qu'il eût été tout à fait
logique, si l'on voulait faire connaître la quantité de fleur
de farine dont on ordonnait de prendre deux dixièmes, de
nommer la mesure. Quelle est donc cette réalité dont la
mesure et la quantité n'ont pu être précisées ni nommées ?
Dix se trouve partout comme nombre parfait ; de lui

« Pain
de deux dixièmes »

et « absconditos ac mysticos », dans *In Gen. hom.* 4, 1, *SC* 7 *bis*,
p. 146 s. Voir les citations de CLEM. ALEX. et AMBROISE, p. 148 s., n. 2.

10 invenitur; totius enim numeri ex ipso ratio et origo
consurgit. Competenter igitur auctor et origo omnium,
Deus, sub hoc numero videtur ostendi. Sed si in Ecclesia de
solo Patre loquar et ipsius solius laudes proferam, unius
decimae panem feci. Aut si de Christo solo fecero sermonem
15 et ipsius enumeravero passionem et resurrectionem praedi-
cavero, unius *decimae* obtuli *panem*. Si vero dixero quia
Pater semper cum Filio est et *ipse facit opera sua*, vel
etiam si dixero quia *Pater in Filio est et Filius in Patre*[b] et
qui vidit Filium, vidit et Patrem[c], et quia Pater et Filius
20 unum sunt[d], *ex duabus decimis similae* mundae obtuli
unum *panem*, panem verum, *qui vitam dat huic mundo*[e].

Haeretici non faciunt *de duabus decimis unum panem*[f],
negant enim creatorem Deum Patrem Christi esse neque
Vetus et Novum Testamentum *unum* faciunt *panem* et
25 unum Spiritum in utroque instrumento profitentur. Nos
autem in lege et Evangeliis unum atque eundem inesse
sanctum Spiritum dicimus et isto quoque modo *ex duabus
decimis unum panem* propositionis offerimus. Qui ergo
separant Christum a creatore Deo Patre suo haeretici et
30 Iudaei, qui solum Patrem recipiunt et Verbum ac
Sapientiam eius, Christum non recipiunt, non faciunt *ex
duabus decimis unum panem*.

Nos autem mensurae quidem ipsius, id est substantiae,
nomen vel rationem comprehendere aut invenire non

---

4 b. Cf. Jn 14, 10 ‖ c. Cf. Jn 14, 9 ‖ d. Cf. Jn 10, 30 ‖ e. Cf. Jn
6, 33 ‖ f. Cf. Lév. 24, 5

---

1. Dix, nombre « parfait et propre à Dieu » ; dix dixièmes sont
offerts le jour des propitiations ; le décalogue est la meilleure législation, *Sel. in Jer.* 62, *GCS* 3, p. 328, 26 s.

2. « Puisque le Fils ne se distingue et ne diffère absolument en
rien du Père par la puissance des œuvres, et que l'œuvre du Fils
n'est pas autre que celle du Père, mais qu'en tout c'est pour ainsi
dire un seul et même mouvement, pour cette raison l'Écriture l'a
nommé ' miroir ' sans tache, afin qu'on ne conçoive absolument

surgit le principe et l'origine de tout nombre. Il convient
donc que l'auteur et l'origine de toutes choses, Dieu,
paraisse désigné par ce nombre[1]. Mais si dans l'Église je
parle du Père seul, et à lui seul proclame des louanges, je
fais un pain d'un dixième. Ou si je fais une homélie sur le
Christ seul, dont j'évoque en détail la passion et prêche la
résurrection, j'offre un pain d'un dixième. Mais si je dis
que le Père est toujours avec le Fils[2] et « lui-même en
accomplit les œuvres », ou encore si je dis que « le Père est
dans le Fils et le Fils dans le Père[b] », et « qui voit le Fils
voit aussi le Père[c] », et que le Père et le Fils sont un[d],
c'est « de deux dixièmes de fleur de farine » pure que
j'offre « un pain », pain véritable « qui donne la vie à ce
monde[e] ».

Les hérétiques[3] ne font pas « un pain de deux dixièmes[f] »,
car ils nient que Dieu Créateur soit Père du Christ, ne font
pas de l'Ancien et du Nouveau Testament un seul pain et
ne reconnaissent pas un seul Esprit dans l'un et l'autre
document[4]. Nous au contraire, nous disons que le seul et
même Esprit Saint est présent dans la Loi et les Évangiles,
et de cette manière encore nous offrons un pain de proposition de deux dixièmes. Bref, les hérétiques qui séparent
le Christ du Dieu Créateur son Père, et les Juifs qui
admettent le Père seul, et n'admettent pas son Verbe et sa
Sagesse, le Christ, ne font pas un pain de deux dixièmes.

Pour nous, sans doute, de la mesure même, c'est-à-dire
de la substance, nous ne pouvons préciser ou découvrir le

aucune dissemblance entre le Fils et le Père. » *De princ.* 1, 2, 12,
SC 252, p. 140.

3. Les hérétiques, cf. *hom.* 14, 2.

4. « Ces testaments (qui) sont deux par le nom et par le temps,
ayant été conclus par l'économie divine en tenant compte de l'âge
et du progrès, et qui ne possèdent pourtant qu'une seule efficience,
l'Ancien et le Nouveau, par l'intermédiaire du Fils, nous viennent
du Dieu unique. » Clem. Alex., *Strom.* 2, 6, 29, 2, *SC* 38, p. 56, tr.
C. Mondésert.

35 possumus; confitentes tamen Patrem et Filium *unum*
facimus *panem ex duabus decimis,* non ut panis unus ex
una decima fiat et alius ex alia, ut sint ipsae *duae decimae*
separatae, sed ut sint *duae* istae *decimae* una massa et
unus panis. Quomodo *duae decimae* una massa fit ? Quia
40 non separo Filium a Patre nec Patrem a Filio : *Qui enim*
vidit me inquit *vidit et Patrem*[g].

Fiunt ergo panes singuli *ex duabus decimis et proponuntur*
duabus positionibus[h] id est duobus ordinibus. Si enim una
positio fieret, confusus et permixtus esset sermo de Patre
45 ac Filio. Nunc autem *unus* quidem est *panis* — una enim
voluntas est et una substantia —, sed *duae* sunt *positiones,*
id est duae personarum proprietates. Illum enim Patrem,
qui non sit Filius, et hunc Filium dicimus, qui non sit
Pater. Et hoc modo *duas decimas* in *uno pane* servamus et
50 *duas positiones ante Dominum* profitemur. Sed revera
magni, ut ita dicam, cuiusdam pistoris et valde artificis
est diligenter istas servare mensuras et ita temperare de
Patre et Filio sermonem, coniungere ubi oportet et rursum
ubi competit separare, ut neque *duae mensurae* aliquando
55 desint neque umquam non *unus panis* appareat.

Duodecim ergo *panes ex* ista *simila* fieri mandantur
secundum numerum tribuum, quae tunc erant carnalis
Istrahel. In quo mihi videtur forma totius naturae rationabilis contineri ; duodecim namque putantur esse generales
60 ordines rationabilis creaturae, quorum figura erat in illis

---

4 g. Jn 14, 9 ‖ h. Cf. Lév. 24, 5 s.

---

1. Sur les relations et, en général, la théologie trinitaires, voir
F. PRAT, *Origène,* Paris 1907, p. xx-xxviii, 29-30, 50-67; Ch. BIGG,
The Christian Platonists of Alexandria[2], Oxford 1913, p. 216-235;
H. CROUZEL, *Image,* p. 75 s.
2. « Le rite des pains qui, en nombre égal au nombre des tribus,
sont exposés sur la sainte table. » PHILON, *De spec. leg.* II, 161,
tr. S. Daniel.

nom ou la définition ; confessant toutefois et le Père et le
Fils, nous faisons « un pain de deux dixièmes », non pas
de manière à faire un pain d'un dixième et un autre d'un
autre, pour que les deux dixièmes eux-mêmes soient
séparés, mais de faire que ces deux dixièmes soient une
seule pâte et un seul pain. Comment deux dixièmes
forment-ils une seule pâte ? Parce que je ne sépare pas le
Fils du Père ni le Père du Fils : « Car qui me voit, dit-il,
voit aussi le Père[g]. »

« Deux rangées »   Les pains sont faits chacun « de
deux dixièmes et ils sont disposés en
deux rangées[h] », c'est-à-dire deux lignes. Car si on ne
faisait qu'une rangée, il y aurait confusion et mélange
dans le discours sur le Père et le Fils. En fait, le pain est
bien un — il y a une volonté et une substance —, mais il y
a deux rangées, à savoir deux qualités propres des
personnes[1]. Car nous disons Père celui-là qui n'est pas
Fils, et nous disons Fils celui-ci qui n'est pas Père. Ainsi
gardons-nous « deux dixièmes dans un seul pain », et nous
reconnaissons « deux rangées devant le Seigneur ». Mais
en vérité, c'est l'art, pour ainsi dire, d'un boulanger
excellent et très habile de garder avec exactitude ces
mesures et d'équilibrer ainsi le discours sur le Père et le
Fils, de les unir où il faut, et en revanche les distinguer où
il convient, en sorte que jamais ne fassent défaut les deux
mesures, ni jamais ne manque d'apparaître l'unique pain.

« Douze pains »   Il est prescrit de faire « de cette
fleur de farine douze pains », corres-
pondant au nombre des tribus qui étaient alors Israël
selon la chair[2]. Il y a là, me semble-t-il, une figure de
toute la nature raisonnable ; on croit en effet qu'il y a
douze ordres généraux de la créature raisonnable[3], figurés

---

3. Comme ordres de créatures douées de raison, Origène mentionne
en premier lieu les anges, en second les puissances adverses, en
troisième les âmes des hommes, *De princ.* 1, 8, 4, SC 252, p. 228 s.

duodecim tribubus. In quibus erat unus quidam ordo
regalis, qui *Iudas* nominatur. Alius erat ordo sacerdotalis
et *Levi* appellatur. Erat et alius ordo Iudae vicinus, qui
Beniamin dicitur, in quo ordine et templum Dei et altare
65 collocatum est. Alius ordo *Isachar et Zabulon et Ephrem*
aliique, quos nominatim designat Scriptura divina[1], quorum
rationem non est nunc temporis explicare. Est tamen
uniuscuiusque tribus vel ordinis *panis ante Dominum.*
Et licet sit aliqua tribus, quae non ex libera, sed ex
70 concubina Istrahel descendat et ex parte libera, ex parte
servilis sit[j], tamen pro omnibus *ex duabus decimis panis*
proponitur ante Dominum et in universis *duae decimae*
similaginis constant.

Proponi autem iubentur *supra mensam mundam*[k]. Quis
75 est nostrum, qui ita habeat *mensam mundam,* ut *panes*
super eam Domino offerantur ? *Si sederis* inquit Solomon
coenare ad mensam potentis, intelligibiliter intellige, quae
apponuntur tibi[l]. Quae est ergo *mensa potentis,* nisi mens
illius, qui dicebat : *Omnia possum in eo, qui me confortat,*
80 *Christo*[m] et : *Cum infirmor, tunc potens sum*[n] ? In istius
potentis mensa munda, hoc est in istius corde, in istius
mente Domino *panis* offertur. Ad huius *potentis* Apostoli
mensam si sedeas coenaturus, intelligibiliter intellige, quae
apponuntur tibi, hoc est spiritaliter adverte, quae dicuntur
85 ab eo, ut et tu facere possis, quod additur; ait enim :
Sciens quia talia te oportet praeparare[o].

5. Sed videamus, quomodo hi *duodecim panes* proponantur : *Duae* inquit *positiones, in una positione sex panes*[a].
Putasne, otiosa est ista divisio ? Quid est quod duodecimus
numerus iterum partitur in sex ? Habet enim propinqui-

---

4 i. Cf. Gen. 35, 23 s. ‖ j. Cf. Gen. 30, 5 s. ‖ k. Cf. Lév. 24, 6 ‖ l.
Prov. 23, 1 ‖ m. Phil. 4, 13 ‖ n. II Cor. 12, 10 ‖ o. Prov. 23, 2
5 a. Cf. Lév. 24, 6

par ces douze tribus. Parmi elles, était un ordre royal, qui
se nommait « Juda ». Il y avait un autre ordre sacerdotal,
et on l'appelait « Lévi ». Il y avait encore un autre ordre
voisin de Juda, dit « Benjamin », ordre où furent situés le
temple de Dieu et l'autel. Autre ordre, « Isachar, puis
Zabulon, puis Éphrem », et les autres que la divine Écriture
désigne nommément[1], dont ce n'est pas le moment de
donner l'interprétation. Toutefois, chaque tribu ou ordre a
« un pain devant le Seigneur ». Et bien qu'il y ait une
tribu qui ne descendait pas d'une femme libre mais d'une
concubine d'Israël[j], et qu'elle soit en partie libre, en partie
esclave, cependant, pour toutes « un pain de deux dixièmes
est présenté devant le Seigneur », et dans toutes existent
« deux dixièmes de fleur de farine ».

« Table pure » On ordonne de les « placer sur une
table pure[k] ». Qui d'entre nous a-t-il
une table si pure que sur elle des pains soient offerts au
Seigneur ? Salomon dit : « Si tu es assis pour manger à la
table d'un puissant, comprends intelligemment ce qu'on
te sert[l]. » Quelle est donc cette table du puissant, sinon
l'âme de celui qui disait : « Je peux tout en celui qui me
rend fort, le Christ[m] », et : « Quand je suis faible, c'est
alors que je suis puissant[n] » ? C'est sur la table de ce
puissant, à savoir dans son cœur, dans son âme, que le
pain est offert au Seigneur. A la table de ce puissant
Apôtre, « si tu es assis pour prendre un repas, comprends
intelligemment ce qu'on te sert », c'est-à-dire prête spirituellement attention à ce qui est dit par lui, afin de
pouvoir faire toi aussi ce qu'on ajoute : « Sache qu'il te
faut préparer des mets semblables[o]. »

« Rangées de six pains » **5.** Mais voyons comment ces douze
pains sont placés : « Deux rangées,
six pains par rangée[a]. » Crois-tu oiseuse
cette division ? Pourquoi le nombre douze est-il divisé en
deux fois six ? C'est que le nombre six a une certaine

5 tatem quandam cum hoc mundo senarius numerus; in
sex enim diebus factus est iste visibilis mundus. Duo
igitur ordines habentur in hoc mundo, id est duo populi,
qui fidem Patris ac Filii in una Ecclesia tamquam in *una
mensa munda* custodiunt.

10   *Et superponetur* inquit *super positionem tus mundum*[b].
Turis species formam tenet orationum. Oportet ergo
panibus fidei orationum vigilantiam puritatemque coniungere. Pura autem oratio est, sicut Apostolus dicit :
Levantes puras manus sine ira et disceptatione[c]. Simul et
15 odoris suavitas impleri facit illud, quod scriptum est :
Dirigatur oratio mea sicut incensum in conspectu tuo[d]. Si
qui ergo orationes quidem offerat Deo, non tamen habeat
mundam conscientiam ab operibus malis, hic *tus* quidem
videtur panibus *superponere*, sed non penitus *mundum*.
20 Nam si omne tus *mundum* esset, non utique addidisset
Scriptura *tus mundum* super panes propositionis *ponendum
ante Dominum*[e]. Nec enim putes quod omnipotens Deus
hoc mandabat et hoc lege sanciebat, ut tus ei ex Arabia
deferretur. Sed hoc est tus quod Deus ab hominibus sibi
25 quaerit offerri, ex quo capit *odorem suavitatis*[f], orationes
ex corde puro et conscientia bona, in quibus vere Deus
suscipit flagrantiam suavitatis.

    Et erunt inquit *panes in commemorationem propositi
ante Dominum. In die sabbatorum proponetis ea*[g]. Si nondum
30 tibi manifestum est quia *panes* isti verbum Dei est, ex
his nunc sermonibus confirmare. Quid est enim quod
nobis *commemorationem* Dei faciat ? Quid est quod nos ad
memoriam iustitiae et totius boni revocet nisi verbum
Dei ? Ideo ergo dicit quia *erunt in commemorationem*

---

5 b. Lév. 24, 7 ‖ c. 1 Tim. 2, 8 ‖ d. Ps. 140, 2 ‖ e. Cf. Lév. 24, 7.8
‖ f. Cf. p. ex. Ex. 29, 41 ‖ g. Lév. 24, 7.8

parenté avec ce monde ; car c'est en six jours qu'a été
créé ce monde visible[1]. Il y a donc en ce monde deux
ordres, soit deux peuples, qui gardent la foi au Père et au
Fils dans une seule Église, comme sur une seule table pure.

« Encens pur »   « Et on mettra sur chaque rangée
de l'encens pur[b]. » La qualité de
l'encens symbolise la prière. Il faut donc joindre aux
pains de la foi la vigilance et la pureté des prières. Or la
prière pure est celle dont l'Apôtre dit : « Levant des mains
pures, sans colère ni dispute[c]. » En même temps l'odeur
suave fait s'accomplir ce qui est écrit : « Que s'élève droit
ma prière, comme l'encens devant toi[d]. » Donc, offrir à
Dieu des prières, mais sans avoir la conscience pure
d'œuvres mauvaises, c'est bien, apparemment, mettre de
l'encens sur les pains, mais un encens qui n'est pas tout à
fait pur. Car si tout encens était pur, l'Écriture n'ajouterait
pas : sur les pains de proposition « il faut mettre de l'encens
pur devant le Seigneur[e] ». Car tu ne penses pas que Dieu
tout-puissant donnait cet ordre et le sanctionnait par la
Loi pour que l'encens lui soit apporté d'Arabie. Mais voici
l'encens que Dieu demande que les hommes lui offrent,
dont il accepte « la suave odeur[f] » : les prières d'un cœur
pur et d'une bonne conscience, en qui Dieu reçoit véritablement une ardeur suave.

« Mémorial »   « Et les pains seront disposés en
mémorial devant le Seigneur. Au jour
du sabbat, on les disposera[g]. » S'il n'est pas encore clair
pour toi que ces pains désignent la parole de Dieu, ces
paroles vont te le confirmer ! Qu'est-ce en effet qui
constitue pour nous « un mémorial » de Dieu[2] ? Qu'est-ce
qui nous rappelle au souvenir de la justice et de tout bien,
sinon la parole de Dieu ? Voilà pourquoi il est dit : « Ils

1. Voir la note complémentaire 21.
2. Cf. *hom.* 13, 3.

35 *propositi ante Dominum*[h]. Addit et *in die sabbatorum*[1], id
est in requie animarum. Et quae maior fideli animae
requies quam *memoria* Dei, quam *in conspectu Domini*
versari, quam in fide Patris ac Filii permanere, quam
orationes Domino tamquam *odorem suavitatis* offerre ?

40   *Testamentum* inquit *aeternum erit Aaron et filiis eius,
et manducabunt ea in loco sancto*[j]. *Aaron et filii eius genus
est electum, genus sacerdotale*[k], quibus haec portio sanctorum
donatur a Deo, quod sumus omnes, qui credimus in
Christo*[1]. *Locum* autem *sanctum* ego in terris non requiro
45 positum, sed in corde. *Locus* enim dicitur *sanctus* rationabilis anima, propter quod et Apostolus dicit : *Nolite locum
dare diabolo*[m]. Anima ergo mea locus est, si male ago,
diaboli, si bene, Dei. Denique et *spiritus malignus cum*
inquit *exierit ab homine, et circuierit loca arida, et requiem
50 non invenerit, tunc dicit : revertar ad locum meum, unde
exivi*[n]. *Locus* ergo *sanctus* anima est pura.

   In quo loco edere nobis mandatur cibum verbi Dei.
Neque enim convenit, ut sancta verba anima non sancta
suscipiat, sed cum purificaverit se ab omni inquinamento
55 carnis et morum, tunc *locus sanctus* effecta cibum capiat
panis illius, *qui de caelo descendit*[o]. Nonne melius sic
intelligitur *locus sanctus* quam si putemus structuram
lapidum insensibilium *locum sanctum* nominari ? Unde
simili modo etiam tibi lex ista proponitur, ut, cum accipis
60 panem mysticum, in loco mundo manduces eum, hoc est
ne in anima contaminata et peccatis polluta dominici

---

5 h. Cf. Lév. 24, 7 ‖ i. Lév. 24, 8 ‖ j. Lév. 24, 8-9 ‖ k. Cf. I Pierre
2, 9 ‖ l. Cf. I Pierre 2, 25 ‖ m. Éphés. 4, 27 ; Jac. 4, 7 ‖ n. Matth. 12,
43.44 ‖ o. Cf. Jn 6, 41

---

1. Voir la note complémentaire 27.
2. Même expression dans *In Ps.* 67, 6, *PG* 12, 1505 D.
3. De la manducation spirituelle de la parole de Dieu, Origène
passe à la manducation sacramentelle, à en juger, peut-être par

seront disposés en mémorial devant le Seigneur[n]. » On
ajoute : « au jour du sabbat[i] », c'est-à-dire dans le repos des
âmes[1]. Et quel plus grand repos pour l'âme fidèle que la
« mémoire » de Dieu, que vivre en présence du Seigneur,
que demeurer dans la foi au Père et au Fils, qu'offrir des
prières au Seigneur, comme « une suave odeur » ?

« Lieu saint »   « Ce sera une alliance éternelle
pour Aaron et ses fils, ils le mangeront
dans un lieu saint[j]. » Aaron et ses fils, « race élue, peuple
sacerdotal[k] » à qui Dieu fait don de cette part des choses
saintes : ce que nous sommes tous, nous qui croyons au
Christ[l]. Quant au lieu saint, je n'en cherche point la place
sur terre, mais dans le cœur. Car le lieu saint signifie l'âme
raisonnable, ce qui fait dire à l'Apôtre : « Ne donnez pas
ce lieu au diable[m]. » Mon âme est donc le lieu, si j'agis
mal, du diable, si j'agis bien, de Dieu. Il est encore dit par
exemple : « Lorsque l'esprit malin est sorti d'un homme, il
erre par les lieux arides et ne trouve pas de repos ; alors il
dit : je vais retourner dans mon lieu d'où je suis sorti[n]. »
Donc le lieu saint est l'âme pure[2].

C'est dans ce lieu que nous avons ordre de manger
l'aliment de la parole de Dieu. Car, voici ce qui convient :
une âme qui n'est pas sainte ne doit recevoir les saintes
paroles qu'une fois purifiée de toute souillure charnelle et
morale : devenue alors lieu saint, elle doit prendre l'aliment
de ce « pain qui descend du ciel[o] ». N'est-ce pas ainsi
mieux comprendre « lieu saint », que si l'on pensait qu'une
construction de pierres insensibles est nommée lieu saint ?
C'est donc en un sens semblable que t'est proposée cette
loi pour que, recevant le pain mystique, tu le manges dans
un lieu pur, c'est-à-dire que tu ne reçoives pas le sacrement
du corps du Seigneur[3] avec une âme impure et souillée par

l'emploi des termes « panis mysticus », et de « dominici corporis
sacramenti », en tout cas, par la citation paulinienne qui concerne
sans ambages le pain eucharistique : on communie au corps du Christ,

corporis sacramenta percipias : *Quicumque* enim *mandu-*
caverit inquit *panem et biberit calicem Domini indigne, reus*
erit corporis et sanguinis Domini. Probet autem se unus-
65 *quisque, et tunc de pane manducet et de calice bibat*ᵖ.

6. *Sancta enim sanctorum sunt*ᵃ. Vides quomodo non
dixit sancta tantummodo, sed *sancta sanctorum*, ut si
diceret : cibus iste *sanctus* non est communis omnium nec
cuiuscumque indigni, sed *sanctorum* est. Quanto magis hoc
5 et de verbo Dei recte meritoque dicemus : hic sermo non
est omnium; non quilibet verbi huius potest audire
mysterium, sed sanctorum est tantummodo qui purificati
sunt mente, *qui mundi sunt corde*ᵇ, qui *simplices animo*ᶜ,
qui vita irreprehensibiles, qui conscientia liberi, ipsorum
10 est de hoc audire sermonem, ipsis possunt explanari ista
mysteria. *Vobis enim datum est* inquit *nosse mysteria*
*regni Dei, illis autem*ᵈ, id est qui non merentur, qui non
sunt tales ut mereantur nec capaces esse possunt ad
intelligentiam secretorum *illis non potest dari* iste sacer-
15 dotalis panis, qui est secretus et mysticus sermo, sed in
*parabolis*ᵉ, qui communis est vulgi.

5 p. I Cor. 11, 27
6 a. Lév. 24, 9 ‖ b. Cf. Matth. 5, 8 ‖ c. Cf. Gen. 20, 6 ‖ d. Matth. 13,
11 ‖ e. Cf. Matth. 13, 13

mais pour son propre jugement. Ce qui est redit ailleurs : « Tu ne
crains pas de communier au corps du Christ en t'approchant de
l'Eucharistie, comme si tu étais innocent et pur, comme s'il n'y avait
rien en toi d'indigne, et dans tout cela tu te persuades que tu
échapperas au jugement de Dieu. » *In Ps. 37 hom.* 2, 6, *P G* 12, 1386 D.
Le réalisme eucharistique n'est pas nié, mais le sacrement est orienté
vers sa fin qui est l'assimilation mystique du Logos : « Vous savez,
vous qui avez coutume d'assister aux divins mystères, de quelle
manière, après avoir reçu le corps du Seigneur, vous le gardez en
toute précaution et vénération, de peur qu'il n'en tombe une parcelle,
de peur qu'une part de l'offrande consacrée ne se perde. Vous vous

le péché ; car, « celui qui mange le pain et boit la coupe du
Seigneur indignement se rendra coupable envers le corps et
le sang du Seigneur. Que chacun donc s'éprouve soi-même,
et qu'il mange alors de ce pain et boive de cette coupe[p]. »

6. « C'est chose très sainte[a]. » Tu
« **Chose** vois qu'il n'a pas dit seulement
très sainte » « sainte », mais « très sainte », comme
pour dire : cette nourriture n'est pas la nourriture ordinaire
de tous ni de n'importe quel indigne, mais celle des saints.
Comme nous le dirons avec plus de justesse et de raison de
la parole de Dieu : cette parole n'appartient pas à tous ;
n'importe qui ne peut entendre le sens mystérieux de
cette parole ; c'est seulement à ceux des saints qui sont
purifiés d'esprit, « qui sont purs de cœur[b] », dont « l'âme
est simple[c] », la vie sans reproche, la conscience libre : à
eux revient d'entendre cette parole, par eux peuvent être
expliqués ces mystères. « Car à vous, il a été donné de
connaître les mystères du Règne de Dieu, mais à eux[d] », à
ceux qui ne le méritent pas, qui ne sont pas capables de le
mériter et ne peuvent être aptes à cette intelligence des
mystères, « à eux, ne peut être donné » ce pain sacerdotal
qui est la parole secrète et mystique, mais « en paraboles[e] »,
le pain qui est ordinaire à la foule.

croiriez coupables, et avec raison, si par votre négligence quelque
chose s'en perdait. Que si, pour conserver son corps vous prenez
tant de précaution, et à juste titre, comment croire qu'il y a un
moindre sacrilège à négliger la parole de Dieu qu'à négliger son
corps ? » *In Ex. hom.* 13, 3, *GCS* 6, p. 274, 7 s. « Il est dit que nous
' buvons le sang ' du Christ, non seulement par le rite des mystères
(sacramentorum), mais aussi quand nous recevons ses paroles où
réside la vie, comme il le dit lui-même. » *In Num. hom.* 16, 9, *GCS* 7,
152 p., 4 s. Sur la double acception, voir Von Balthasar, *Parole*,
p. 58-64 ; J. Daniélou, *Origène*, p. 74-79 ; H. de Lubac, *HE*,
p. 363-373. Autres références dans H. Crouzel, *Connaissance*,
p. 182.

Legitimum aeternale hoc erit[f]. *Legitimum* namque *aeternum* est omne quod mysticum est. Nam praesentia haec et passim visibilia temporalia sunt et finem cito accipiunt :
20 *Praeterit enim habitus huius mundi*[g]. Quod si *huius mundi praeterit*, sine dubio et litterae *habitus* praeterit et manent illa, quae aeterna sunt, quae sensus continet spiritalis. Si ergo intelleximus primo quomodo Deus loquatur ad Moysen et Moyses filiis Istrahel[h], secundo etiam rationem
25 *candelabri mundi* et *lucernarum* atque olei eius[i], tertio quoque *panes* propositionis *ex duabus decimis singulos quosque confectos*[j] secundum voluntatem Spiritus intelleximus : demus operam, quomodo et nos hoc tanto et tam sublimi intellectu non efficiamur indigni, sed ut anima
30 nostra prius fiat *locus sanctus* et in *loco sancto* capiamus sancta mysteria per gratiam Spiritus sancti, ex quo sanctificatur omne quod sanctum est. *Ipsi gloria et imperium in saecula saeculorum. Amen*[k] *!*

---

6 f. Lév. 24, 9 ‖ g. I Cor. 7, 31 ‖ h. Cf. Lév. 24, 1 ‖ i. Cf. Lév. 24, 4 ‖ j. Cf. Lév. 24, 5 ‖ k. Cf. I Pierre 4, 11 ; Apoc. 1, 6

« **Loi perpétuelle** »   « Ce sera une loi perpétuelle[f]. » Est
en effet « loi perpétuelle » tout ce qui
est mystique. Car ces choses présentes et partout visibles
sont temporaires et prennent bientôt fin : « Car il passe,
l'aspect extérieur de ce monde[g]. » Que si « l'aspect extérieur
de ce monde passe », assurément aussi celui de la lettre
passe, et demeurent les réalités éternelles, celles que
contient le sens spirituel. Si donc nous avons compris,
premièrement que Dieu parle à Moïse et Moïse aux fils
d'Israël[h], en outre deuxièmement l'explication « du
candélabre pur », de ses « lampes » et de son huile[i], troisiè-
mement encore nous avons compris selon la volonté de
l'Esprit « les pains » de proposition « faits chacun de deux
dixièmes[j] » : appliquons-nous, nous aussi, à ne pas être
indignes de cette intelligence si grande et si sublime, mais
à faire de notre âme d'abord « un lieu saint », puis à
recevoir dans ce lieu saint les saints mystères, par la
grâce de l'Esprit Saint, par qui est sanctifié tout ce qui est
saint. « A lui gloire et puissance pour les siècles des siècles.
Amen[k] ! »

HOMILIA XIV

De filio mulieris istrahelitidis et aegyptii patris, qui
nominans nomen maledixit[a] et de sententia Dei lata in eum.

1. Historia nobis recitata est, cuius quamvis videatur
aperta narratio, tamen nisi diligentius continentiam eius,
quae est secundum litteram, consequamur, interior nobis
sensus haud facile patebit. Est ergo sermo Scripturae, de
5 quo disserendum est, hic : *Et exiit* inquit *filius mulieris
istrahelitidis, et hic erat filius Aegyptii inter filios Istrahel;
et litigaverunt in castris, is, qui erat ex Istrahelitide et homo
istrahelita. Et nominans filius mulieris istrahelitidis nomen
maledixit; et adduxerunt eum ad Moysen; et nomen matris*
10 *eius Salomith filia Dabri, ex tribu Dan. Et miserunt eum
in carcerem, ut iudicarent de illo per praeceptum Domini. Et
locutus est Dominus ad Moysen dicens: eice illum, qui
maledixit, extra castra, et imponent omnes, qui audierunt,
manus suas super caput eius, et lapidabunt eum omnis*
15 *synagoga*[a].

Videamus ergo primo quid sibi velit historia, quam
proposuimus, et, quamvis plana videatur, tamen adhuc
evidentius eam temptemus sub oculis ponere. Ponamus
ergo unum ex patre et ex matre istrahelitici nominis
20 generositate gaudentem, alium ex matre tantum, non etiam

Tit. a. Cf. Lév. 24, 11
1 a. Lév. 24, 10-14

XIV

< CHÂTIMENT D'UN BLASPHÉMATEUR >

Le fils d'une femme israélite et d'un père égyptien qui « prononça le NOM et maudit[a] », et le jugement de Dieu porté sur lui.

« Histoire »   **1.** On nous a lu une histoire, et quoique le récit en paraisse clair, cependant, à moins d'en suivre très attentivement le contenu selon la lettre, il nous sera difficile d'en découvrir le sens intérieur[1]. Voici donc le texte de l'Écriture à interpréter : « Le fils d'une femme israélite sortit, c'était le fils d'un Égyptien parmi les fils d'Israël. Il y eut dans le camp une dispute entre le fils de l'Israélite et un homme d'Israël. Le fils de la femme israélite prononça le Nom et maudit ; on le conduisit à Moïse ; le nom de sa mère était Salomith, fille de Dabri, de la tribu de Dan. On le mit sous garde, pour en décider sur l'ordre du Seigneur. Et le Seigneur parla à Moïse en ces termes : Fais sortir au dehors du camp celui qui a maudit ; tous ceux qui l'ont entendu appuieront leurs mains sur sa tête, et toute la communauté le lapidera[a]. »

Examinons d'abord ce que veut dire l'histoire proposée ; bien qu'elle paraisse simple, essayons toutefois de la placer sous nos yeux avec plus de clarté encore. Représentons-nous un homme, jouissant de la noblesse du nom israélite par son père et par sa mère, et un autre, par sa mère seulement, mais non par son père, pour ainsi dire

---

1. Noter l'affirmation nette de la liaison des deux sens littéral et spirituel.

ex patre et velut ex parte nobilem et ex parte non patris,
quae utique melior videretur, sed matris, quae inferior est.
Si enim pater fuisset istrahelita et mater aegyptia, esset
aliquid amplius; hoc enim fuerant Manasses et Ephrem[b].
25 Nunc vero scriptum est quia filius sit mulieris istrahelitidis
et aegyptii patris. Si ergo diligenter secutus es duos istos
viros, unum ex integro nobilem, alium ex parte, intuere
nunc eos *litigantes ad invicem*; in qua lite is, qui patre
aegyptio et matre sola istrahelitide genitus videtur,
30 *nominans maledixerit* et ob hoc perductus sit is, qui
maledixerat, ad Moysen, Moyses vero neque absolvere eum
ausus neque condemnare sine Deo *tradiderit eum custodiae*,
usquequo a Deo acciperet responsum, quid velit fieri
eum[c]. Haec est historiae continentia; nunc iam videamus,
35 quae sit in ea spiritalis ratio, quae aedificare debet
Ecclesiam.

2. Primo omnium sermo dicit quia *exiit filius mulieris
istrahelitidis*[a] et aegyptii patris; et unde vel quo exierit,
non refert. Inveniuntur enim ambo in castris positi, sicut
indicat sermo Domini, qui dicit : *Educ hominem, qui*
5 *maledixit, foras extra castra*[b]. Si ergo *de castris educitur*,
necessario in castris erat. Quid ergo est quod, cum nondum
exisset de castris, dicit de eo Scriptura divina : *Et exiit
filius mulieris istrahelitidis?* Ego puto quia docere nos vult
sermo divinus quod, qui peccat, dupliciter exire dicitur.
10 Primo enim exit a proposito bono et recta sententia, exit
a via iustitiae, exit a lege Dei. Postmodum vero cum
confutatus fuerit pro peccato, exit etiam de coetu et
congregatione sanctorum. Ut si verbi causa dicamus :

---

1 b. Cf. Gen. 41, 50 ‖ c. Cf. Lév. 24, 10 s.
2 a. Cf. Lév. 24, 10 ‖ b. Lév. 24, 14

noble pour une part, et une part qui ne vient pas du père,
laquelle semblerait assurément meilleure, mais de la mère,
et qui est inférieure. Car si le père avait été israélite et la
mère égyptienne, la condition eût été supérieure : tel fut le
cas de Manassé et d'Éphrem[b]. Mais en fait, il est écrit qu'il
est fils d'une femme israélite et d'un père égyptien. Si
donc tu as suivi avec attention ces deux hommes, l'un
complètement noble, l'autre, pour une part, vois-les
maintenant, « qui se disputent » ; dans cette dispute, celui
qui est né d'un père égyptien, et d'une mère qui seule
était israélite, « prononça le Nom et maudit » ; à cause de
cela, celui qui avait maudit fut conduit à Moïse, mais
Moïse, n'osant ni l'absoudre ni le condamner sans en
référer à Dieu, « le fit mettre sous garde », en attendant de
recevoir de Dieu une réponse sur ce qu'il voulait qu'il
devienne[c]. Voilà le contenu de l'histoire ; voyons maintenant quelle en est l'explication spirituelle qui doit édifier
l'Église.

« Sortir »   **2.** Avant tout, le texte dit : « Le
             fils d'une femme israélite » et d'un
père égyptien « sortit[a] ». D'où est-il sorti et pour aller où,
il ne le rapporte pas. Car les deux hommes se trouvent
être dans le camp, comme l'indique la parole du Seigneur :
« Conduis l'homme qui a maudit au dehors du camp[b]. »
S'il est conduit hors du camp, forcément il était dans le
camp. Que signifie donc, alors qu'il n'était pas encore
sorti du camp, ce que dit de lui la divine Écriture : « Le
fils d'une femme israélite sortit » ? Pour moi, je pense que
la parole divine veut nous enseigner que celui qui pèche
est dit sortir de deux manières. Car d'abord il sort d'un
bon propos, d'une pensée droite, il sort du chemin de la
justice, il sort de la Loi de Dieu[1]. Mais bientôt après, une
fois confondu pour son péché, il sort aussi de l'assemblée
et de la communauté des saints. Autant dire, par exemple :

---

1. Le pécheur fuit loin de la présence de Dieu, cf. *hom.* 5, 3 et note.

peccavit aliquis fidelium, iste etiamsi nondum abiciatur
15 per episcopi sententiam, iam tamen per ipsum peccatum,
quod admisit, eiectus est; et quamvis intret Ecclesiam,
tamen eiectus est et foris est segregatus a consortio et
unanimitate fidelium.

Exiit ergo filius patris aegyptii et matris istrahelitidis.
20 Qui penitus extra fidem est, totus aegyptius est. Qui autem
inter nos est et peccat, ex una quidem parte, qua Deo
credit, istraheliticae videtur originis; ex ea vero parte,
qua peccat, de Aegyptio genus ducit. Duos ergo Scriptura
proposuit litigantes, unum ex integro Istrahelitam, qui
25 litigavit quidem, sed non peccavit; istum vero, cuius
peccatum designat, maxima ex parte mixtum esse aegyptio
generi indicat, adversum quem litigat Istrahelita et forte
competenter et rationabiliter litigat. Nam et in Exodo
Istrahelita et Aegyptius litigant, ubi Istrahelita superat
30 et Aegyptius cadit^c.

Igitur et ego hodie si veritatem defendam, si pugnem
pro ecclesiastica fide adversum eum, qui ex parte quidem
credit Christo et recipit Scripturas, sed non integre sensum
earum nec fideliter recipit, litigo adversum eum, qui ex
35 matre quidem Istrahelita est, ex patre vero Aegyptius.
Si qui ergo et fidei credulitate et professione nominis

2 c. Cf. Ex. 2, 11

1. « Quelqu'un qui pèche est chassé, même s'il n'a pas été chassé
par les hommes. » *Sel in Jer.* 48, *GCS* 3, p. 222, 16 s. Cf. *hom.* 12, 5
début.

2. « Le pécheur sort de deux manières : intérieurement, de la
réalité pneumatique de l'Église, d'un bon propos, etc. ; extérieure-
ment, de la communion visible, mais alors de deux façons : par son
péché personnel, par la sentence de l'évêque. En réalité, trois « sépara-
tions » : séparation de la réalité spirituelle de l'Église ; « contradiction
avec la communauté visible, avant même l'exclusion officielle ;
séparation par l'excommunication. » K. RAHNER, *Doctrine*, p. 254,
n. 13. « Des expressions comme ʽ exire de coetu et congregatione

un des fidèles a péché, celui-là, même s'il n'est pas encore rejeté par la sentence de l'évêque, déjà pourtant, par le péché qu'il a commis, est chassé[1] ; quoiqu'il entre dans l'Église, néanmoins il est chassé, il est au dehors, séparé de la communauté et de l'accord des fidèles[2].

Fils d'un Égyptien et d'une Israélite
Donc, le fils d'un père égyptien et d'une mère israélite « sortit ». Celui qui est complètement hors de la foi est tout entier égyptien. Mais celui qui est parmi nous et pèche, semble bien pour une part, celle par laquelle il croit en Dieu, d'origine israélite ; mais pour cette part par laquelle il pèche, il descend d'un Égyptien. L'Écriture a donc présenté deux hommes en dispute, l'un en totalité israélite, qui s'est disputé mais n'a pas péché ; mais celui dont elle indique le péché, elle note qu'il est pour une très grande part mêlé à la race égyptienne : contre lui l'Israélite dispute et peut-être avec de justes et bonnes raisons. Car dans l'*Exode* aussi un Israélite et un Égyptien ont une dispute, et là l'Israélite l'emporte et l'Égyptien succombe[c].

Dès lors moi aussi, aujourd'hui, si je défends la vérité, si je lutte pour la foi de l'Église contre celui qui pour une part croit au Christ et reçoit les Écritures, mais ne reçoit pas totalement et fidèlement leur sens, je dispute contre celui qui est israélite par sa mère, mais égyptien par son père. Donc être, par la croyance de la foi et la profession

sanctorum ', ou ' a conventu Ecclesiae abscindi ' (*In Ps. 37 hom.* 1, 1, *PG* 12, 1371), qui font une distinction entre l'Église et son assemblée, sont à prendre au sens le plus réaliste. Les excommuniés ne sont pas seulement juridiquement séparés en quelque sorte de l'Église — et de l'Eucharistie — ; la réunion cultuelle de la chrétienté leur est interdite : ' eiiciuntur ab oratione communi ' (*In Matth. ser.* 89, *GCS* 11, p. 204, 31 s. ; cela se fait ' propter honorem orationis ', p. 205, 8 s.) ». Sans doute le pénitent ne pouvait-il « prendre place qu'à l'office de lecture et de prédication, à l'exclusion de l'office de prières ; distinction que l'on perçoit aussi dans la pratique pénitentielle postérieure en Orient ». *Ibid.*, p. 270 et n. 82.

Christianus est et Catholicus, iste ex utraque parte
Istrahelita est. Qui vero professione quidem Christianus
est, intellectu autem fidei haereticus et perversus est[d],
40 iste matrem quidem istrahelitidem, patrem vero aegyptium
habet. Quomodo ergo hoc accidit ? Cum Scripturas quis
legit et litteram quidem sequitur, intellectum autem
repudiat spiritalem, hic matrem quidem istraheliticam
habet, id est litteram, sensum vero quia spiritalem non
45 sequitur, sed carnalem, isti est aegyptius pater et ideo
adversum ecclesiasticum, adversum catholicum litigat,
eum, qui ex utraque parte Istrahelita est, qui et secundum
litteram Istrahelita est et secundum spiritum Istrahelita
est, quia ipse secundum litteram quidem Istrahelita est,
50 secundum spiritum vero Aegyptius. Quid ergo est utrisque
litigantibus ? Necessario ille, qui carnalem sequitur
sensum, tamquam de Aegyptio genus ducens *nomen
nominat et maledicit*[e]. Nominat enim nomen Dei et cum
maledicto nominat; negat enim eum creatorem esse mundi,
55 negat esse Patrem Christi. Nos vero, qui ex utroque genere
Istrahelitae sumus et litteram et spiritum in Scripturis
sanctis defendimus et litigamus adversum eos, qui ex
media parte Istrahelitae videntur, et dicimus quia neque
secundum litteram maledici oportet neque secundum
60 spiritalem intelligentiam blasphemari.

Maledicus enim non solum in Deum, sed etiam in
proximum Apostoli Pauli setentia a regno Dei excluditur.
Vide enim, quomodo dicit Apostolus : *Nolite errare: neque
fornicarii neque adulteri neque molles neque masculorum*
65 *concubitores neque fures neque avari neque maledici regnum
Dei possidebunt*[f]. Vide inter quae crimina, inter *adulteros*,
inter *masculorum concubitores*, inter *avaros*, quos alibi dicit
idolis servientes[g], etiam *maledicos* posuit et a regno Dei

2 d. Cf. Tite 3, 10 s. ‖ e. Cf. Lév. 24, 11 ‖ f. I Cor. 6, 9-10 ‖ g. Cf.
Éphés. 5, 5

du nom, chrétien et catholique, c'est pour l'une et l'autre part être israélite. Tandis que, être chrétien par la profession, mais par l'intelligence de la foi être hérétique et dévoyé[d], c'est avoir une mère israélite, mais un père égyptien. Comment donc cela arrive-t-il ? Quand on lit les Écritures et qu'on suit la lettre mais repousse l'interprétation spirituelle, on a une mère israélite, la lettre ; et parce qu'on ne suit pas le sens spirituel mais le charnel, on a pour père un Égyptien : alors on dispute contre l'homme d'Église, contre le catholique qui, de part et d'autre, est israélite, israélite selon la lettre, israélite selon l'esprit, pour cette raison qu'on est soi-même israélite selon la lettre, mais égyptien selon l'esprit. Et qu'arrive-t-il aux deux hommes en dispute ? Fatalement, celui qui suit le sens charnel, comme descendant d'un Égyptien, « prononce le Nom et maudit[e] ». Il prononce le nom de Dieu et le prononce avec malédiction ; car il nie qu'il soit le Créateur du monde, il nie qu'il soit le Père du Christ[1]. Nous au contraire, qui par l'une et l'autre filiation sommes Israélites, nous défendons et la lettre et l'esprit dans les saintes Écritures, nous disputons contre ceux qui semblent Israélites à demi, nous affirmons qu'il ne faut ni maudire selon la lettre, ni blasphémer selon l'intelligence spirituelle.

« Ceux qui maudissent »   Car celui qui dit une malédiction non seulement contre Dieu, mais encore contre le prochain, est exclu du Royaume de Dieu, au jugement de l'apôtre Paul. Voici ce que déclare l'Apôtre : « Ne vous y trompez pas : ni débauchés, ni adultères, ni efféminés, ni pédérastes, ni voleurs, ni avares, ni ceux qui maudissent, ne posséderont le Royaume de Dieu[f]. » Remarque au milieu de quels péchés, parmi « les adultères », parmi « les pédérastes », parmi « les avares » qu'il nomme ailleurs « idolâtres[g] », il a

---

1. « Ceux qui disent qu'il est né de Joseph et de Marie, comme es Ébionites... » *In Ep. ad Tit.*, *PG* 14, 1304 B.

cum illis pariter exclusit. Videant ergo, si qui os suum
70 cotidiana paene consuetudine hoc vitio insuescunt, quid
iis periculi immineat. Putantes enim leve et facile hoc esse
peccatum non facile cavent, sed considerent Apostolum,
quomodo *maledicum* a regno Dei excludit et Deus per
Moysen quomodo *maledicum* puniri iubet.

75   Unde et ego valde admiratus sum quod in hoc loco, quem
habemus in manibus, Scriptura non aperte designavit quia
iste, qui ex Aegyptio genus ducit, maledixerit Deum, sed
tantum posuit quia *nominans maledixit*, et reliquit in
medio vel de Deo vel de homine suspicandum. Unde mihi
80 videtur idcirco noluisse aperte de Deo pronuntiare, ne de
hominibus videretur dedisse licentiam et ideo vel de Deo
vel de homine siluisse, ut de utroque caveretur.

3. Verum quoniam sententiam Apostoli proposuimus,
qua dicit maledicos a regno Dei excludendos, aliquid
exposcit iste sermo solacii, ne omnimodis desperationem
videamur indicere his, qui cotidiana paene maledicendi
5 consuetudine rapiuntur et ori suo adhibere custodiam
vel ostium negligunt[a]. Promissionis futurae non unus est
modus neque simplex species; sed sicut docuit ipse Dominus
in Evangelio, cum *beatos* dicit *pauperes spiritu* et *ipsorum*
dicit *esse regnum caelorum*[b], et iterum *beatos* dicit *mites* nec
10 tamen iis caelorum regna, sed *terrae haereditatem*[c] promittit.
Dicit *beatos* et *pacificos*, sed ne ipsis quidem caelorum

---

3 a. Cf. Ps. 140, 3 ‖ b. Cf. Matth. 5, 3 ‖ c. Cf. Matth. 5, 4

aussi placé « ceux qui maudissent », et avec eux les a
pareillement exclus du Royaume de Dieu. Qu'ils voient
donc, ceux qui ont habitué leur bouche à ce vice par une
pratique presque quotidienne, quel péril les menace !
Croyant que c'est un péché léger et commun, ils n'y
prennent pas facilement garde, mais qu'ils considèrent que
l'Apôtre exclut celui qui maudit du Royaume de Dieu et
que Dieu ordonne par Moïse que « celui qui maudit » soit
puni.

A ce propos, quant à moi, je me suis fort étonné de ce
que, dans ce passage que nous traitons, l'Écriture ne dit
pas expressément que celui qui descend d'un Égyptien
maudit Dieu, mais note seulement qu'il « a prononcé le
Nom et a maudit » et laisse ouverte la question s'il s'agit
de Dieu ou de l'homme. En voici la raison, ce me semble ;
elle n'a pas voulu l'annoncer clairement de Dieu, pour
n'avoir pas l'air de le permettre s'il s'agit des hommes ;
de là vient qu'elle garde le silence et sur Dieu et sur
l'homme, pour qu'on évite l'une et l'autre malédiction.

3. Mais nous avons énoncé le juge-
Degrés
dans la béatitude
ment de l'Apôtre ; ceux qui maudissent doivent être exclus du Royaume
de Dieu. Cet exposé exige un adoucissement pour ne point
paraître provoquer un total désespoir chez ceux qu'entraîne
l'habitude presque quotidienne de maudire, et qui négligent
de mettre à leur bouche une garde ou une porte[a]. La
promesse future ne comporte pas un genre unique ni une
seule espèce ; au contraire, comme l'enseigna le Seigneur
lui-même dans l'Évangile, quand il dit : « Heureux les
pauvres en esprit » et dit que « le Royaume des cieux leur
appartient[b] », et que d'autre part il dit : « Heureux les
doux » sans pourtant leur promettre les royaumes des
cieux, mais « l'héritage de la terre[c] ». Il dit encore :
« Heureux les pacifiques », mais à eux non plus il n'accorde
pas le royaume des cieux, toutefois il proclame qu'ils sont

regnum dedit, *filios* tamen eos *Dei*[d] esse pronuntiat. Et
cum diversis diversa repromittat, omnes *beatos* dicit, qui
ad promissa perveniunt, non tamen omnibus caelorum
15 regna concessit. Potest ergo fieri, ut aliquis in ceteris forte
operibus et actibus emendatus sit et perfectus, subripiatur
ei tamen in oris vitio lapsuque sermonis; huic etiamsi
secundum Apostoli sententiam negantur regna caelorum,
non tamen alterius beatitudinis absciditur locus. Verum-
20 tamen eo magis, si qui in ceteris perfectus est, elaborare
etiam in hoc debet, ne ei subripiens pravae consuetudinis
vitium *caelorum regna*[e], quod est omnium beatitudinum
culmen, eripiat, quamvis Dominus dixerit : *In domo
Patris mei mansiones multae sunt*[f].

25 Possumus adhuc addere etiam illud, quod natura peccati
similis est materiae, quae igni consumitur, quam aedificari
Paulus Apostolus a peccatoribus dicit, qui *supra fundamentum* Christi *aedificant ligna, fenum, stipulam*[g]. In quo
manifeste ostenditur esse quaedam peccata ita levia, ut
30 *stipulae* comparentur, cui utique ignis illatus diu non
potest immorari; alia vero *feno* esse similia, quae et ipsa
non difficulter ignis absumat, verum aliquanto tardius
quam in *stipulis* immoretur; alia vero esse, quae *lignis*
conferantur, in quibus pro qualitate criminum diutinum
35 et grande pabulum ignis inveniat. Ita ergo unumquodque
peccatum pro qualitate vel quantitate sui poenarum iusta
persolvit. Verumtamen quid opus est fidelibus et his, qui

---

3 d. Cf. Matth. 5, 9 ∥ e. Cf. Matth. 5, 3 ∥ f. Jn 14, 2 ∥ g. Cf. I Cor.
3, 12

---

1. « Bien que (ne croyant pas au Christ)... il ne puisse entrer dans
le royaume des cieux..., il semble pourtant qu'il... ne puisse perdre
entièrement la gloire de ses bonnes œuvres. » *In Ep. ad Rom.* 2, 7,
PG 14, 883 BC. Autres textes dans Ch. Bigg, *The Christian Platonists
of Alexandria*, p. 280, n. 1.
2. La classification origénienne des péchés est variable, cf.

« fils de Dieu[d] ». Et quand il fait diverses promesses à des
gens divers, il déclare « heureux » tous ceux qui atteignent
aux biens promis, sans pourtant accorder à tous les
royaumes des cieux. Il peut donc se trouver que quelqu'un
soit amendé et parfait dans toutes les autres œuvres et
actions, et qu'il lui échappe cependant de fauter de bouche
et trébucher en parole ; à celui-là, même si, au jugement
de l'Apôtre, sont refusés les royaumes des cieux, n'est
toutefois pas refusé le lieu d'une autre béatitude[1].
Néanmoins, si l'on est parfait dans les autres choses, on
doit d'autant plus s'appliquer aussi sur ce point, pour que
le défaut d'une mauvaise habitude ne ravisse subrepti-
cement « les royaumes des cieux[e] », ce qui est le plus haut
degré de toutes les béatitudes, bien que le Seigneur ait
dit : « Dans la maison de mon Père, il y a beaucoup de
demeures[f]. »

**Degrés
dans le péché**
Nous pouvons encore ajouter ceci :
la nature du péché est semblable à
celle de la matière que le feu consume,
et que l'apôtre Paul dit matériau employé par les pécheurs
qui, « sur le fondement, le Christ, bâtissent avec du bois,
du foin, de la paille[g] ». Ce qui montre clairement qu'il y a
des péchés si légers qu'on les compare à la paille, où le feu,
s'il est mis, ne peut certes durer longtemps ; d'autres sont
semblables au foin, qu'eux aussi le feu consume sans
difficulté, mais il dure notablement plus que pour la
paille ; mais il y en a d'autres qu'on assimile au bois, dans
lesquels selon la nature des fautes, le feu trouve un aliment
durable et abondant[2]. Ainsi donc, chaque péché, selon sa
nature et sa fréquence, subira ce qu'il convient de peines.
Mais qu'est-il besoin aux fidèles et à ceux qui connaissent

K. RAHNER, *Doctrine*, p. 55 s. et n. 30. Le baptême de feu escha-
tologique est une des images qui préfigurent notre doctrine du
Purgatoire, cf. *hom.* 8, 4 début. Autres références dans H. CROUZEL,
Connaissance, p. 468, n. 1.

cognoverunt Deum, de poenarum qualitatibus cogitare ?
Quid opus est *ligna*, quid *fenum*, quid vel ipsam *stipulam*
40 *fundamento* Christi *superponere* ? Cur non *aurum* magis vel
argentum vel *pretiosos lapides* pretioso *superponimus
fundamento*[h], ubi, cum ignis accesserit, nihil inveniat,
quod absumat ? Nam si accesserit ad *stipulam*, ex *stipula*
favillas reddet et cineres; si vero accesserit ad *aurum*,
45 *aurum* purius reddet. Haec nobis dicta sint pro his, qui
negligunt oris maledici consuetudinem resecare; qui
etiamsi non ex corde maledicant, etiamsi non voto et
animo iniquo proferant maledicta, tamen immunditiam
labiorum secundum Esaiae verbum[i] et inquinamenta oris
50 incurrunt.

Iste tamen, qui licet matre istrahelitide, aegyptio tamen
progenitus est patre, *exiit* et *nominans nomen maledixit*[j].
De quo ego puto quod, nisi exisset, nec litigasset adversum
verum Istrahelitem nec *nominans maledixisset*. *Exiit* enim
55 a veritate, *exiit* a timore Dei, a fide, a caritate, sicut
superius diximus, quomodo per haec quis *exeat* de castris
Ecclesiae, etiamsi per episcopi vocem minime abiciatur.
Sicut e contrario interdum fit, ut aliquis non recto iudicio
eorum, qui praesunt Ecclesiae, depellatur et foras mittatur.
60 Sed si ipse non ante *exiit*, hoc est si non ita egit, ut mereretur *exire*, nihil laeditur in eo, quod non recto iudicio ab
hominibus videtur expulsus. Et ita fit ut interdum ille,
qui foras mittitur, intus sit et ille foris sit, qui intus retineri
videtur.

3 h. Cf. I Cor. 3, 12 ‖ i. Cf. Is. 6, 5 ‖ j. Cf. Lév. 24, 10.11

1. Comment comprendre la situation indiquée par Origène ?
Le jugement ecclésiastique n'est pas juste parce qu'il n'y a pas eu
péché mortel. Et le condamné, d'une part « est chassé et rejeté
dehors », de l'autre, « il semble exclu », en réalité « il est à l'intérieur ».
C'est dire sans doute : « L'effet matériel de l'excommunication
étant d'écarter en fait de la communauté, des offices religieux, de

Dieu de songer aux caractéristiques des peines ? Qu'est-il
besoin de placer du bois, du foin ou même de la paille
au-dessus du fondement, le Christ[h] ? Pourquoi ne pas
plutôt superposer au précieux fondement de l'or, de
l'argent, des pierres précieuses, où le feu, quand il approche,
ne trouve rien à consumer ? Car s'il approche de la paille,
il réduira la paille en cendre et en poussière, mais s'il
approche de l'or, il rendra l'or plus pur. Cela soit dit par
nous, pour ceux qui négligent de supprimer l'habitude
d'une bouche qui maudit ; même si on ne maudit pas de
cœur, même si ce n'est pas de désir et d'intention qu'on
profère des malédictions, on contracte néanmoins une
impureté des lèvres, d'après la parole d'Isaïe[i], et des
souillures de la bouche.

Sortir du camp   Cependant celui qui, bien que de
mère israélite, est né d'un père
égyptien, « sortit », « prononça le Nom et maudit[j] ». A ce
propos, je pense que, s'il n'était pas sorti, il n'aurait pas
eu de dispute contre un véritable Israélite, ni prononcé le
Nom et maudit. Car il sortit de la vérité, il sortit de la
crainte de Dieu, de la foi, de la charité et, comme on l'a
dit plus haut, par là on sort du camp de l'Église, même si
on n'est pas rejeté par la voix de l'évêque. Comme en
revanche il arrive parfois que quelqu'un soit chassé et
rejeté dehors par un jugement injuste de ceux qui président
l'Église. Mais si lui-même n'est pas sorti auparavant,
c'est-à-dire s'il n'a point agi de façon à mériter de « sortir »,
il ne subit aucun dommage, parce que c'est par un jugement
injuste qu'il semble exclu par les hommes. Ainsi arrive-t-il
parfois que celui qui est envoyé au-dehors est à l'intérieur,
et celui qui paraît être retenu à l'intérieur est au-dehors[1].

l'eucharistie..., s'il est qualifié de simple apparence, c'est en tant que
ce fait réel ne manifeste pas une réelle séparation intime intervenue
entre l'homme et le centre de grâces qu'est l'Église. » K. Rahner,
Doctrine, p. 261, n. 39.

65   Vis tibi ostendam et alium, qui a nullo eiectus *exisse*
dicitur ? Scriptum est de Cain quia : *Exiit a facie Dei*[k].
Quo *exiit a facie Dei*? Ubi enim non erat *facies Dei*? Sed
exisse dicitur pro eo quod legem naturae egressus est et
ignaram tanti sceleris terram fraterno sanguine primus
70   infecit.

Sunt tamen et qui bene exeunt et beati sunt, quia
exeunt. Ostendam etiam hoc de Scripturis. In Exodo
scriptum est : *Omnes* inquit *qui quaerebant nomen Domini,
exierunt foras ad Moysen extra castra*[l]. Isti bene *exierunt*
75   *extra castra*, quia sequebantur Moysen, id est legem Dei.
Et de aliis dicitur : *Exite populus meus de medio eorum,
et immundum nolite contingere*[m].

Exiit ergo inquit *filius mulieris istrahelitidis, et hic erat
filius Aegyptii, inter filios Istrahel ; et litigaverunt in castris*
80   *ille, qui erat ex istrahelitide muliere et homo istrahelita*[n].
Vide quanta cautela Scripturae divinae, si tamen intendas,
si diligenter inspicias : illum, qui de istrahelitide matre et
de aegyptio patre natus est, non dixit *hominem*, illum
vero, qui ex utroque genere Istrahelita erat, *hominem*
85   nominavit. Putamus haec fortuitu scripta ? Putamus casu
adiectum, ut ille non diceretur *homo* et hic diceretur ?
Non sunt ista fortuita, ratio est. Nihil enim in verbis Dei
absque profunda ratione conscriptum est. Ille namque,
qui ex parte Aegyptius, ex parte Istrahelita erat, nondum
90   merebatur *homo* nominari ; iste vero, qui ex integro
Istrahelita erat, hoc est qui mente Deum videbat, iste
homo appellatur, ille homo interior, qui *ad imaginem Dei*[o]
factus est, et potest *videre Deum*[p].

---

3 k. Gen. 4, 16 ‖ l. Ex. 33, 7 ‖ m. Is. 52, 11 ‖ n. Lév. 24, 10 ‖ o. Cf.
Gen. 1, 27 ‖ p. Cf. Matth. 5, 8

Veux-tu que je te montre un autre, rejeté par personne, que l'on dit « être sorti » ? De Caïn, il est écrit : « Il sortit loin de la face de Dieu[k]. » Où est-il sorti loin de la face de Dieu ? Où donc la face de Dieu n'était-elle pas ? Mais on dit qu'il sortit, du fait qu'il s'est écarté de la loi de la nature et, le premier, a imprégné d'un sang fraternel la terre qui ignorait un si grand crime.

Il en est toutefois qui font bien de sortir, et sont bienheureux parce qu'ils sortent. Je vais le montrer encore par les Écritures. Dans l'*Exode* il est écrit : « Tous ceux qui cherchaient le nom du Seigneur sortirent au-dehors auprès de Moïse, à l'extérieur du camp[l]. » Ceux-là firent bien de sortir à l'extérieur du camp, parce qu'ils suivaient Moïse, c'est-à-dire la Loi de Dieu. Et au sujet d'autres, il est dit : « Sortez, mon peuple, du milieu d'eux, et ne touchez rien d'impur[m]. »

« Homme » « Le fils d'une femme israélite sortit ; c'était le fils d'un Égyptien parmi les fils d'Israël ; il y eut une dispute dans le camp entre le fils d'une femme israélite et un homme d'Israël[n]. » Note la grande précaution de l'Écriture divine, si tu es attentif, si tu l'examines avec soin : celui qui est né d'une mère israélite et d'un père égyptien, elle ne l'a pas dit « homme », mais celui qui était israélite par sa double filiation, elle l'a nommé « homme ». Pensons-nous cela écrit au hasard ? Jugeons-nous effet du hasard le fait que l'un ne soit pas nommé « homme » et que l'autre le soit ? Cela n'est pas dû au hasard, il y a une raison. Car rien n'est écrit dans les paroles de Dieu sans une raison profonde. En effet, celui qui était pour une part égyptien, et pour l'autre israélite, ne méritait pas encore le nom d'homme ; mais celui qui était en totalité israélite, c'est-à-dire qui voyait Dieu par l'esprit, celui-là est appelé « homme » : cet homme intérieur, fait « à l'image de Dieu[o] » et capable de « voir Dieu[p] ».

4. Post haec iam quae in posterioribus referuntur, non absque quadam quaestione sunt, de qua multi quaerentes non multi explicare potuerunt. Sed si vestris me orationibus iuveritis, temptabimus etiam nos in medium proferre, quae
5 Dominus dederit. *Homo homo* inquit *si maledixerit Deum, peccatum accipiet; qui autem nominat nomen Domini, morte moriatur*[a]. Quid est hoc ? Qui *maledixerit Deum*, non habet poenam mortis, sed *qui nominaverit nomen Domini* ? Nonne multo gravius est *maledicere Deum* quam *nominare*,
10 quamvis in vanum nominasse dicatur ? Et quomodo qui *maledicit*, peccatum suscipit tantum, *qui* autem *nominat, morte* multatur ? Haec ergo sunt, quae in hoc loco solent quaestionem movere, quae ignorantibus sensum Scripturarum inconsequenter dicta videntur et incongrue. Putant
15 enim quod ille, qui maledicit nomen Dei, statim puniri debeat; ille vero, *qui nominaverit nomen Domini*, hoc est superfluo et in vanum nominaverit, sufficiat *accepisse peccatum*.

Sed nos consequentiam sermonis tali quodam sensu
20 temptemus aperire. Maius esse peccatum, in quo maledicitur Deus, quam in quo nominatur, dubitare non possumus. Restat, ut ostendamus multo esse gravius *accipere peccatum* et habere secum quam morte multari. Mors, quae poenae causa infertur pro peccato, purgatio est peccati ipsius, pro
25 quo iubetur inferri. Absolvitur ergo peccatum per poenam mortis nec superest aliquid, quod pro hoc crimine iudicii dies et poena aeterni ignis inveniat. Ubi vero quis *accipit*

---

4 a. Lév. 24, 15 ; Matth. 15, 4

---

1. Contre un reproche semblable : « Bien dit, ô Sage parfait... C'est que tu ne pouvais pas montrer de l'indulgence pour celui qui a commis la plus grave impiété en le rangeant parmi les auteurs de fautes vénielles, alors que pour celui qui semblait avoir commis

Question difficile **4.** Puis le texte qui vient alors à la suite n'est pas sans poser une question à laquelle, sur de nombreux chercheurs, bien peu ont pu apporter une explication. Mais si vous m'aidez de vos prières, je tenterai moi aussi d'exposer ce que Dieu me donnera. « Tout homme qui maudit Dieu portera son péché ; mais celui qui prononce le nom du Seigneur sera mis à mort[a]. » Qu'est-ce à dire ? Pas de peine de mort pour qui a maudit Dieu, mais bien pour qui a prononcé le nom du Seigneur ? N'est-il pas bien plus grave de maudire Dieu que de le nommer, même si l'on veut dire nommer en vain ? Et comment celui qui maudit porte seulement son péché, mais celui qui nomme est-il condamné à mort ? Voilà ce qui, dans ce passage, soulève d'ordinaire une question. Pour ceux qui ignorent le sens des Écritures, il n'y a là ni logique ni convenance[1]. Ils pensent que celui qui maudit le nom de Dieu doit être puni sur-le-champ ; quant à celui qui a prononcé le nom du Seigneur, c'est-à-dire l'a prononcé à la légère et en vain, il suffirait qu'il porte son péché.

Expiation présente, Mais nous tenterons de trouver un **expiation future** sens qui révèle la logique du passage. Qu'il y ait un plus grand péché à maudire Dieu qu'à le nommer, on ne peut en douter. Reste à montrer qu'il est bien plus grave de porter son péché et de l'avoir avec soi, que d'être condamné à mort. La mort infligée comme peine pour le péché est une purification du péché même pour lequel on ordonne de l'infliger. Le péché est donc absous par la peine de mort, et il ne subsiste rien que puissent trouver à la place de cette faute le jour du jugement et la peine du feu éternel. Quand au contraire quelqu'un « porte son péché », il l'a avec lui et

---

une faute moindre, tu fixais le châtiment suprême : la mort. (Suit une autre explication). » PHILON, *De vita Mosis* II, 204, tr. R. Arnaldez, etc.

peccatum et habet illud secum ac permanet cum ipso nec
aliquo supplicio poena, quae diluitur, transit, cum ipso
30 est etiam post mortem; et quia temporalia hic non
persolvit, ibi expendit aeterna supplicia. Vides ergo quanto
gravius sit *accipere peccatum* quam morte multari. Hic
enim mors pro vindicta datur et apud *iustum iudicem
Dominum*[b] *non vindicatur bis in id ipsum*[c], sicut propheta
35 dixit; ubi autem non est soluta vindicta, peccatum manet
illis aeternis ignibus exstinguendum.

Quia autem haec ita se habeant, possum tibi testes ex
divinis voluminibus adhibere Ruben et Iudam patriarchas
loquentes ad patrem suum Iacob, cum vellent adsumere
40 secum Beniamin et ducere ad Aegyptum propter sponsiones,
quas cum Ioseph fratre pepigerant[d]. Ibi ergo Ruben
quidem ita dicit ad patrem : *Ambos filios meos occide, nisi
reduxero ad te Beniamin*[e] ; Iudas vero ait : *Peccator ero in
te, nisi reduxero eum tibi*[f]. Iacob ergo, pater ipsorum, sciens
45 multo esse gravius, quod promiserat Iudas, qui dixerat :
peccator ero in te ab eo, qui dixerat : *occide filios meos*,
Ruben quidem non credidit filium[g], tamquam qui leviorem
elegerit poenam, Iudae vero tradidit[h] sciens gravius esse
quod elegerat. Hoc ergo modo convenienter aptavit
50 Scriptura divina ei quidem, qui *maledixerit Deum*, ut
peccatum sumat, ei vero, qui levius deliquit, quod *morte
moriatur*[i].

Vis autem et de Evangeliis noscere quod qui *receperit
in hac vita mala sua*, ibi iam non recipiat; qui autem hic

---

4 b. Cf. II Tim. 4, 8 ‖ c. Cf. Nah. 1, 9 ‖ d. Cf. Gen. 42, 20 ‖ e. Cf.
Gen. 42, 37 ‖ f. Gen. 43, 9 ‖ g. Cf. Gen. 42, 38 ‖ h. Cf. Gen. 43, 13 ‖ i.
Cf. Lév. 24, 15 s.

---

1. « Si nous avons commis un acte qui mérite le châtiment, nous
sommes châtiés de manière à le recevoir au siècle présent, mais
ensuite à trouver le repos dans le sein d'Abraham. » *Sel. in Ex.* 20, 5,

demeure avec lui, et la peine qui n'est supprimée par
aucun supplice passe au delà et reste avec lui même
après la mort ; et parce qu'il n'a point subi de supplices
temporels ici, il paie là-bas en en subissant d'éternels. On
voit ainsi combien il est plus grave de « prendre son
péché » que d'être condamné à mort. Car cette mort est
donnée pour punition, et auprès « du Seigneur juste
juge[b] », « on n'est pas puni deux fois pour la même faute[c] »,
comme a dit le prophète ; mais quand la punition n'est
point acquittée, le péché demeure à expier par ces feux
éternels[1].

Qu'il en aille de la sorte, je peux te produire comme
témoins, d'après les livres divins, les patriarches Ruben et
Juda parlant à leur père Jacob, quand ils voulaient
prendre avec eux Benjamin et le conduire en Égypte, à
cause d'un engagement pris avec leur frère Joseph[d]. Or
donc Ruben dit à son père : « Fais mourir mes deux fils si
je ne te ramène pas Benjamin[e] » ; et Juda dit : « Je serai
coupable envers toi si je ne te le ramène pas[f]. » Jacob, leur
père, savait qu'était bien plus grave la promesse de Juda :
« Je serai coupable envers toi », que celle de celui qui avait
dit : « Fais mourir mes deux fils » : il ne confia point son
fils à Ruben[g], vu qu'il avait choisi une peine plus légère,
mais il le livra à Juda[h], sachant qu'était plus grave ce
qu'il avait choisi. Voilà donc de quelle manière la divine
Écriture a justement attribué à celui qui maudit Dieu la
charge d'un péché, mais à celui qui a fauté plus légèrement
la peine de mort[i].

Mais veux-tu connaître aussi par les Évangiles que
« celui qui reçoit les maux en cette vie » n'en recevra
plus là-haut, et que celui qui n'en reçoit point ici se les

PG 12, 293 A. Ailleurs, ayant évoqué les châtiments de la Bible
(déluge, etc.), et avant d'interroger le Nouveau Testament, Origène
conclut : « Puniti sunt in praesenti vita ne in futuro iugiter puni-
rentur. » *In Ez. hom.* 1, 2, *GCS* 8, p. 322, 19 s.

55 non receperit, ibi serventur ei omnia ? Docet nos exemplum
Lazari pauperis et illius divitis, ad quem dicitur *in infernis*
a patriarcha Abraham : *Memento, fili, quoniam tu recepisti
bona tua in vita tua et Lazarus similiter mala. Nunc autem
tu quidem cruciaris, hic vero requiescit*[j].

60   Et solent homines ignorantes iudicia Dei, quae sunt
abyssus multa[k], conqueri adversum Deum et dicere, cur
homines iniqui et iniusti raptores, impii, scelesti in hac
vita nihil patiantur adversi, sed cuncta iis prosperis
successibus cedant, honores, divitiae, potentia, sanitas
65 quoque iis ipsa et corporis habitudo famuletur; econtra
innocentibus ac piis et colentibus Deum innumerabiles
aerumnae superveniant, abiecti, humiles, contempti et
sub colaphis potentium vivant, nonnumquam etiam saevius
iis morbi quoque ipsi corporis dominentur. Sed haec ut
70 dixi, conqueruntur ignorantes, qui sit ordo in divinis
iudiciis. Quanto enim gravius eos puniri volunt, de quorum
potentia et iniquitatibus ingemiscunt, tanto necessarium
est differri poenas, quae si non differrentur, temporales
utique et leviores essent, quia finem cum morte reciperent;
75 nunc vero quia differuntur, certum est quod aeternae
erunt et cum saeculis extendentur. Econtra igitur si velint
iustis et innocentibus in praesenti saeculo bona reddi,
essent etiam ipsa bona temporalia et celeri termino
concludenda; quanto autem magis differuntur in futurum,
80 tanto erunt perpetua et nescient finem.

    Hoc est ergo quod nos Scripturae huius locus paucis
sermonibus comprehensus edocuit, ut sciamus multo esse
gravius *accipere peccatum* et habere ac secum ad inferna
deferre quam in praesenti poenas dare commissi. Et ideo

---

4 j. Cf. Lc 16, 20-25 ‖ k. Cf. Ps. 35, 7

réserve tous pour là-haut ? Un exemple nous l'enseigne,
celui du « pauvre Lazare » et de ce riche à qui le patriarche
Abraham dit « dans les enfers » : « Mon fils, souviens-toi
que tu as reçu tes biens pendant ta vie, et Lazare pareillement ses maux. Maintenant tu es à la torture, mais lui
est en repos ʲ. »

C'est une habitude des hommes qui ignorent les jugements de Dieu, qui sont « un grand abîme ᵏ », de se plaindre
ainsi contre Dieu : pourquoi les hommes iniques, les voleurs
injustes, les impies, les scélérats n'éprouvent-ils en cette vie
aucune adversité, mais tout leur arrive avec heureux succès,
honneurs, richesses, puissance, et même ils jouissent de la
santé et d'une bonne condition physique ; tandis qu'aux
hommes innocents et pieux, qui honorent Dieu, surviennent
d'innombrables misères, qu'ils vivent dans l'abandon,
l'humiliation, le mépris, sous les coups des puissants, et
parfois sont eux-mêmes écrasés encore plus cruellement par
ceux de la maladie corporelle. Voilà, comme je l'ai dit, de
quoi se plaignent ceux qui ignorent quelle est la gradation
dans les jugements divins. Mais plus ils veulent que soient
gravement punis ceux dont la puissance et les injustices
les font gémir, et plus il est nécessaire que soient différées
les peines : si elles ne l'étaient pas, elles seraient assurément passagères et légères, car elles prendraient fin avec
la mort ; mais en fait, parce qu'elles sont différées, il est
certain qu'elles seront éternelles et dureront autant que
les siècles. En revanche donc, s'ils voulaient que les biens
soient rendus aux justes et aux innocents dans le siècle
présent, les biens eux-mêmes seraient aussi temporaires
et voués à une fin rapide ; mais autant ils sont différés
dans le futur, autant ils seront perpétuels et ne connaîtront
pas de fin.

Voilà ce que ce passage bien compris de l'Écriture nous
enseigne en peu de mots, pour que nous sachions qu'il est
bien plus grave de « porter son péché », de l'avoir avec soi
et de l'emporter aux enfers, que de subir à présent la

85 haec sciens expedire fidelibus Apostolus Paulus dicit de
    eo, qui peccaverat : *Quem tradidi* inquit *Satanae in interitum
    carnis*, hoc est morte multasse. Qui autem sit fructus
    mortis huius, ostendit in sequentibus dicens : *ut spiritus
    salvus fiat in die Domini nostri Iesu Christi*[1]. Vides ergo
90 quomodo aperte Apostolus utilitatem mortis huius expo-
    suit. Quod enim dicit : *Tradidi in interitum carnis*, hoc est
    in afflictionem corporis, quae solet a paenitentibus expendi,
    eumque carnis interitum nominavit, qui tamen carnis
    interitus vitam spiritui conferat. Unde et nunc si quis forte
95 nostrum recordatur in semet ipso alicuius peccati conscien-
    tiam, si qui se obnoxium novit esse delicto, confugiat ad
    paenitentiam et spontaneum suspiciat carnis interitum,
    ut expurgatus in praesenti vita spiritus noster mundus et
    purus pergat ad Christum Dominum nostrum, *cui est
100 gloria et imperium in saecula saeculorum. Amen*[m] *!*

4 l. I Cor. 5, 5 ‖ m. Cf. I Pierre 4, 11 ; Apoc. 1, 6

---

1. Il s'agit ici de la pénitence publique : l'incestueux de Corinthe
auquel il est fait allusion est pour Origène comme « le type biblique
du pécheur sujet à la pénitence ecclésiastique ». Un péché comme
le sien peut donc être pleinement expié en cette vie par « la destruc-

peine du péché commis. Aussi l'apôtre Paul, sachant que cela était préférable aux fidèles, dit de celui qui avait péché : « Je l'ai livré à Satan pour la destruction de sa chair », c'est-à-dire, puni de mort. Or quel est le fruit de cette mort, il le montre dans la suite en disant : « afin que l'esprit soit sauvé au jour de notre Seigneur Jésus-Christ[1] ». Tu vois bien que l'Apôtre a clairement expliqué l'utilité de cette mort. C'est ce qu'il dit : « Je l'ai livré pour la destruction de sa chair », c'est-à-dire pour l'affliction du corps qui est ordinairement subie par les pénitents[1] : il l'a nommée destruction de la chair ; toutefois cette destruction de la chair donne la vie à l'esprit. Donc aujourd'hui encore, s'il arrive que l'un de nous se rappelle en lui-même la conscience de quelque péché, si quelqu'un se connaît coupable d'une faute, qu'il cherche refuge dans la pénitence et reçoive une destruction volontaire de sa chair : qu'ainsi purifié dans la vie présente, notre esprit net et pur se hâte vers le Christ notre Seigneur, « à qui est gloire et puissance pour les siècles des siècles. Amen[m] ».

tion de la chair », ou par la pénitence qui consiste dans « l'affliction du corps qui est ordinairement subie par les pénitents ». **Cf.** K. RAHNER, *Doctrine,* p. 77 et 428.

HOMILIA XV

De venditionibus domorum et redemptionibus.

1. Tres diversas leges de domorum venditionibus et redemptionibus per Moysen in Levitico datas videmus, quarum continentiam primo secundum historiam pertractemus, ut post hoc etiam ad spiritalem sensum
5 possimus adscendere.

Domus quaedam sunt *in urbibus muratis*, quaedam *in vicis vel agris non habentibus muros*ᵃ. Ait ergo, ut, *si in civitate murata vendiderit quis domum, per annum integrum habeat copiam redimendi, post annum vero potestas recupe-*
10 *randi nulla conceditur. Erit* enim, inquit *domus ipsius emptori certa possessio, si intra annum liberare eam non potuerit, qui distraxit*ᵇ.

Secunda lex est, ut, *si domus, quae distracta est, in vico fuerit, qui murum non habet, cui tamen vico ager adiaceat,*
15 *liceat venditori et post annum et quandocumque potuerit, restituere pretium et recuperare quam distraxerat domum*ᶜ.

Tertia, lex est, ut, *si forte domus sit levitae vel sacerdotis, ubicumque fuerit talis domus, sive in civitate murata, sive in vico, cui murus non est, liceat semper et in omni tempore,*
20 *ut, quandocumque potuerit levita vel sacerdos, redimat domum suam*ᵈ; nec umquam sacerdotalem vel leviticam possessionem confirmari in alium, qui non sit eiusdem ordinis, divina iura permittunt.

1 a. Cf. Lév. 25, 29.31 ‖ b. Lév. 25, 29.30 ‖ c. Lév. 25, 31 ‖ d. Lév. 25,
32

XV

VENTE ET RACHAT DES MAISONS

1. Nous voyons trois lois différentes, données par Moïse dans le
Lévitiqve, sur la vente et le rachat des maisons. Traitons
d'abord de leur contenu selon l'histoire, afin de pouvoir
ensuite nous élever jusqu'à leur sens spirituel.

Certaines maisons se trouvent « dans des villes entourées
de murs », d'autres « dans des villages ou des champs qui
n'ont pas de mur[a] ». Il est dit : « Si quelqu'un vend une
maison dans une ville entourée d'un mur, que toute une
année dure son droit de rachat, mais après une année,
aucune faculté de la recouvrer n'est accordée. » En effet,
« l'acquéreur de cette maison en aura la possession assurée,
si durant l'année celui qui l'a vendue n'a pu la racheter[b]. »

Seconde loi : « Si la maison qui est vendue se trouve
dans un village n'ayant pas de mur et qu'un champ soit
proche du village, qu'on permette au vendeur, même
après une année et toutes les fois qu'il le peut, de restituer
le prix et de recouvrer la maison qu'il avait vendue[c]. »

Troisième loi : « Si la maison appartenait à un lévite ou
un prêtre, où qu'une telle maison se trouve, soit dans une
ville entourée d'un mur, soit dans un village n'ayant pas
de mur, qu'on permette toujours et en tout temps au
lévite et au prêtre, toutes les fois qu'ils le peuvent, de
racheter leur maison[d]. » Et le droit divin ne permet pas
que la propriété d'un prêtre ou d'un lévite soit jamais
garantie à un autre qui n'est pas de la même classe.

« **Trois lois** »

Istae sunt ergo leges, quibus utebatur populus ille prior,
25 etiam secundum hoc ipsum, quod per historiam designatur,
religiose satis et pie sacerdotalibus vel leviticis ordinibus
consulentes.

2. Sed citius haec referamus ad nos, quibus lex Christi,
si eam sequamur, nec possessiones in terra nec in urbibus
domos habere permittit. Et quid dico domos ? Nec plures
tunicas[a] nec multam concedit possidere pecuniam :
5 *Habentes* enim, inquit *victum et vestitum, his contenti
simus*[b]. Quomodo ergo nos datas de domibus, sive *intra
civitatem muratam* positis sive *in vicis, quibus muri non
sunt*, observabimus leges ?

Invenimus in aliis Scripturae locis quod sermo divinus
10 maiore quodam sacramento nominet domum, ut cum
dicit de Iacob et quasi pro laude eius ponit : *Erat enim*
inquit *Iacob homo simplex, habitans domum*[c]. Et iterum
invenio de obstetricibus Hebraeorum scriptum : *Et quia*
inquit *timebant Deum obstetrices, fecerunt sibi domos*[d].
15 Videmus ergo quod obstetricibus quidem faciendarum
domorum causa fuerit timor Dei, Iacob vero simplicitas
et innocentia causam dederit, ut *habitaret domum*. Denique
Esau, quia malus fuit, non est scriptum de eo quia habi-
taverit domum, nec de alio aliquo scriptum est quia
20 aedificaverit sibi domum, qui non habuerit timorem Dei.

---

2 a. Cf. Mc 6, 9 ‖ b. I Tim. 6, 8 ‖ c. Gen. 25, 27 ‖ d. Ex. 1, 21

---

1. A une rapide allusion aux maisons matérielles dont traite
la Loi au sens littéral, succédera un développement sur la maison
spirituelle ou céleste qu'on n'acquiert qu'au prix des vertus, spécia-
lement de la charité. Entre les deux est rappelée la consigne de
pauvreté donnée par le Christ, entendue au sens strict. Ailleurs,
même rigueur : « Le Christ désavoue le disciple qu'il aura vu en
possession de quelque chose et celui qui ' ne renonce pas à tout ce

Telles sont les lois qui étaient en usage chez ce premier peuple ; même prises au sens selon l'histoire, elles pour-voyaient d'une façon très religieuse et pieuse aux besoins de l'ordre sacerdotal ou lévitique.

« Quelle maison ? »   **2.** Mais hâtons-nous de les appli-quer à nous-mêmes. La Loi du Christ, si nous la suivons, ne nous permet d'avoir ni possessions sur la terre, ni maisons dans les villes. Et que dis-je, de maisons ? Elle ne permet pas même de posséder plusieurs tuniques[a], ni une forte somme d'argent[1] ; car il est dit : « Quand nous avons nourriture et vêtement, soyons-en satisfaits[b]. » Comment donc observerons-nous des lois données au sujet de maisons situées, soit dans une ville entourée d'un mur, soit dans des villages n'ayant pas de mur ?

Nous trouvons dans d'autres passages de l'Écriture que la parole divine emploie ce mot de maison dans un sens mystérieux supérieur, comme quand elle dit de Jacob en quelque sorte à sa louange : « Jacob était un homme simple, habitant une maison[c]. » D'autre part, je trouve écrit, à propos des sages-femmes des Hébreux : « Parce qu'elles craignaient Dieu, les sages-femmes se bâtirent des maisons[d]. » On le voit : pour les sages-femmes, la raison de bâtir des maisons fut la crainte de Dieu, et pour Jacob, c'est la simplicité et l'innocence qui lui firent habiter une maison. Enfin, d'Ésaü, parce qu'il fut mauvais, il n'est pas écrit qu'il ait habité une maison ; et il n'est pas écrit de quelque autre n'ayant pas la crainte de Dieu, qu'il se soit construit une maison.

---

qu'il possède '. » Et le prédicateur s'accuse de n'avoir pas encore suivi l'exigence évangélique, redit l'idéal des ' prêtres du Seigneur ', rappelle l'exemple de Paul et de Pierre... *In Gen. hom.* 16, 5, *SC* 7 *bis*, p. 386 s. Au même problème, une réponse est proposée par Irénée, *Adv. haer.* 4, 30, 1 ; citée, *ibid.*, p. 388, n. 1.

Quae est ergo ista *domus* et quale aedificium est, Paulus Apostolus exponit apertius, cum dicit : *Domum habemus non manu factam, aeternam in caelis*[e]. Haec ergo est *domus*, quam aedificare nemo potest nisi timeat Deum. Haec est
25 *domus*, quam exstruere vel habitare nemo potest nisi in simplicitate mentis et puritate cordis. Sed quoniam accidere solet, ut etiam qui bene aedificaverit et domum sibi caelestem bene agendo et bene vivendo ac recte credendo construxerit, incurrat alicuius peccati debitum
30 et hanc a crudelissimo feneratore venumdare cogatur ac labores suos transfundere in alium, pietas et clementia legislatoris occurrit, ut intra certum tempus redimi possit.

Si tamen invenerit inquit *manus tua pretium, quod restituas*[f]. Quale *pretium* ? Paenitentiae sine dubio lacrimis
35 congregatum et manibus, id est labore boni operis inventum. *Annus* autem iste intelligi potest, quem venit vocare Dominus *annum acceptum*[g], quo dimittat confractos in remissionem et salutem delicta sua confitentibus praebeat.

Quod autem dicit *domum in civitate murata*[h], recte, ut
40 ego arbitror, *domus*, quae *in caelo*[i] esse dicitur, *in civitate murata* intelligitur. Murus est enim huiuscemodi domibus ipsum caeli firmamentum. Sed talem domum rari quique habere possunt, illi fortassis, *qui super terram ambulantes conversationem habent in caelis*[j] et de quibus dicit Apostolus :
45 *Dei aedificatio estis*[k].

Ceteri autem *in vicis* habent domos, *quibus non est murus*, est tamen iis adiacens ager fecundus, illi fortassis, qui sibi habitaculum praeparant *in terra viventium*[l] et

2 e. II Cor. 5, 1 ‖ f. Cf. Lév. 25, 26 ‖ g. Cf. Is. 49, 8 ; II Cor. 6, 2 ‖ h. Cf. Lév. 25, 30 ‖ i. Cf. II Cor. 5, 1 ‖ j. Phil. 3, 20 ‖ k. I Cor. 3, 9 ‖ l. Cf. Ps. 26, 13

Quelle est donc cette maison et quel est cet édifice,
l'apôtre Paul l'expose plus clairement quand il dit : « Nous
avons une maison qui n'est pas faite à la main, qui est
éternelle dans les cieux[e]. » Telle est la maison que nul ne
peut construire s'il ne craint Dieu. Telle est la maison que
nul ne peut construire ou habiter sinon dans la simplicité
d'esprit et la pureté du cœur. Mais comme il arrive
d'ordinaire que même celui qui a convenablement bâti et
s'est construit une maison céleste, par ses bonnes actions,
sa bonne conduite, sa foi droite, contracte la dette de
quelque péché et soit forcé par un très cruel créancier à
vendre et à transférer ses travaux à un autre, la piété et la
clémence du législateur interviennent pour qu'il puisse la
racheter avant un temps fixé.

Le prix, l'année   « Si toutefois ta main a trouvé la
somme à restituer[f]. » Quelle somme ?
Sans aucun doute, celle qui est amassée par les larmes de
la pénitence et procurée par les mains, c'est-à-dire le
travail d'une bonne œuvre. Et cette « année » peut être
comprise comme celle que le Seigneur vint proclamer
« année favorable[g] », où il admet les affligés à la rémission
et accorde le salut à ceux qui confessent leurs fautes.

Maisons   Pour l'expression « la maison dans
dans les villes,   une ville entourée d'un mur[h] », il est
dans les villages   correct, à ce que je crois, de comprendre : « la maison » que l'on dit être
« dans le ciel[i] », « dans une ville entourée d'un mur ». Car
le mur de ces sortes de maisons est le firmament même du
ciel. Maison telle, que bien rares sont ceux qui peuvent
l'avoir ; ceux-là peut-être qui « tout en cheminant sur la
terre ont leur cité dans les cieux[j] » et dont l'Apôtre dit :
« Vous êtes l'édifice de Dieu[k]. »

Les autres ont des maisons « dans des villages n'ayant
pas de mur », auxquels toutefois est juxtaposé un champ
fertile : ceux-là peut-être qui se préparent une habitation
« dans la terre des vivants[l] », et dans cette terre que le

in illa terra, quam *mansuetis* Dominus promittit dicens :
50 *Beati mites, quoniam ipsi haereditate possidebunt terram*[m].
Istas ergo domos, si forte aliqui, sicut supra exposuimus,
lapsus acciderit, *semper*[n] est recuperandi facultas, ut verbi
gratia dicamus, si nos aliqua culpa [mortalis] invenerit,
quae non in crimine mortali, non in blasphemia fidei,
55 quae muro ecclesiastici et apostolici dogmatis cincta est,
sed vel in sermonis vel in morum vitio consistat; hoc est
vendidisse domum, quae in agro est vel *in vico, cui murus
non est.* Haec ergo venditio et huiusmodi culpa semper
reparari potest nec aliquando tibi interdicitur de commissis
60 huiusmodi paenitudinem gerere. In gravioribus enim
criminibus semel tantum paenitentiae conceditur locus;
ista vero communia, quae frequenter incurrimus, semper
paenitentiam recipiunt et sine intermissione redimuntur.

3. *Quod si sacerdotalis fuerit* inquit *ista domus vel
levitica, ubicumque fuerit, sive in civitate sive in agro, semper
habet redemptionem*[a]. In hoc loco sacerdotalem sensum et
leviticam intelligentiam quaero. Non enim inferior esse
5 debet auditor horum, si fieri potest, illo ipso, qui haec
scripsit et sanxit. Quid est ergo, quod sacerdos et levita
domus suae *semper* et ubicumque fuerit, *habet redemptionem* ? Secundum spiritalem intelligentiam sacerdos mens
Deo consecrata dicitur et levita appellatur is, qui indesi-
10 nenter adsistit Deo et voluntati eius ministrat. Perfectio
ergo in intellectu et opere, in fide et actibus sacerdos et

---

2 m. Matth. 5, 5 ‖ n. Cf. Lév. 25, 31
3 a. Lév. 25, 32

---

1. « Il y a aussi dans le Royaume de Dieu ' une terre ' qui est
promise ' aux doux ', une terre qui est appelée ' terre des vivants '
et une terre placée dans les hauteurs dont le prophète dit aux justes :
' Et il t'élèvera pour que tu hérites de la terre '. » *In Num. hom.* 26, 5,

Seigneur a promise aux doux[1] : « Heureux les doux, car ils
posséderont la terre en héritage[m]. » Ces maisons, si d'aventure, comme on l'a envisagé plus haut, se produit quelque
chute, on a « toujours[n] » la possibilité de les racheter ; soit,
par exemple, dans le cas où une faute[2] s'abattrait sur
nous, consistant non pas dans un crime mortel, non pas
dans un blasphème contre la foi, laquelle est entourée du
mur de la doctrine ecclésiastique et apostolique, mais dans
un défaut de parole ou de conduite ; voilà ce qu'est « vendre
une maison » qui est dans la campagne ou « dans un
village n'ayant pas de mur ». Donc, cette vente, une faute
de cette sorte, peut toujours être réparée, et il ne t'est
jamais interdit de faire pénitence des péchés de ce genre.
Pour les crimes plus graves, on n'accorde qu'une seule fois
une place à la pénitence[3] ; mais ces fautes ordinaires
auxquelles nous sommes souvent exposés sont toujours
susceptibles de pénitence et de rachat sans délai.

**Maison du prêtre
ou lévite**

3. « Si cette maison appartient à un
prêtre ou à un lévite, où qu'elle se
trouve, dans une ville ou à la campa-
gne, il a toujours le droit de rachat[a]. » Dans ce passage, je
cherche un sens sacerdotal et une signification lévitique.
Car l'auditeur de ces paroles ne doit pas être inférieur, si
possible, à celui-là même qui les a écrites et fixées. Que
signifie donc que le prêtre et le lévite aient « toujours » et
où qu'elle se trouve, droit de rachat sur leur maison ?
Selon l'intelligence spirituelle, on dit prêtre l'âme consacrée
à Dieu, et on appelle lévite celui qui est sans cesse en
présence de Dieu et au service de sa volonté. C'est donc la
perfection dans l'intelligence et l'œuvre, dans la foi et les

---

GCS 7, p. 252, 22 s. Cf. *De princ.* 2, 3, 6, *SC* 252, p. 268 s. ; *In
Ps. 36, 30 hom.* 5, 4, *PG* 12, 1362 CD.

2. Pour la suppression de « mortalis », voir la note complémentaire 28.

3. Cf. *hom.* 2, 4 fin ; 11, 2 fin.

levita accipiendus est. Huic itaque perfectae menti si
acciderit aliquando *domum, quam habet non manu factam,
aeternam in caelis*[b], vendere et in manus alterius dare, sicut
15 contigit aliquando magno patriarchae David, cum *de
tecto suo* Uriae Getthaei *adspexit* uxorem[c], statim eam
redimit, statim reparat; statim enim dicit : *Peccavi*[d].

   Immo vero aliquid adhuc sublimius in hoc sensu debemus
inspicere, quomodo domus sacerdotum et levitarum, id
20 est perfectarum mentium semper delicta redimantur
semperque purgentur. Si quando Scripturas divinas legimus
et sanctorum patrum in his delicta aliqua recensemus, si
secundum Apostoli Pauli sententiam dicimus quia : *Haec
omnia in figura contingebant illis, scripta sunt autem
25 propter commonitionem nostram*[e], hoc modo *semper domus
eorum redimitur*, quia semper pro culpis eorum purgatio et
satisfactio a doctoribus adhibetur ostendentibus ex divinis
Scripturis formas fuisse haec et imagines rerum futurarum[f],
non quibus arguerentur delicta sanctorum, sed quibus
30 ostenderetur peccatores et impios in partem sanctorum
societatemque conscisci.

   Numquam ergo sacerdotalis possessio a sacerdote
separatur, etiamsi ad tempus fuerit ablata, etiamsi fuerit
distracta, *semper redimitur*, *semper* reparatur, velut si
35 diceret, *caritas*, quae *perfecta*[g] est, *omnia patitur, omnia
sperat, omnia tolerat, caritas numquam cadit*[h]. Sic ergo et

---

3 b. II Cor. 5, 1 ‖ c. Cf. II Sam. 11, 2 ‖ d. II Sam. 12, 13 ‖ e. I Cor.
10, 11 ‖ f. Cf. Hébr. 10, 1 ‖ g. Cf. I Jn 2, 5 ‖ h. Cf. I Cor. 13, 7.8

---

   1. Prêtres et lévites : « ceux qui sont consacrés à la parole divine
et réellement donnés au seul culte de Dieu », *In Jo.* 1, 2, *GCS* 4,
p. 5, 20. « Tous les lévites, c'est-à-dire tous ceux qui sans relâche
et sans cesse restent au service de Dieu et veillent la nuit à monter
pour lui la garde. » *In Num. hom.* 21, 1, *GCS* 7, p. 200, 2 s.
   2. Cette conclusion du grand passage allégorique de *I Cor.* 10, 1-10,
« Origène l'interprète dans son sens authentique, mais il applique

actes, que représentent le prêtre et le lévite[1]. Aussi,
arrive-t-il parfois à cette âme parfaite de vendre et de
passer aux mains d'un autre « la maison » qu'elle possède,
« non faite à la main, mais éternelle dans les cieux[b] »,
comme il advint un jour au grand patriarche David,
lorsque « de sa terrasse il aperçut » la femme d'Urie le
Hittite[c], qu'aussitôt elle la rachète, aussitôt la recouvre ;
car aussitôt elle dit : « J'ai péché[d]. »

Bien mieux, quelque chose de plus sublime dans ce
sens exige notre examen : comment les maisons des prêtres
et des lévites, à savoir les fautes des âmes parfaites, sont
toujours rachetées et toujours purifiées. Quand parfois
nous lisons les divines Écritures et y relevons quelques
fautes même des saints pères, si selon l'avis de l'apôtre
Paul[2] nous disons : « Tout cela leur arrivait en figure et
fut mis par écrit pour notre instruction[e] », c'est de cette
façon que « leur maison est toujours rachetée » : car
toujours pour leurs fautes, purification et satisfaction
sont reconnues par les docteurs montrant par les divines
Écritures que ces actes furent des figures et des images de
réalités futures[f], à dessein non de dénoncer les fautes des
saints, mais de montrer que les pécheurs et les impies sont
admis à l'héritage et à la communauté des saints.

Ainsi, jamais la propriété sacerdotale n'est séparée du
prêtre ; même si elle a été enlevée pour un temps, même si
elle a été vendue, elle est toujours rachetée, toujours
recouvrée ; ce qui revient à dire : « La charité » qui est
« parfaite[g] », « excuse tout, espère tout, supporte tout, la
charité ne passe jamais[h]. » Si donc la propriété et la

à toute la Bible ce que l'Apôtre affirmait de quelques événements
de l'Exode. Il l'invoque à propos de nombreux récits de l'Ancien
Testament et une fois au sujet d'un fait du Nouveau, la résurrection
de la fille de Jaïre. » H. CROUZEL, *Connaissance*, p. 287 ; nombreuses
références aux notes 7 et 8, dont le droit de rachat des lévites en
question ici.

possessio ac domus sanctorum *numquam cadit*, numquam aufertur, numquam ab eorum iure separatur. Quomodo enim separari a sacerdotibus potest domus, quae aedificata
40 est *supra fundamentum Apostolorum et prophetarum, in qua est ipse angularis lapis Christus Iesus*[1]? Quod autem possit aliquando domus ista distrahi, hoc est huiusmodi aedificatio incidere peccatum, audi Apostolus Paulus quomodo de talibus dicit : *Ut sapiens architectus funda-*
45 *mentum* inquit *posui, alius superaedificat, unusquisque autem videat, quomodo superaedificet. Fundamentum enim aliud nemo potest ponere praeter id, quod positum est, qui est Christus Iesus. Si quis autem supra fundamentum hoc aedificat aurum, argentum, lapides pretiosos, ligna, fenum,*
50 *stipulam*[j]. Vides ergo quia potest *supra fundamentum Christi aedificari ligna, fenum, stipula*, hoc est opera peccati; quae qui *aedificat*, sine dubio *vendidit domum suam* emptori pessimo, diabolo, a quo unusquisque peccan- tium peccati pretium consequitur, satisfactionem desiderii
55 sui. Hoc si forte incurrerit aliquis, quod absit, cito redimat, cito reparet, dum tempus est reparandi, dum paenitentiae locus est, deprecantes in commune, ne aeternae domus habitatione fraudemur, sed digni habeamur *recipi in aeterna tabernacula*[k], per Christum Dominum nostrum, *cui*
60 *est gloria et imperium in saecula saeculorum. Amen*[1]!

---

3 i. Cf. Éphés. 2, 20 ‖ j. I Cor. 3, 10-12 ‖ k. Cf. Lc 16, 9 ‖ l. Cf. I Pierre 4, 11 ; Apoc. 1, 6

---

1. L'énumération indique « la triple route du mal », *In Ex. hom.* 6, 3, *GCS* 6, p. 195, 3 s. ; ou encore, les mauvaises pensées,

maison des saints « ne passent jamais », jamais elles ne
sont enlevées, jamais séparées de leur droit. Car comment
pourrait être séparée des prêtres la maison qui est bâtie
« sur le fondement des apôtres et des prophètes, dont la
pierre angulaire est le Christ Jésus lui-même[1] » ? Que cette
maison puisse parfois être vendue, à savoir un édifice de
cette sorte tomber dans le péché, écoute ce qu'en dit
l'apôtre Paul : « Tel un sage architecte, j'ai posé le fondement, un autre bâtit dessus, mais que chacun prenne
garde à la manière dont il bâtit dessus. Car de fondement,
nul n'en peut poser d'autre que celui qui est posé, qui est
Jésus-Christ. Que si sur ce fondement on bâtit avec de l'or,
de l'argent, des pierres précieuses, du bois, du foin, de la
paille[j]... » Tu vois donc : sur ce fondement, le Christ, on peut
bâtir avec du bois, du foin, de la paille, c'est-à-dire les
œuvres du péché[1] : qui les « bâtit », nul doute qu'il « a vendu
sa maison » au pire des acheteurs, le diable, dont chacun
des pécheurs obtient comme prix de son péché la satisfaction de son désir. Si d'aventure quelqu'un tombe dans ce
malheur, ce qu'à Dieu ne plaise, qu'il rachète vite, qu'il
recouvre vite, pendant qu'il est temps de recouvrer,
pendant qu'il y a place pour la pénitence. Demandons
ensemble avec instance de n'être pas frustrés de l'habitation
de la demeure éternelle, mais d'être estimés dignes « d'être
admis dans les demeures éternelles[k] », par le Christ notre
Seigneur, « à qui est gloire et puissance pour les siècles
des siècles. Amen[l] ».

les actes honteux, les désirs de pécher ; c'est ce que brûle le Seigneur
« feu dévorant », lorsqu'il envahit une âme, *De princ.* 1, 1, 2 ; cf.
2, 10, 4, *SC* 252, p. 92 s. et 382. Voir *hom.* 14, 3.

HOMILIA XVI

De benedictionibus Levitici.

1. In agonibus corporalibus gradus quidam et differentiae singulorum quorumque observari ordinum solent, ut pro qualitate certaminum praemio remuneretur unusquisque victoriae. Verbi gratia, si inter pueros quis habeat agonem,
5 si inter iuvenes, si inter viros, quae per singulos ordines observatio haberi debeat, quid fieri liceat quidve non liceat, et quae certaminis regula custodiri, quid etiam post haec remunerationis mereatur palma vincentis, ipsis nihilominus agonicis legibus cautum est.

10 Ita et nunc omnipotens Deus observandae legis suae in hoc mundo agonem mortalibus ponens posteaquam tradidit observanda quam plurima et quid fieri, quidve non fieri deberet, adscripsit, convenienter ad ultimum iam Levitici librum, in quo de singulis quibusque observa-
15 tionibus constitutum est, quid muneris reportet qui impleverit et quid poenae subeat qui non observaverit, enuntiat.

Sed si lex, secundum quod Iudaei volunt et hi, qui eorum sensu Scripturas intelligendas putant, non est
20 *spiritalis*, sed carnalis, dubium non est quin observata carnaliter benedictiones quoque carnales observantibus tribuat. Si vero, ut Paulo videtur Apostolo, *lex spiritalis est*[a], sine dubio et spiritaliter observanda est et spiritalis

---

1 a. Cf. Rom. 7, 14

XVI

BÉNÉDICTIONS DU LÉVITIQUE

1. Dans les luttes corporelles, il est

**Combats,
récompenses**

d'usage d'observer les degrés et les différences des classes une à une, afin que, suivant la qualité des combats, chacun reçoive la récompense de sa victoire. Par exemple, pour une lutte entre enfants, ou entre jeunes gens, ou entre hommes, dans chaque classe le règlement à suivre, ce qui est permis et ce qui ne l'est pas, la règle du combat à observer, enfin la récompense que mérite la palme du vainqueur sont également fixés par les lois de la lutte.

De même ici, Dieu tout-puissant, établissant pour les mortels le combat de sa Loi à observer en ce monde, après avoir donné un grand nombre d'observances à pratiquer et fait inscrire ce qui doit être fait ou ne pas l'être, déclare comme il convient vers la fin du livre du *Lévitique*, où il a été statué sur chacune des observances, quelle récompense remporte celui qui les a accomplies et quelle peine subit celui qui ne les a point observées.

Si la Loi, comme le veulent les

**Bénédictions
spirituelles**

Juifs et ceux qui pensent que les Écritures doivent être comprises dans le sens qu'ils leur donnent, n'est pas spirituelle mais charnelle, il n'est pas douteux que son observation charnelle attire des bénédictions également charnelles à ceux qui la pratiquent. Mais si, comme le juge l'apôtre Paul, « la Loi est spirituelle[a] », sans nul doute elle doit être observée spirituellement, et c'est la récompense spirituelle des

est ex ea benedictionum speranda remuneratio. Totius
25 namque consequentiae est *spiritalem legem* benedictiones
dare spiritales et eiusdem nihilominus consequentiae est
etiam maledicta et condemnationes *legis spiritalis* non esse
corporeas. Sed ut indubitatum sit quod dicimus, ipsius
Pauli Apostoli voce utamur, qua ad Ephesios scribens de
30 spiritalibus benedictionibus hoc modo pronuntiat : *Bene-*
dictus inquit *Deus, et Pater Domini nostri Iesu Christi,*
qui benedixit nos in omni benedictione spiritali in caelestibus
in Christo [b]. Quoniam quidem sciebat nonnullos legentes de
benedictionibus posse in id prolabi, ut eas corporales
35 putarent et terrenas, voluit iis evidentius aperire, quae sit
divinarum benedictionum natura vel ubi quaerenda, et
ideo ait : *Qui benedixit nos* inquit *in omni benedictione*
spiritali in caelestibus in Christo.

Sed et hoc quod addidit : *in omni benedictione*, non est
40 otiosum, sed apostolicae vehementiae plenum. Nam quia
sciebat multa esse implenda, quae mandantur in lege, et
in unoquoque mandato proprios existere agones, in quibus
per singula benedictionem, qui vinceret, mereretur, ideo
dixit : *qui benedixit nos in omni benedictione spiritali*, ut
45 et plures eas ostenderet et spiritales. Potest autem in hoc
sermone, quo ait : *in omni benedictione spiritali*, et illud
intelligi, ut, verbi gratia, iustus quique et perfectus capiat
benedictiones Levitici, de quibus nunc sermo est, capiat
et eas, quae in libro Numerorum scriptae sunt [c], sed et illas,
50 quae in libro Genesis continentur benedictiones Noe ad
Sem et Iaphet [d] et benedictiones Isaac ad Iacob [e] et item
Iacob benedictiones ad Ioseph et ad Ephrem et Manassen [f],
et post haec ad duodecim patriarchas [g]. Quia ergo multae
sunt benedictiones positae in divinis Scripturis, quae

1 b. Éphés. 1, 3 ‖ c. Cf. Nombr. 24, 1 s. ‖ d. Cf. Gen. 9, 26 s. ‖
e. Cf. Gen. 28, 1 ‖ f. Cf. Gen. 48, 15.20 ‖ g. Cf. Gen. 49, 28

bénédictions qu'on peut espérer d'elle. Il est en effet
d'une logique parfaite qu'une loi spirituelle donne des
bénédictions spirituelles, et d'une logique non moins
parfaite que même les malédictions et les condamnations
de la Loi spirituelle ne soient pas corporelles. Et pour
mettre hors de doute ce que nous disons, ayons recours à la
voix de l'apôtre Paul lui-même ; écrivant aux Éphésiens
sur les bénédictions spirituelles, il fait cette déclaration :
« Béni soit le Dieu et Père de notre Seigneur Jésus-Christ
qui nous a bénis de toute bénédiction spirituelle dans les
régions célestes, en Christ[b]. » Comme il savait que certains
lecteurs, au sujet des bénédictions, pouvaient s'abaisser à
les juger corporelles et terrestres, il a voulu leur découvrir
plus clairement la nature des bénédictions divines ou bien
le lieu où on doit les chercher, c'est pourquoi il dit : « Il
nous a bénis de toute bénédiction spirituelle dans les
régions célestes, en Christ. »

De plus, l'addition « de toute bénédiction spirituelle »
n'est pas inutile, mais remplie de l'énergie apostolique.
C'est qu'il savait qu'il y a beaucoup de choses à accomplir
qui sont commandées par la Loi, que chaque commandement implique ses combats, et que pour chacun d'eux,
celui qui vaincrait mériterait une bénédiction ; pour cette
raison il a dit : « qui nous a bénis de toute bénédiction
spirituelle » voulant montrer que les bénédictions sont
nombreuses et spirituelles. Et dans cette parole « de toute
bénédiction spirituelle », on peut comprendre, par exemple,
que chaque juste parfait reçoit les bénédictions du *Lévitique*
dont il est ici question, et reçoit aussi celles qui sont
écrites dans le livre des *Nombres*[c], et encore celles qui sont
contenues dans le livre de la *Genèse*, bénédictions de Noé
sur Sem et Japhet[d], bénédictions d'Isaac sur Jacob[e], et de
même, bénédictions de Jacob sur Joseph, et sur Éphrem
et Manassé[f], puis sur les douze patriarches[g]. Il y a donc
beaucoup de bénédictions dans les divines Écritures, qui

55 videntur quidem ad unumquemque sanctorum, verbi
gratia, ad Sem vel Iaphet aut Ioseph dirigi, non tamen,
ut quibusdam videtur, ita in illos solos diriguntur, ut
alius ex his participare non possit, idcirco eas *spiritales*[h]
Apostolus nominavit, ut, quicumque effici potuerit in
60 virtute et spiritu, verbi gratia, Sem vel Iaphet vel Ioseph
aut Isaac aut Iacob, sicut et Iohannes fuit *in spiritu et
virtute Heliae*[1], possit etiam ipse benedictionis illius
particeps fieri, cuius virtutem et spiritum gesserit.

2. Sed videamus nunc in Levitico benedictionum quod
sit exordium. *Si* inquit *in praeceptis meis ambulaveritis,
et mandata mea custodieritis et feceritis ea*[a]. Tria sunt, quae
dicit : *in praeceptis ambulandum, mandata custodienda et*
5 *facienda. quae mandata sunt.* Unde videtur mihi praeceptum
esse, verbi gratia, cum iubetur, ut ille qui sabbatum non
servavit, *ab omni synagoga lapidetur*[b], aut *qui maledixit
Deum, ut lapidibus perimatur*[c], et si qua iubentur huiusmodi.
Mandata vero esse, quibus iubetur, verbi causa, decimas
10 offerri levitis[d] vel *ter in anno apparere Domino*[e] vel *non
apparere vacuum in conspectu Domini*[f]. *Custodire* est ergo
mandatum intelligere vel advertere, quae iubentur; *facere*
autem *mandatum* implere est, quae iubentur. Sic ergo
intelligendum puto, quod dixit : *Si in praeceptis meis
15 ambulaveritis, et mandata mea custodieritis et feceritis ea*[g].

1 h. Cf. Éphés. 1, 3 ‖ i. Cf. Lc 1, 17
2 a. Lév. 26, 3 ‖ b. Cf. Nombr. 15, 35 ‖ c. Cf. Lév. 24, 15 ‖ d. Cf.
Nombr. 18, 21 ‖ e. Cf. Ex. 23, 17 ‖ f. Cf. Ex. 23, 15 ‖ g. Lév. 26, 3

1. Cf. *In Ez. hom.* 4, 4, *GCS* 8, p. 364, 27 s.

semblent adressées à chacun des saints[1], par exemple à
Sem ou Japhet ou Joseph, non pourtant qu'elles soient
adressées, comme il semble à certains, à eux seuls au point
qu'un autre ne puisse y avoir part ; pour cette raison
l'Apôtre les a nommées spirituelles[h], afin que quiconque a
pu être établi dans la puissance et l'esprit, par exemple
Sem ou Japhet ou Joseph ou Isaac ou Jacob, comme aussi
Jean fut « dans l'esprit et la puissance d'Élie[i] », puisse lui
aussi avoir part à la bénédiction de celui dont il exerce la
puissance et l'esprit.

**Début
des bénédictions**
2. Voyons maintenant le début des
bénédictions dans le *Lévitique* : « Si
vous marchez selon mes préceptes,
gardez mes commandements et les mettez en pratique[a]. »
Trois prescriptions : marcher selon les préceptes, garder les
commandements[2], mettre en pratique ce qui est commandé.
D'où, me semble-t-il, il y a précepte quand par exemple on
ordonne que celui qui n'a pas gardé le sabbat « soit lapidé
par toute l'assemblée[b] », ou « que celui qui a maudit Dieu
soit écrasé sous les pierres[c] » ou si l'on ordonne une chose
de ce genre. Mais il y a des commandements par lesquels
on ordonne par exemple d'offrir la dîme aux lévites[d], ou
« de se présenter trois fois l'an au Seigneur[e] », ou « de ne pas
se présenter les mains vides devant le Seigneur[f] ». Donc,
« garder le commandement » c'est comprendre ce qui est
commandé ou y être attentif ; « mettre en pratique le
commandement » c'est accomplir ce qui est ordonné.
Ainsi faut-il, je pense, comprendre la parole : « Si vous
marchez selon mes préceptes, gardez mes commandements
et les mettez en pratique[g]. »

---

2. Cf. *hom.* 11, 2. Énumérations plus complètes avec exemples :
In Ex. hom. 10, 1 et *In Num. hom.* 11, 1, *GCS* 6, p. 245, 6 s. et 7,
p. 75, 20 s. ; *Sel. in Ex.* 21, 1, *In Ps.* 18, 8-10, *In Ps.* 118, 1, *PG*
12, 293 B, 1249 AC, 1585 D.

Sed videamus, quae sit prima benedictio his, qui ea,
quae mandantur, impleverint. *Dabo* inquit *pluviam vobis
in tempore suo*[h]. Igitur primo ad Iudaeos dicamus et eos,
qui simpliciter vel corporaliter haec intelligenda opinantur :
20 si *pluvia* haec tamquam remuneratio pro laboribus datur
his, qui *mandata custodiunt*, quomodo et his, qui mandata
non servant, una atque eadem datur *pluvia* temporibus
suis et universus mundus communibus utitur pluviis a
Deo datis ? *Pluit* enim *super iustos et iniustos*[i]. Quod si
25 *iustis et iniustis* datur *pluvia*, non erit eximia remuneratio
his, qui mandata servaverint. Vide ergo quia, etiamsi Iudaei
non adquiescunt verbis Iesu Domini nostri, tu tamen, qui
nomine eius censeris et Christianus appellaris, debes ei
credere dicenti quia Pater suus caelestis communem hanc
30 pluviam *pluit super iustos et iniustos* et non debes putare
quia *iustis* eximiam separaverit portionem hanc, quam
communem posuit etiam cum *iniustis*.

Quaeramus ergo in Scripturis quae sit *pluvia*, quae
sanctis tantummodo datur et de qua *mandatur nubibus*,
35 *ne pluant pluviam istam*[j] super iniustos. Quae ergo sit
ista *pluvia*, ipse nos Moyses horum legislator edoceat.
Ipse enim dicit in Deuteronomio : *Attende, caelum, et
loquar, et audiat terra verba ex ore meo ; exspectetur sicut
pluvia eloquium meum*[k]. Numquid mea verba sunt ista ?
40 Numquid rhetoricis argumentis sensum divinae legis
violenter inflectimus ? Nonne Moyses est, qui dicit *pluviam*
esse, quod loquitur ? *Exspectetur* inquit *sicut pluvia
eloquium meum, et descendant sicut ros verba mea, sicut*

---

2 h. Lév. 26, 4 ‖ i. Matth. 5, 45 ‖ j. Cf. Is. 5, 6 ‖ k. Cf. Deut. 32, 1-2

---

1. « Chacun des saints est un nuage. Moïse était un nuage, et c'est
comme nuage qu'il disait... ' Que mon enseignement soit attendu
comme la pluie '... ; de la même manière, c'est en tant que nuage

« Pluie »   Mais voyons la première bénédiction
               sur ceux qui accomplissent ce qui est
commandé : « Je vous donnerai la pluie en son temps[h]. »
Disons d'abord aux Juifs et à ceux qui pensent qu'on doit
l'entendre simplement et corporellement : si cette pluie
est donnée comme récompense pour leurs labeurs à ceux
qui gardent les commandements, comment une seule et
même pluie est-elle donnée en son temps aussi à ceux qui
ne gardent pas les commandements, et le monde entier
profite-t-il des pluies communes données par Dieu ? Car
« il fait pleuvoir sur les justes et les injustes[1] ». Et si la
pluie est donnée aux justes et aux injustes, elle ne sera pas
une récompense privilégiée à ceux qui gardent les commandements. Vois dès lors que, même si les Juifs n'admettent
pas les paroles de notre Seigneur Jésus, toi du moins, qui
es désigné par son nom, appelé chrétien, tu dois le croire
quand il dit que son Père céleste « fait pleuvoir » cette
pluie commune « sur les justes et les injustes », et tu ne
dois pas penser qu'a été réservée aux justes comme
privilégiée cette part qu'il a faite commune même avec les
injustes.
    Cherchons dans les Écritures quelle pluie est donnée
seulement aux saints, et à propos de laquelle « il est
interdit aux nuages de pleuvoir cette pluie[j] » sur les
injustes. Quelle est donc cette pluie, que Moïse lui-même,
l'auteur de ces lois nous l'enseigne. Il dit en effet dans le
Deutéronome : « Ciel prête l'oreille et je parlerai, et que la
terre entende les paroles de ma bouche ; que mon langage
soit attendu comme la pluie[k]. » Est-ce que ces paroles
sont de moi ? Est-ce que j'infléchis violemment le sens de
la Loi divine par des arguments de rhéteur ? N'est-ce pas
Moïse qui déclare que la pluie[1], c'est ce qu'il dit ? « Que
mon langage soit attendu comme la pluie et que mes paroles

qu'Isaïe déclare aussi ' Écoute, ciel, et tends l'oreille, terre, parce
que le Seigneur a parlé ! ' » *In Jer. hom.* 8, 4, SC 232, p. 364, 26 s.

imber super gramen, et sicut nix super fenum[1]. Intende
45 diligenter, auditor, ne putes nos vim facere Scripturae
divinae, cum docentes Ecclesiam dicimus vel aquas vel
imbres vel alia, quae corporaliter dici videntur, spiritaliter
sentienda. Audi Moysen, quomodo verbum legis nunc
pluviam nominat, nunc *rorem* vocat, nunc *imbrem*, nunc
50 etiam *nivem* dicit.

Et sicut Moyses varia et diversa proloquitur tamquam
ex gratia multiformis Dei sapientiae proloquens, ita et
Esaias cum dicit : *Audi, caelum, et percipe auribus, terra,*
quoniam Dominus locutus est[m]. Sed et unusquisque prophe-
55 tarum cum aperuerit os, imbres deducit *super faciem*
terrae[n], hoc est auribus et cordibus auditorum.

Hoc sciens et Apostolus Paulus dicebat : *Terra enim*
venientem saepius super se bibens imbrem et generans herbam
opportunam his, a quibus colitur, accipit benedictiones a Deo ;
60 *quae autem protulerit spinas et tribulos, reproba est et*
maledicto proxima, cuius finis ad exustionem[o]. Numquid
haec Apostolus de terra hac dixit ? Sed nec accipit terra
benedictiones a Deo, *cum imbres biberit* et fructum pro-
duxerit ; sed neque si *spinas ac tribulos* post pluviam
65 *protulerit*, consequitur maledictiones a Deo.

Sed nostra terra, id est nostrum cor, si suscipiat
frequenter venientem super se pluviam doctrinae legis et
attulerit fructum operum, accipit benedictiones. Si vero

---

2 l. Deut. 32, 2 ‖ m. Is. 1, 2 ‖ n. Cf. Éz. 34, 26 ; Gen. 8, 8 ‖ o.
Hébr. 6, 7-8

---

1. « Si on s'est montré une terre qui porte des fruits... Si désormais
nous sommes ' terre ' et non plus ' élément sec ', apportons à Dieu
des fruits abondants et variés, pour être nous aussi bénis du Père...
et pour que s'accomplisse en nous la parole de l'Apôtre (*Hébr.* 6, 7-8). »
In Gen. hom. 1, 2.3, *SC* 7 *bis*, p. 32, 90 s. et 34, 10 s. « Nous tous,
tant que nous sommes stériles, que nous ne produisons aucun fruit
de justice, aucun de chasteté, aucun de piété, nous sommes ' l'élément

descendent comme la rosée, comme l'ondée sur le gazon,
et comme la neige sur l'herbe[1] ! » Fais bien attention,
auditeur : ne crois pas que nous fassions violence à la
divine Écriture lorsque, enseignant l'Église, nous disons
que les eaux, ou la pluie, ou autres choses qui paraissent
dites corporellement doivent être comprises spirituellement. Entends Moïse tantôt nommer pluie la parole de la
Loi, tantôt l'appeler rosée, tantôt la dire ondée, tantôt
même neige.

Et de même que Moïse a des expressions diverses et
variées comme dictées par la grâce de la sagesse multiforme de Dieu, de même encore Isaïe, quand il dit : « Ciel,
écoute, terre, prête l'oreille, car le Seigneur parle[m]. » De
plus chacun des prophètes quand il ouvre la bouche, fait
descendre des ondées « sur la face de la terre[n] », à savoir
dans les oreilles et les cœurs des auditeurs.

L'apôtre Paul le savait bien, qui disait : « Lorsqu'une
terre boit l'ondée qui tombe fréquemment sur elle et
produit une végétation utile à ceux qui la cultivent, elle
reçoit de Dieu des bénédictions ; mais produit-elle épines
et chardons, elle est réprouvée, bien proche de la malédiction, et finalement on la brûle[o]. » Est-ce que l'Apôtre a
dit cela de cette terre ? Mais la terre, ni ne reçoit de
bénédictions de Dieu quand elle a bu des ondées et produit
son fruit, ni n'encourt de malédictions de Dieu si après
la pluie elle a produit épines et chardons.

Mais notre terre, c'est-à-dire notre cœur, si elle accueille
« la pluie » de la doctrine de la Loi « qui tombe fréquemment
sur elle » et si elle porte le fruit des œuvres[1], elle reçoit
des bénédictions. Si au contraire elle n'a pas d'œuvre

---

sec '. Mais si nous commençons à nous cultiver, à exciter nos âmes
paresseuses, à produire des vertus, nous devenons, au lieu ' d'élément
sec ', une ' terre ' qui multiplie en une riche moisson les semences
de la parole de Dieu qu'elle a reçues. » In Num. hom. 26, 5, GCS 7,
p. 252, 17 s.

non opus spiritale, sed *spinas et tribulos* id est sollicitudines
70 saeculi, habeat aut voluptatum et divitiarum cupiditates,
*reproba est et maledicto proxima, cuius finis erit ad exustio-
nem.* Propterea unusquisque auditorum cum convenit ad
audiendum, suscipit *imbrem* verbi Dei; et si quidem
fructum attulerit operis boni, *benedictionem* consequetur;
75 si vero susceptum Dei verbum contempserit et frequenter
audita neglexerit ac sollicitudini se rerum saecularium
libidinique subiecerit, tamquam qui *spinis* suffocaverit
verbum, *maledictionem* pro benedictione conquiret et pro
beatitudinis fine *finem exustionis* inveniet.
80   *Dabo* ergo, inquit *vobis pluviam in tempore*[p]. Necessario
addidit et *in tempore.* Sicut enim imber iste terrenus, si
importune veniat, id est cum messis colligitur, cum
frumenta teruntur in areis, obesse magis quam prodesse
videbitur, ita et hi, quibus *pluvia* verbi Dei ministranda
85 committitur, observare debent hoc, quod dicit Scriptura,
ut *in tempore* praebeant, id est ne crapulato et ebrio verbum
Dei ingerant nec occupato in aliis animo, cum attentus
esse non potest vel cum alicuius vitii languore constrictus
est et non doctori, sed morbo proprio interior praestatur
90 auditus. Prudenter ergo coniciat, ubi potest vacare mens,
ubi sobrius, ubi vigilans, ubi intentus auditor est et ibi
pluviam ministret *in tempore*; sic et *tritici mensuram
servus fidelis et prudens* in Evangelio *conservis dare* iubetur
in tempore[q].
95   Sed et alio modo possumus intelligere hoc, quod
mandatur *imber dandus in tempore.* Puer est aliquis et
parvulus in fide : indiget pluviam, sed *lactis pluviam*[r];
sic enim dicit ille, qui sciebat *pluvias in tempore* dispensare :

---

2 p. Lév. 26, 4 ‖ q. Cf. Lc 12, 42 ‖ r. Cf. Rom. 14, 1 ; I Cor. 3, 2

spirituelle mais des « épines et des chardons », c'est-à-dire
les soucis du siècle ou les convoitises des plaisirs et des
richesses, « elle est réprouvée, bien proche de la malédiction,
et finalement on la brûle ». C'est pourquoi chacun des
auditeurs, quand il vient pour écouter, reçoit l'ondée de
la parole de Dieu ; et s'il porte le fruit d'une bonne œuvre,
il obtiendra une bénédiction ; mais s'il méprise la parole de
Dieu qu'il a reçue, néglige ce qu'il a entendu fréquemment,
se livre au souci des affaires séculières et à la passion,
comme celui qui étouffe la parole sous « les épines », il
recevra une malédiction au lieu d'une bénédiction, et au
lieu d'une fin dans la béatitude trouvera « une fin dans le
feu ».

« En son temps »   « Je vous donnerai la pluie en son
temps[p]. » Il était nécessaire d'ajouter
« en son temps ». Car de même que cette ondée de la terre
si elle survient à contre-temps, comme quand on récolte la
moisson, quand on bat le blé sur l'aire, semblera plus
nuisible qu'utile, de même ceux auxquels est confiée la
pluie de la parole de Dieu à répandre doivent observer ce
que dit l'Écriture : l'offrir « en son temps », c'est-à-dire ne
pas présenter la parole de Dieu au buveur et à l'ivrogne, ni
à l'âme occupée à autre chose, quand elle ne peut être
attentive ou qu'elle est rivée à la maladie de quelque vice,
et qu'elle prête l'oreille intérieure non à celui qui enseigne
mais à sa maladie propre. Qu'il conjecture donc avec
prudence le moment où l'âme est disponible, où l'auditeur
est sobre, où il est éveillé, où il est attentif, et qu'alors il
lui fournisse la pluie en son temps ; ainsi, dans l'Évangile,
ordonne-t-on que « le serviteur fidèle et prudent donne en
son temps la mesure de froment aux autres serviteurs[q] ».

De plus, nous pouvons comprendre d'une autre manière
encore cet ordre de donner « la pluie en son temps ». Voici
un enfant, « tout petit dans la foi » : il a besoin de pluie,
mais d'une pluie de lait[r] ; c'est l'affirmation de celui qui
savait dispenser les pluies en leur temps : « C'est du lait à

Lac vobis potum dedi, non escam; nondum enim poteratis[s].
100 Profecit post haec in fide, *crevit aetate et sapientia*[t] : aptus
sine dubio factus est, qui *solidiorem* percipiat *cibum*[u].
Infirmatur aliquis et non pro tempore, sed pro infirmitate
capere non potest quae robusta sunt; verbi causa, non
potest plene de castitate capere sermonem : oportet
105 compati et metiri doctrinam pro virium qualitate et
concedi talibus nuptias. Hoc est *oleribus* pascere *infirmum*[v]
et ad huiuscemodi mensuras animae aptare velut tenuem
et *rori* similem *pluviam* verbi. Est autem alia terra, quae
potest suscipere validos *imbres*, ferre etiam *flumina*[w]
110 verbi Dei et rapidos portare *torrentes*. De his enim talibus
propheta dicit in Psalmis : *Et torrentem voluptatis tuae
potum dabis illis*[x].

3. *Dabo* ergo, inquit *vobis pluviam in tempore suo, et
dabit terra nativitates suas*[a]. Post primam benedictionem
pluviae ista secunda est, qua dicitur *terra* suscepta pluvia
dare nativitates suas. Invenimus quia et Isaac benedicens
5 Iacob : *Det tibi* inquit *Dominus a rore caeli et ab ubertate
terrae plenitudinem frumenti et vini*[b]. Putasne tale frumentum in benedictione dabat Isaac filio suo Iacob, quale
habent et peccatores homines et quali abundabat etiam
impius Pharao ? Haecine erat tanti patriarchae benedictio ?
10 Vis tibi adhuc ostendam, quomodo et alii iniqui habeant
multitudinem frumenti ? Intuere illum in Evangelio,
cuius *ager multos attulit fructus, qui dicit: Destruam horrea
mea et maiora reaedificabo et dicam animae meae: anima,
habes multa bona reposita in annos multos; manduca, bibe
15 et laetare*[c]. Talia ergo credimus esse bona, quae divinis
benedictionibus sanctis quibusque et fidelibus tradebantur?

2 s. I Cor. 3, 2 ‖ t. Cf. Lc 2, 52 ‖ u. Cf. Hébr. 5, 14 ‖ v. Cf. Rom.
14, 2 ‖ w. Cf. Jn 7, 38 ‖ x. Ps. 35, 9
3 a. Lév. 26, 4 ‖ b. Gen. 27, 28 ‖ c. Lc 12, 16.18-19

boire que je vous ai donné, non un aliment solide ; vous ne pouviez encore le supporter[s]. » Puis, il progresse dans la foi, « il grandit en âge et en sagesse[t] » ; il est devenu apte sans aucun doute à prendre une nourriture plus solide[u]. Voici un faible : en raison non du temps mais de sa faiblesse, il ne peut prendre ce qui est solide ; par exemple, il ne peut saisir entièrement la doctrine sur la chasteté ; il faut être compatissant, mesurer la doctrine à la qualité de ses forces et permettre les noces à de tels gens. C'est là nourrir le faible de légumes[v], et adapter aux capacités d'une telle âme comme une pluie de la parole fine et semblable à la rosée. Mais il est une autre terre qui peut recevoir de fortes ondées, supporter même des fleuves de la parole de Dieu et porter des torrents rapides[w]. Car de ceux qui en sont là, le prophète dit dans les Psaumes : « Au torrent de tes délices tu les feras boire[x]. »

3. « Je vous donnerai la pluie en son temps, et la terre donnera ses produits[a]. » Après la première bénédiction de la pluie, voici la seconde disant que la terre, une fois la pluie reçue, « donne ses produits ». Nous trouvons qu'Isaac aussi, bénissant Jacob, dit : « Que Dieu te donne rosée du ciel, gras terroir, froment et vin à profusion[b]. » Penses-tu que dans sa bénédiction Isaac donnait à son fils Jacob de ce froment qu'ont aussi les hommes pécheurs et que même l'impie Pharaon avait en abondance ? Était-ce là une bénédiction d'un si grand patriarche ? Veux-tu encore que je te montre que d'autres impies ont du froment en quantité ? Considère, dans l'Évangile, celui dont le champ avait beaucoup rapporté, qui dit : « J'abattrai mes greniers, j'en construirai de plus grands et je dirai à mon âme : Mon âme tu as beaucoup de biens en réserve pour plusieurs années ; mange, bois et réjouis-toi[c]. » Croyons-nous donc que voilà des biens accordés par les bénédictions divines à chacun des saints et des fidèles ?

« Produits de la terre »

Alios ego terrae fructus adspicio et aliter multitudinem *nativitatis* intueor. Si enim *terra* mea afferat fructum, si *nativitates suas* ex Domini benedictione producat, intelliget
20 sensus meus et explicare poterit, quae qualisve sit ista *terra*, quae accepta caelesti pluvia *nativitates* proferat rationabilium frugum. Testimonium de Evangeliis sume, quomodo *exiit qui seminat seminare et aliud quidem cecidit secus viam, aliud autem super petram, aliud super spinas,*
25 *aliud autem super terram bonam.* Si ergo ea, quae *ceciderunt super terram bonam*, attulerint fructum, *dedit terra fructum suum* et *nativitates suas*, produxit *centesimum et sexagesimum et tricesimum*[d].

4. *Sed et ligna* inquit *camporum dabunt fructum suum*[a]. Habemus intra nosmet ipsos et *ligna camporum, quae fructum suum producunt.* Quae sunt ista *ligna camporum, quae fructum suum producunt?* Dicit fortassis auditor :
5 quid iterum hic euresilogus agit ? Quid undecumque verba conquirit, ut explanationem lectionis effugiat ? Quomodo intra nos esse *ligna* docebit et arbores ? Si non temere obtrectes, iam nunc audies quia : *Non potest arbor bona malum fructum facere, neque arbor mala fructum bonum*
10 *facere*[b]. Habemus ergo arbores intra nos sive bonas sive malas; et quae bonae sunt, *fructus malos afferre non possunt*, sicut quae *malae* sunt, *fructus non afferunt bonos.* Vis tibi et arborum ipsarum, quae intra nos sunt, vocabula et appellationes expediam ? Non est ficus nec malum

3 d. Matth. 13, 3 s.
4 a. Cf. Lév. 26, 4 ‖ b. Matth. 7, 18

1. « Voyons comment Dieu, dans sa sagesse, créait également les arbres en l'homme, monde en raccourci. » PHILON, *De plant.* 28, tr. J. Pouilloux. Mais Origène appuie son interprétation du texte cité de l'A.T. sur une parole de Jésus qui éclaire d'autres passages scripturaires. Ainsi, le symbolisme végétal est justifié de la même

Pour moi, j'aperçois d'autres fruits de la terre, et
j'envisage autrement l'abondance de sa production. De
fait, si ma terre porte du fruit, si par la bénédiction du
Seigneur elle fait pousser ses produits, mon intelligence
comprendra et pourra expliquer de quelle sorte est cette
terre qui, une fois reçue la pluie céleste, présente ses
produits de moissons spirituelles. Prends le témoignage
des Évangiles : « Le semeur est sorti pour semer, et une
partie du grain est tombé au bord du chemin, une autre
sur la pierre, une autre sur les épines, une autre enfin sur
la bonne terre. » Si donc ce qui « est tombé sur la bonne
terre » a porté du fruit, « la terre a donné son fruit » et
« ses produits », elle en a produit « cent, soixante, trente[d] ».

« Arbres, fruits »   **4.** « De plus, les arbres des champs
donneront leurs fruits[a]. » Nous avons
à l'intérieur de nous-mêmes « des arbres des champs qui
portent leurs fruits ». Quels sont « ces arbres des champs
qui portent leurs fruits » ? L'auditeur dit peut-être : Que
va encore faire cet inventeur de mots ? Qu'a-t-il à chercher
n'importe où ses termes, pour se soustraire à l'explication
de la lecture ? Comment va-t-il enseigner qu'à l'intérieur
de nous il y a du bois et des arbres ? Si tu n'es pas un
détracteur étourdi, voici ce que tu vas entendre : « Un bon
arbre ne peut pas porter du mauvais fruit, ni un mauvais
arbre porter du bon fruit[b]. » Nous avons donc à l'intérieur
de nous des arbres ou bons ou mauvais[1] ; et les bons ne
peuvent porter de mauvais fruits, comme les mauvais ne
portent pas de bons fruits[2]. Veux-tu que je te fasse
connaître les noms dont s'appellent ces arbres, à l'intérieur
de nous ? Il n'y a point de figuier, de pommier ou de

---

manière que le sont habituellement les autres, par l'autorité de
l'Écriture. Cf. *Introd.* p. 47 s.

2. Sur cette fructification bonne ou mauvaise, cf. *In Jos. hom.* 22, 4,
SC 71, p. 444 s.

15 nec vitis, sed una arbor iustitia vocatur, alia prudentia,
alia fortitudo, alia temperantia nominatur. Et si vis,
maiorem adhuc arborum multitudinem disce, quibus
fortassis dignius putabitur consitus etiam paradisus Dei.
Est enim ibi arbor pietatis, est et alia arbor sapientiae,
20 est et alia disciplinae, est et alia *scientiae boni et mali.*
Super omnia vero est *arbor vitae*ᶜ. Non tibi magis videtur
quod *Pater* caelestis *agricola*ᵈ huiusmodi arbores in anima
tua excolat et huiusmodi plantaria in tua mente constituat ?
Sic ergo dicit Salvator : *Non potest arbor mala bonos*
25 *fructus facere, neque bona malos fructus facere*ᵉ. Hoc est
quod docet : arbor pudicitiae *bona* est, non potest afferre
fructus impudicitiae; arbor iustitiae *bona* est et afferre
fructus iniustitiae non potest. Sic et e contrario si habeas
malae arboris radicem in tua mente plantatam, *bonos*
30 reddere non potest *fructus.* Si enim sit in te radix malitiae,
fructus non dabit *bonos*; si sit intra cor tuum stultitiae
planta, numquam proferet sapientiae florem; si iniustitiae,
si iniquitatis arbor sit, numquam huiusmodi ligna gaudere
bonis fructibus possunt. Si ergo servemus mandata Dei,
35 suscepta *pluvia* verbi Dei, de qua superius diximus, etiam
arbores, quae in campis animae nostrae et cordis nostri

---

4 c. Cf. Gen. 2, 9 ‖ d. Cf. Jn 15, 1 ‖ e. Matth. 7, 18

---

1. Aux quatre vertus cardinales de la morale classique, Origène
comme souvent en ajoute d'autres, et d'abord la piété, cf. *Exh. ad*
mart. 5, *GCS* 1, p. 6, 16-24 ; *CC* 8, 17, *SC* 150, p. 210 s. et note.
En fait, il lui reconnaissait la première place. « La piété, dit-on
avec raison, est la mère des vertus. Elle est, en effet, le principe et
la fin de toutes les vertus : en partant d'elle, il nous serait facile de
posséder aussi les autres. » Grégoire Le Thaumaturge, *Remercie-*
ment à Origène 12, 149, *SC* 148, p. 149. Cf. H. Crouzel, *Introd.*,
p. 63 s. C'était s'attacher à une tradition. « L'origine excellente de
toutes choses est Dieu, comme la piété, de toutes les vertus. »
Philon, *De decal.* 12, 52, tr. V. Nikiprowetsky. « C'est la considération

vigne, mais un arbre qui s'appelle justice, un autre
prudence, un autre force, un autre tempérance. Et si tu
veux, apprends qu'il y a une foule d'arbres encore plus
nombreuse, dont on pensera plus justement peut-être,
que même le paradis de Dieu est planté. Il y a là en effet
l'arbre de la piété[1], il y a un autre arbre de la sagesse, il y
en a un autre de la doctrine, il y en a un autre « de la
science du bien et du mal ». Mais par-dessus tout, il y a
« l'arbre de la vie[c] ». Ne t'apparaît-il pas mieux que
« l'horticulteur » qu'est « le Père céleste[d] » cultive des
arbres de cette espèce dans ton âme, établit une pépinière
de cette espèce dans ton esprit ?

Ainsi donc, dit le Sauveur, « un arbre mauvais ne peut
produire de bons fruits, ni un arbre bon produire de
mauvais fruits[e] ». Voici ce qu'il enseigne : l'arbre de la
pureté est bon, il ne peut produire des fruits d'impureté ;
l'arbre de la justice est bon, il ne peut produire des fruits
d'injustice. Comme, par contre, si tu as une racine d'un
arbre mauvais plantée dans ton âme, elle ne peut produire
de bons fruits. Car s'il y a en toi une racine de malice, elle
ne donnera pas de bons fruits ; s'il y a dans ton cœur un
plant de sottise, il ne produira jamais la fleur de la sagesse ;
s'il y a un arbre d'injustice, d'iniquité, jamais bois de
cette espèce ne peuvent s'épanouir « en bons fruits ». Si
donc nous gardons les commandements de Dieu, une fois
reçue la pluie de la parole de Dieu envisagée plus haut[2],
ces arbres aussi, plantés dans le champ de notre âme et

des phénomènes célestes qui a conduit notre âme à la connaissance
des dieux source de la piété, à laquelle se joignent la justice et les
autres vertus en quoi consiste la vie bienheureuse égale et semblable
à celle des dieux. » CICÉRON, *De nat. deor.* II, 61. Aux quatre vertus
était jointe « la sainteté », l'équivalent de la « piété », par PLATON,
Protagoras 349 b. Et il est déclaré dans l'*Epinomis* 989 b : « Personne
ne nous persuadera jamais qu'il y ait pour le genre humain vertu
plus importante que la piété. »

2. Cf. *supra*, § 2 fin.

latitudine plantatae sunt, laetum et bonae suavitatis afferent fructum.

Vis autem tibi de Scripturis ostendam arbores vel ligna
40 appellari has singulas quasque virtutes, quas superius memoravimus ? Adhibeo testem sapientissimum Solomonem dicentem de sapientia : *Lignum vitae est* inquit *omnibus, qui amplectuntur eam*[f]. Si ergo *sapientia lignum vitae est*, sine dubio et aliud lignum est prudentiae et
45 aliud scientiae et aliud iustitiae. Neque enim consequenter dicitur ex omnibus virtutibus solam sapientiam meruisse, quae *lignum vitae* dicatur, ceteras autem virtutes nequaquam similis sortis suscepisse vocabula. *Ligna* ergo *campi dabunt fructum suum*[g]. Hoc, credo, de se sentiebat et
50 beatus David, cum dicebat : *Ego autem sicut oliva fructifera in domo Dei*[h]. Ex quo manifeste ostendit lignum olivae iustum et sanctum hominem dici.

5. *Et comprehendet vobis trituratio vindemiam*[a]. Si seminatum est in anima mea semen bonum et suscepta a Deo *pluvia* crevit et venit ad spicam, necessario consequetur et messis; et si messis, consequetur etiam *trituratio*, in qua
5 frumenta purgentur. Etenim anima quae germinat ex verbo Dei et caelesti *pluvia* rigata germen producit ad messem, necesse est, ut ipsa messis, quam profert, purgetur in area, id est ut sensus, quos genuerit anima, in medium proferat et sive cum ceteris doctoribus, sive etiam cum
10 ipsis, quae sentit, divinis voluminibus conferat; ut, si quid in iis inane et superfluum, si quid paleae simile fuerit

---

4 f. Prov. 3, 18 ‖ g. Lév. 26, 4 ‖ h. Ps. 51, 10
5 a. Lév. 26, 5

dans l'espace de notre cœur, produiront du fruit abondant et de bonne odeur.

Mais veux-tu que je te montre par les Écritures que le nom d'arbre ou de bois est donné à chacune des vertus rappelées plus haut ? Je cite comme témoin le très sage Salomon, disant de la sagesse : « C'est un arbre de vie pour tous ceux qui la saisissent[f]. » Si donc la sagesse est un arbre de vie, nul doute qu'il n'y ait un autre arbre de la prudence, un autre de la science, un autre de la justice. Car il ne serait pas logique de dire que, seule de toutes les vertus, la sagesse mérite d'être appelée « arbre de vie », mais que toutes les autres vertus ne reçoivent d'aucune façon une dénomination analogue. Donc, « les arbres de la campagne donneront leurs fruits[g] ». C'est, je crois, ce que pensait également de lui le bienheureux David quand il disait : « Et moi, comme un olivier fertile dans la maison de Dieu[h]. » Par où il montre clairement que le bois d'olivier désigne l'homme juste et saint[1].

« Battage »   **5.** « Le battage pour vous atteindra la vendange[a]. » Si la bonne semence a été semée dans mon âme et, la pluie reçue de Dieu, elle a poussé, est parvenue à l'épi, forcément suivra aussi la moisson ; et s'il y a moisson, suivra encore le battage où on purifie le grain. Et de fait, l'âme qui reçoit des germes de la parole de Dieu et qui est arrosée de la pluie céleste, développe le germe jusqu'à la moisson : il est nécessaire que la moisson même qu'elle porte soit purifiée sur l'aire, autrement dit que l'âme expose les pensées qu'elle a enfantées et qu'elle confronte ce qu'elle pense, soit avec les autres docteurs, soit aussi avec les divins livres eux-mêmes ; cela, pour que, tout ce qu'il y a en elles de vain et de superflu, tout ce qui ressemble à la paille ou aux barbes

---

1. « Ayant ce fruit en lui-même, le saint disait : ' Moi, comme un olivier fertile ' ». *In Ps.* 51, 10, *P G* 12, 1459 A.

aut aristis, flante in se spiritu discretionis[b] excutiat et purum frumentum, quo solo queat nutrire conservos et *mensuram tritici in tempore dispensare*[c], retineat.

15 *Et consequetur* inquit *vobis trituratio vindemiam*[d]. Quia *panis*, ut Scriptura dicit, *confortat cor hominis et vinum laetificat*[e], quaecumque de continentia, de observantiis et custodia mandatorum dicuntur, haec possunt videri frumentum, ex quo *panis* efficitur et auditorum *corda*

20 *confortat*. Ea vero, quae ad scientiam pertinent et occultorum explanatione mentes *laetificant* audientium, *vino* ac vindemiae videbuntur aptanda. Cordi etenim laetitia tribuitur, cum, quae occulta et obscura sunt, explicantur.

Et vindemia inquit *comprehendet sationem*[f]. Ut si dicamus :
25 primo seminavi quae legis sunt et, posteaquam seminatum est, oravi, ut *daret Dominus pluviam in tempore*[g] : facta est messis. Post hoc non maneo otiosus, sed iterum semino, accipio Scripturam propheticam et ex ea semino terras et novalia auditorum. Post haec semino et alia de evangelicis

30 sermonibus. Diversa sunt quae seminentur; per totum annum possumus seminare; possumus enim et de apostolicis litteris multa semina iacere. Semper est quod seminetur, in omni vita nostra otii nullum tempus est. Quamdiu respiramus, seminemus; tantum est, ut *in spiritu semine-*

35 *mus, ut de spiritu metamus vitam aeternam*[h].

Et manducabitis panem vestrum in satietate[i]. Nec hoc ego corporalis esse benedictionis accipio, quasi qui custodiat legem Dei, panem istum communem in abundantia consequatur. Quid enim ? Nonne impii et scelesti panem

40 non solum in abundantia, sed et in deliciis comedunt ?

---

5 b. Cf. Hébr. 5, 14 ‖ c. Cf. Lc 12, 42 ‖ d. Lév. 26, 5 ‖ e. Cf. Ps. 103, 15 ‖ f. Lév. 26, 5 ‖ g. Cf. Lév. 26, 4 ‖ h. Cf. Gal. 6, 8 ‖ i. Lév. 26, 5

---

1. Les préceptes sont parfois opposés aux mystères : ils sont la nourriture de tous, alors que tous ne peuvent se hausser jusqu'aux secrets divins, cf. *hom.* 13, 3 fin.

de l'épi, elle le vanne en elle au souffle de l'esprit de discernement[b], et retienne le pur froment qui seul permettra de nourrir ses compagnons de service et de « distribuer en son temps la mesure de blé[c] ».

« Vendange »   « Le battage pour vous atteindra la vendange[d]. » Parce que, comme dit l'Écriture, « le pain fortifie le cœur de l'homme et le vin le réjouit[e] », tout ce qui est dit de la continence, des observances et de la garde des commandements, on peut le regarder comme le froment dont « le pain » est fait et « fortifie le cœur » des auditeurs. Mais ce qui relève de la science et « réjouit » les âmes des auditeurs par l'explication des sens cachés devra, semble-t-il, être attribué au vin et à la vendange. C'est au cœur en effet qu'est procurée la joie quand on explique ce qui est obscur et caché[1].

« Semailles »   « Et la vendange atteindra les semailles[f]. » Autant dire : d'abord j'ai semé les paroles de la Loi ; après l'ensemencement, j'ai prié pour que le Seigneur « donne la pluie en son temps[g] » ; la moisson a été faite. Ensuite, je ne reste pas oisif, de nouveau je sème, je prends l'Écriture prophétique, et par elle j'ensemence les terres et les jachères des auditeurs. Puis, je sème aussi d'autres semences tirées des paroles évangéliques. Diverses sont les semences ; durant toute l'année nous pouvons semer ; car nous pouvons encore à partir des Lettres apostoliques répandre beaucoup de semences. Toujours il y a de quoi semer, dans toute notre vie il n'est aucun temps de loisir. Tant que nous respirons, semons ; il suffit que « nous semions dans l'esprit, pour moissonner de l'esprit la vie éternelle[h] ».

« Pain »   « Vous mangerez votre pain à satiété[i]. » Cela non plus, je ne l'entends pas d'une bénédiction corporelle comme si, à garder la Loi de Dieu, on obtenait ce pain ordinaire en abondance. Eh quoi ? Les impies et les criminels ne mangent-ils pas de ce pain, non seulement en abondance, mais encore avec

Magis ergo si respiciamus ad eum, qui dixit : *Ego sum panis vivus, qui de caelo descendit; et qui manducaverit hunc panem, vivet in aeternum*[j] et advertamus quia, qui haec dicebat *Verbum*[k] erat, quo animae pascuntur, intelligimus,
45 de quo pane dictum sit in benedictionibus a Deo : *Et manducabitis panem vestrum in satietate*[l]. Similia his etiam Solomon in Proverbiis pronuntiat de iusto dicens : *Iustus manducans replebit animam suam; animae autem impiorum in egestate erunt*[m]. Hoc si secundum litteram accipias quia :
50 *Iustus manducans replebit animam suam, animae vero impiorum in egestate erunt*, falsum videbitur. Magis enim animae impiorum cum aviditate cibum sumunt et *satietati* student; iusti autem interdum et esuriunt. Denique Paulus iustus erat et dicebat : *Usque ad hanc horam et esurimus*
55 *et sitimus et nudi sumus et colaphis caedimur*[n]. Et iterum dicit : *in fame et siti, in ieiuniis multis*[o]. Et quomodo dicit Solomon quia : *Iustus manducans satiet animam suam?* Sed si intuearis, quomodo *iustus* semper et *sine intermissione* manducet de *pane vivo* et repleat animam suam ac satiet
60 eam cibo caelesti, qui est Verbum Dei et Sapientia eius, invenies, quomodo ex benedictione Dei *manducet* iustus *panem suum in satietate.*

Et habitabilis tuti super terram vestram[p]. Iniquus numquam tutus est, sed semper movetur et *fluctuat et circum-*
65 *fertur omni vento doctrinae in fallacia hominum ad deceptionem erroris*[q]. Iustus vero, qui legem Dei custodit, *tutus habitat super terram suam.* Sensus enim eius firmus est dicentis ad Deum : *Confirma me, Domine, in verbis tuis*[r]. *Confirmatus* ergo et *tutus* et *radicatus habitat super*
70 *terram, fundatus in fide*[s], quia *aedificium eius non est super arenam positum*[t] neque radix eius *super petram* est, sed *domus* quidem *eius fundata est* super terram, planta vero

---

5 j. Jn 6, 51 ‖ k. Cf. Jn 1, 1 ‖ l. Lév. 26, 5 ‖ m. Prov. 13, 25 ‖ n. I Cor. 4, 11 ‖ o. II Cor. 11, 27 ‖ p. Lév. 26, 5 ‖ q. Cf. Éphés. 4, 14 ‖ r. Ps. 118, 28 ‖ s. Cf. Éphés. 3, 17 ; Col. 1, 23 ‖ t. Cf. Matth. 7, 26. 24 s.

délices ? Bien plutôt, regardons vers celui qui a dit : « Je
suis le pain vivant qui descend du ciel ; et qui mange de ce
pain vivra pour l'éternité[j]. » Considérons que celui qui le
disait était le Verbe[k] dont se nourrissent les âmes. Alors
nous comprenons de quel pain il est dit par Dieu dans les
bénédictions : « Vous mangerez votre pain à satiété[l]. » Et
Salomon a de semblables déclarations dans les *Proverbes*,
disant du juste : « Le juste mange et rassasiera son âme ;
mais les âmes des impies seront dans la disette[m]. » Prise
selon la lettre, cette affirmation que « le juste mange et
rassasiera son âme, mais les âmes des impies seront dans
la disette » apparaîtra fausse. Ce sont plutôt les âmes des
impies qui prennent leur nourriture avec avidité et
cherchent la satiété, alors qu'il arrive aux justes d'avoir
faim. Ainsi, Paul était juste, et il disait : « Jusqu'à cette
heure, nous avons faim, nous avons soif, nous sommes nus,
nous sommes souffletés[n]. » Il parle encore « de faim et de
soif, de jeûnes répétés[o] ». Et comment Salomon peut-il
dire : « Que le juste mange et rassasie son âme » ? Mais si
on considère que le juste toujours et « sans interruption »
mange du « pain vivant », remplit son âme et la rassasie de
l'aliment céleste qu'est le Verbe de Dieu et sa Sagesse, on
trouvera comment par la bénédiction de Dieu le juste
« mange son pain à satiété ».

« **Sécurité** »   « Et vous habiterez en sécurité sur
votre terre[p]. » L'injuste n'est jamais
en sécurité, il est toujours agité, « ballotté, à la dérive de
tout vent de doctrine au gré de l'astuce des hommes à
fourvoyer dans l'erreur[q] ». Au contraire, le juste qui garde
la Loi de Dieu « habite en sécurité sur sa terre ». Car il a
une pensée ferme, celui qui dit à Dieu : « Fortifie-moi,
Seigneur, dans tes paroles[r]. » Donc « fortifié », « en
sécurité », « enraciné », « il habite sur la terre », « fondé sur
la foi[s] », parce que « sa maison n'est pas posée sur le
sable[t] », sa racine n'est pas « sur un sol pierreux », mais
« sa maison est fondée » sur la terre, son plant est enraciné

eius radicata est *in profundo terrae*, hoc est in interioribus animae eius[u]. Recte ergo ad huiuscemodi animam dicitur
75 in benedictionibus : *Et habitabitis tuti super terram vestram ; et dabo pacem super terram vestram*[v].

Quam *pacem dat* Deus ? Istam, quam habet mundus ? Negat se istam dare Christus. Dicit enim : *Meam pacem do vobis, meam pacem relinquo vobis ; non sicut hic mundus*
80 *dat pacem, et ego do vobis*[w]. Negat ergo se *pacem mundi* dare discipulis suis, quia et alibi dicit : *Quid putatis quia veni pacem mittere in terram? Non veni pacem mittere, sed gladium*[x]. Vis ergo videre, quam *pacem dat Deus super terram nostram* ? Si terra sit *bona*, illa, quae *affert fructum*
85 *centesimum aut sexagesimum aut tricesimum*[y], illam *pacem* suscipiet a Deo, quam dicit Apostolus : *Pax autem Dei, quae superat omnem mentem, custodiet corda vestra et sensus vestros*[z]. Haec est ergo *pax*, quam *dat Deus super terram nostram.*

6. *Et dormietis et non erit, qui vos exterreat*[a]. Et Solomon in Proverbiis dixit : *Si enim sederis, sine timore eris ; et si dormieris, libenter somnum capies ; et non timebis terrorem supervenientem tibi neque impetus impiorum supervenientes*[b].
5 Haec ille dixit de iusto et sapiente viro et haec in bene- dictione dicuntur : *dormietis, et non erit, qui vos exterreat.* Si enim iustus efficiar, nemo me exterrere potest; nihil timeo aliud, si Deum timeam; *Iustus* enim, inquit *confidit ut leo*[c] et ideo non timet leonem diabolum nec *draconem*
10 Satanam nec *angelos eius*[d], sed dicit secundum David : *Non timebo a timore nocturno, a iaculo volante per diem et a negotio perambulante in tenebris, a ruina et daemonio meridiano*[e]. Addit et illud : *Dominus illuminatio mea et*

---

5 u. Cf. Matth. 13, 5.21 ‖ v. Lév. 26, 5.6 ‖ w. Jn 14, 27 ‖ x. Lc 12, 51 ; Matth. 10, 34 ‖ y. Cf. Matth. 13, 8 ‖ z. Phil. 4, 7
6 a. Lév. 26, 6 ‖ b. Prov. 3, 24-25 ‖ c. Prov. 28, 1 ‖ d. Cf. Apoc. 12, 7 ‖ e. Ps. 90, 5-6

« dans les profondeurs de la terre », à savoir dans l'intime
de son âme[u]. C'est bien à juste titre qu'il est dit à une
telle âme dans les bénédictions : « Et vous habiterez en
sécurité sur votre terre ; et je donnerai la paix sur votre
terre[v]. »

« Paix »   Quelle paix Dieu donne-t-il ? Celle
que possède le monde ? Le Christ dit
que ce n'est pas celle-là qu'il donne. Car il dit : « Je vous
donne ma paix, je vous laisse ma paix ; ce n'est pas comme
ce monde donne la paix, que je vous la donne[w]. » C'est
donc dire qu'il ne donne pas la paix du monde à ses
disciples, car ailleurs il déclare : « Pensez-vous que je sois
venu apporter la paix sur la terre ? Je ne suis pas venu
apporter la paix, mais le glaive[x]. » Veut-on voir quelle
« paix Dieu donne sur notre terre » ? Si la terre est « bonne »,
celle qui « rapporte du fruit, cent, ou soixante, ou trente[y] »,
elle recevra de Dieu cette paix dont l'Apôtre dit : « Et la
paix de Dieu qui surpasse toute intelligence gardera vos
cœurs et vos pensées[z]. » Telle est « la paix » que « Dieu
donne sur notre terre ».

Absence de crainte   **6.** « Vous dormirez, sans que nul ne
vous effraie[a]. » Salomon aussi, dans
les *Proverbes*, a dit : « Si tu t'assieds, tu seras sans crainte ;
si tu dors, ton sommeil sera paisible ; et tu ne redouteras
ni terreur qui t'assaille, ni attaques soudaines des impies[b]. »
Voilà ce qu'il a dit de l'homme juste et sage ; et voici ce
qui est dit dans la bénédiction : « Vous dormirez, sans que
nul ne vous effraie. » Si en effet je suis devenu juste,
personne ne peut m'effrayer ; je ne crains rien d'autre si
je crains Dieu ; car, est-il dit : « Le juste a l'assurance du
lion[c] » ; aussi ne craint-il pas le lion qu'est le diable, ni le
dragon qu'est Satan, ni ses anges[d], mais déclare selon
David : « Je ne craindrai ni les terreurs de la nuit, ni la
flèche qui vole de jour, ni le fléau qui rôde dans les ténèbres,
ni la ruine et le démon de midi[e]. » Il ajoute encore : « Le

Salvator meus, quem timebo? Dominus defensor vitae meae,
15 *a quo trepidabo*[f]*?* Et iterum : *Si consistant adversum me
castra, non timebit cor meum*[g]. Vides constantiam et
virtutem animae custodientis mandata Dei et habentis
fiduciam libertatis ingenitae.

Post haec *Et exterminabo* inquit *bestias malas de terra
20 vestra*[h]. Bestiae istae corporales non sunt malae neque
bonae, sed medium quiddam; sunt enim muta animalia.
Sed illae bestiae malae sunt spiritales, quas Apostolus
dicit *spiritales nequitias in caelestibus*[i]. Et illa est mala
bestia, de qua dicit Scriptura : *Serpens autem erat sapientior
25 omnium bestiarum, quae sunt super terram*[j]. Ipsa ergo est
haec *mala bestia*, quam promittit Deus *exterminaturum
se de terra nostra*, si eius mandata servemus. Vis videre
et aliam bestiam malam ? *Adversarius* inquit *vester
diabolus sicut leo rugiens circuit quaerens quem transvoret;
30 cui resistite fortes in fide*[k].

Quod si adhuc plures bestias vis discere, docebit te
Esaias propheta, qui sub *visione*, quam attitulavit *quadru-
pedum in deserto*, talia quaedam prophetico spiritu de
bestiis loquitur : *In tribulatione* inquit *et angustia leo et
35 catulus leonis ; inde et nati aspidum volantium, qui portabant
super asinos et camelos divitias suas ad gentem, quae non
proderit iis*[l]. Numquid ullo modo videri possunt haec de
corporalibus bestiis dicta etiam his, qui valde amici sunt
litterae ? Quomodo enim *leo et catulus leonis* vel *aspides
40 volantes* possunt *super camelos et asinos portare divitias
suas?* Sed evidenter contrarias potestates daemonum
pessimorum propheta Spiritu sancto repletus enumerat
eosque collocare *divitias* deceptionum suarum super

6 f. Ps. 26, 1 ‖ g. Ps. 26, 3 ‖ h. Lév. 26, 6 ‖ i. Cf. Éphés. 6, 12 ‖ j.
Gen. 3, 1 ‖ k. I Pierre 5, 8-9 ‖ l. Is. 30, 6

Seigneur est ma lumière et mon Sauveur, qui craindrai-je ?
Le Seigneur est le défenseur de ma vie, devant qui
tremblerai-je[f] ? » Et de nouveau : « Que campe une armée
contre moi, mon cœur sera sans crainte[g]. » On voit la
constance et la force de l'âme qui garde les commandements
de Dieu, et fait confiance à la liberté incréée.

**Expulsion
« des bêtes
mauvaises »**

« Je chasserai de votre terre les
bêtes mauvaises[h]. » Les bêtes corporelles d'ici-bas ne sont ni mauvaises
ni bonnes, mais chose indifférente ;
ce sont des animaux muets. Mais ces mauvaises bêtes-là
sont spirituelles[1], celles que l'Apôtre nomme « esprits du
mal dans les régions célestes[i] ». Et c'est d'une mauvaise
bête que l'Écriture dit : « Le serpent était le plus rusé de
toutes les bêtes qui sont sur la terre[j]. » C'est précisément
cette mauvaise bête-là que Dieu promet de « chasser de
notre terre », si nous gardons ses commandements. Veux-tu
voir encore une autre bête mauvaise ? Il est dit : « Votre
adversaire le diable, comme un lion rugissant, rôde,
cherchant qui dévorer ; résistez-lui, fermes dans la foi[k]. »

Que si tu veux connaître encore plus de bêtes, le prophète
Isaïe t'enseignera ; dans une vision qu'il a intitulée « les
quadrupèdes dans le désert », il parle dans un esprit
prophétique des bêtes en ces termes : « Dans la détresse et
l'angoisse, le lion et le lionceau ; de là aussi viennent les
petits des dragons volants qui, à dos d'ânes et de chameaux,
portaient leurs trésors à un peuple qui ne leur sera d'aucun
secours[l]. » Est-ce que cela peut sembler en quelque façon
dit des bêtes corporelles, même à ceux qui sont amis zélés
de la lettre ? Car comment le lion et le lionceau ou les
dragons volants peuvent-ils porter leurs richesses à dos de
chameaux ou d'ânes ? De toute évidence le prophète,
rempli de l'Esprit Saint, énumère les puissances hostiles
des pires démons et veut dire qu'ils placent « les richesses »

1. Voir *Introd.* p. 48 s.

animas stolidas perversasque, quas camelis et asinis per
45 figuram comparat, designavit. Et his bestiis ne traderetur
anima, Deum timens orabat dicens : *Non tradas bestiis
animam confitentem tibi*[m].

Et exterminabo inquit *bestias malignas de terra vestra,
et pugna non transibit per terram vestram*[n]. Multae sunt
50 *pugnae*, quae *transeunt per terram nostram*, si legem Dei
non custodimus nec praecepta eius servamus. Redeat
unusquisque ad animam suam et ipse se interna recordatione discutiat et videat, quomodo terra nostra, id est
caro nostra, nunc spiritu fornicationis, nunc irae et furoris
55 urgetur, nunc avaritiae iaculis agitatur, nunc telis pulsatur
invidiae, nunc spiculis libidinis terebratur, et in quibuscumque *concupiscit caro adversus spiritum et spiritus adversus
carnem*[o], internis proeliis semper agitatur. Quid autem
dicam de cogitationum pugnis, quas cordi nostro suggerit
60 inimicus, ut nos exuat a fide Christi et ab spe vocationis
nostrae ? Cum enim afflictiones tentationum et molestiarum
saeculi suscitaverit nobis, consequenter iam suggerit
cogitationi superfluum et ineptum esse haec tolerare
pro Christo, multo esse melius securam et sine persecutioni-
65 bus vitam ducere. Haec sciens et Apostolus Paulus dicebat :
*Cogitationes destruentes et omnem altitudinem extollentem se
adversum scientiam Christi*[p]. Qui ergo *divina praecepta
servaverit et mandata eius custodierit et fecerit ea*[q], hanc
pugnam et haec bella non patitur, sed Deus aufert ea
70 *de terra* eius et non sinit ea *transire* per animam iusti.

6 m. Ps. 73, 19 ǁ n. Lév. 26, 6 ǁ o. Gal. 5, 17 ǁ p. II Cor. 10, 5 ǁ q.
Cf. Lév. 26, 3

1. « Tortuositas camelorum, id est actuum perversorum. » *In
Matth. ser.* 20, *GCS* 11, p. 36, 15. « Qui irrationabiles et perversi

de leurs tromperies sur les âmes stupides et vicieuses
qu'il compare au figuré à des chameaux[1] et des ânes. Et
pour n'être pas livrée à ces bêtes, l'âme craignant Dieu
priait en disant : « Ne livre pas aux bêtes l'âme qui se
confie en toi[m]. »

« Combats »   « Je chasserai de votre terre les
bêtes mauvaises, et le combat ne
traversera pas votre terre[n]. » Nombreux sont les combats
qui traversent notre terre, si nous ne gardons pas la Loi de
Dieu et si nous n'observons pas ses commandements.
Que chacun rentre dans son âme, qu'il s'examine dans son
souvenir intérieur et voie que notre terre, c'est-à-dire notre
chair, se trouve tantôt pressée par l'esprit de fornication,
tantôt agitée par l'esprit de colère et de fureur, tantôt
harcelée par les traits de l'avarice, tantôt frappée par les
flèches de l'envie, tantôt torturée par les dards de la
passion, toujours agitée de luttes intérieures partout où
« la chair en ses désirs s'oppose à l'esprit, et l'esprit à la
chair[o] ». Et que dire du combat des pensées que l'ennemi
inspire à notre cœur pour nous dépouiller de la foi au
Christ et de l'espérance de notre vocation ? Après avoir
dressé contre nous les tourments des tentations et des
tracas du siècle, il souffle ensuite à notre pensée qu'il est
inutile et absurde d'endurer tout cela pour le Christ, et
qu'il est bien préférable de mener une vie tranquille et
sans persécutions. L'apôtre Paul le savait aussi, qui
disait : « Nous détruisons les sophismes ainsi que toute
puissance altière qui se dresse contre la science du Christ[p]. »
Donc, « celui qui observe les divins préceptes, garde les
commandements et les met en pratique[q] » ne souffre point
ce combat et ces guerres, mais Dieu les écarte de sa « terre »
et ne les laisse point « traverser » l'âme du juste.

videntur, quorum figuram tenent cameli. » *In Gen. hom.* 10, 2, 30 s.,
SC 7 *bis*, p. 260.

Et persequemini inimicos vestros[r]. Quos *inimicos*, nisi ipsum *diabolum et angelos eius*[s] et spiritus malignos et *daemonia immunda*[t] ? Persequemur ea non solum, ut a nobis ipsis effugemus, sed et ab aliis, quos incursant, si
75 divina praecepta servemus. *Persequemini* inquit *inimicos vestros, et cadent in conspectu vestro morte*[u]. Si *conterat Satana sub pedes nostros velociter Deus*[v], *cadent inimici in conspectu nostro morte*[w]. Cuius *morte* ? Ego arbitror quod nostra ; si enim nos *mortificemus membra nostra, quae*
80 *sunt super terram, fornicationem, immunditiam*[x], si hanc mortem inferamus membris nostris, *illi cadent in conspectu nostro*. Quomodo *cadent in conspectu nostro*? Si tu iustus sis, cecidit iniustitia *in conspectu* tuo ; si castus sis, cecidit libido ; si pius, impietas corruit ante te.

7. *Et persequentur ex vobis quinque centum, et centum ex vobis persequentur multa milia*[a]. Qui sunt isti *quinque*, qui possunt *persequi centum*? *Quinque* numerus et in laudabilibus ponitur et in culpabilibus. *Quinque* sunt *sapientes*
5 *virgines* et *quinque insipientes*[b]. Sic ergo et centenarius numerus ad utramque partem accipi potest. Si itaque nos simus ex quinque laudabilibus, id est ex quinque sapientibus, persequemur insipientes centum. Si enim sapienter et probabiliter pugnemus in verbo Dei, si prudenter de
10 lege Domini disseramus, convincemus et fugabimus infidelium multitudinem. Sicut enim quinque numerus et sapientes indicat et insipientes, ita et centum numerus et fideles indicat et infideles. Nam sub centenario annorum numero Abraham Deo credidisse et iustificatus esse
15 describitur[c], et *peccator qui moritur centum annorum, maledictus erit*[d]. Et hic *centum* infideles a *quinque* sapientibus fugantur et rursum *centum* fideles, non tam numero

---

6 r. Lév. 26, 7 ‖ s. Cf. Apoc. 12, 7 ‖ t. Cf. Lc 4, 33 ‖ u. Lév. 26, 7 ‖ v. Cf. Rom. 16, 20 ‖ w. Cf. Lév. 26, 7 ‖ x. Cf. Col. 3, 5
7 a. Lév. 26, 8 ‖ b. Cf. Matth. 25, 2 ‖ c. Cf. Gen. 21, 5 ; 22, 12 ‖ d. Is. 65, 20

« Vous poursuivrez vos ennemis[r]. »

Poursuite
« des ennemis »

Quels ennemis, sinon le diable en personne et ses anges[s], les esprits malins, « les démons impurs[t] » ? Nous les poursuivrons pour les chasser non seulement de nous-mêmes, mais aussi de ceux qu'ils attaquent, si nous gardons les divins préceptes. « Vous poursuivrez vos ennemis, et ils tomberont devant vous frappés par la mort[u]. » Si « Dieu écrase bien vite Satan sous nos pieds[v] », « nos ennemis tomberont devant nous frappés par la mort[w] ». Par la mort de qui ? Pour moi, je pense que c'est la nôtre ; car, si « nous faisons mourir nos membres terrestres, fornication, impureté[x] », si nous infligeons cette mort à nos membres, « ces ennemis tomberont devant nous ». Comment tomberont-ils devant nous ? Si tu es juste, l'injustice tombe devant toi ; si tu es chaste, la passion tombe ; si tu es pieux, l'impiété s'écroule devant toi.

7. « Cinq d'entre vous en poursuivront cent, cent d'entre vous en poursuivront plusieurs milliers[a]. » Quels sont ces cinq, capables d'en poursuivre cent ? Le nombre cinq s'emploie pour des personnages dignes d'éloges et pour des personnages dignes de blâme. Il y a cinq « vierges sages » et cinq « sottes[b] ». De même le nombre cent peut avoir l'une et l'autre acception. C'est pourquoi, si nous sommes des cinq dignes d'éloge, à savoir des cinq sages, nous poursuivrons cent sots. Car si nous combattons avec sagesse et raison pour la parole de Dieu, si nous interprétons avec prudence la Loi du Seigneur, nous confondrons et mettrons en fuite une foule d'infidèles. De même en effet que le nombre cinq indique des sages et des sots, ainsi aussi le nombre cent indique des fidèles et des infidèles. De fait, c'est au nombre de cent années qu'Abraham, est-il écrit, a cru en Dieu et a été justifié[c], et « le pécheur qui meurt à cent ans sera maudit[d] ». Et ici, cent infidèles sont mis en fuite par cinq sages, et en revanche, cent fidèles,

centum quam perfectione signati, *multa milia* infidelium
persequentur. Fugant enim fideles doctores innumeros
20 daemones, ne animas credentium antiqua fraude decipiant.

    Et cadent inimici vestri in conspectu vestro gladio[e]. Qui
sint *inimici*, supra diximus; quo autem *gladio* dicantur
cadere, requiramus. Apostolus Paulus nos docet, qui sit
hic gladius, cum dicit : *Vivus enim est sermo Dei et efficax*
25 *et penetrabilior omni gladio utrimque acuto, pertingens*
quoque usque ad compagem animae ac spiritus, membrorum
quoque et medullarum, et est discretor cogitationum et
intentionum cordis[f]. Hic est *gladius*, cuius acie *cadent*
inimici nostri. Sermo namque Dei est, qui prosternit
30 *omnes inimicos* et ponit eos *sub pedibus suis*[g], *ut subditus*
fiat omnis mundus Deo[h]. Vis adhuc et de alia epistola
Pauli discere quia gladius sermo Dei sit ? Audi eum, cum
arma praeparat militibus Christi, quomodo dicit : *Et*
galeam salutaris accipite, et gladium Spiritus, quod est
35 *verbum Dei, per omnem orationem et obsecrationem*[i], eviden-
tissime et per haec pronuntians quia per *verbum Dei*,
qui est *gladius utrimque acutus*[j], *cadent inimici nostri in*
conspectu nostro[k].

    Et respiciam super vos et augebo vos[l]. Plenum beatitudinis
40 est hoc ipsum, si quem *respiciat Deus.* Vis videre, si
respiciat Dominus ad hominem, quanta sit salus ? Petrus
aliquando paene perierat et ex consecratione apostolici
numeri diabolo per os *ancillae pontificis*[m] inspirante fuerat
ereptus; sed ubi *respexit ad eum Iesus* tantum, ubi ad eum
45 placidi vultus ora convertit, statim reversus in semet
ipsum et prolapsum de praecipitio revocans pedem,

---

7 e. Cf. Lév. 26, 8 ‖ f. Hébr. 4, 12 ‖ g. Cf. I Cor. 15, 25 ‖ h. Cf.
Rom. 3, 19 ‖ i. Éphés. 6, 17.18 ‖ j. Cf. Hébr. 4, 12 ‖ k. Lév. 26, 8
‖ l. Lév. 26, 9 ‖ m. Cf. Lc 22, 56; Mc 14, 66

---

1. Cf. *supra*, § 6 fin.

désignés moins par le nombre cent que par la perfection,
« poursuivront plusieurs milliers » d'infidèles. Car les
docteurs fidèles mettent en fuite d'innombrables démons,
pour qu'ils ne trompent plus les âmes par leur vieille ruse.

« Glaive »   « Vos ennemis tomberont devant
vous par le glaive[e]. » Quels sont les
ennemis, nous l'avons dit plus haut[1] ; par quel glaive
tombent-ils, cherchons-le. L'apôtre Paul nous enseigne
quel est ce glaive, quand il dit : « Car elle est vivante la
parole de Dieu, énergique et plus incisive qu'aucun glaive
à double tranchant. Elle pénètre jusqu'à la jointure de
l'âme et de l'esprit, des articulations et des moelles. Elle
passe au crible les pensées et les intentions du cœur[f]. »
Voilà le glaive sous le tranchant duquel tomberont nos
ennemis. Car c'est la parole de Dieu qui renverse « tous les
ennemis » et les met « sous ses pieds[g] », « pour que le
monde entier soit soumis à Dieu[h] ». Veux-tu encore
apprendre d'une autre Épître de Paul que le glaive est la
parole de Dieu ? Écoute-le dire, quand il prépare des
armes aux soldats du Christ : « Prenez aussi le casque du
salut et le glaive de l'Esprit qui est la parole de Dieu,
multipliant prières et supplications[i]. » De toute évidence,
par ces mots encore, il déclare que c'est par « la parole de
Dieu », « glaive à double tranchant[j] », que « nos ennemis
tomberont devant nous[k] ».

Regard de Dieu   « Je regarderai vers vous et je vous
ferai croître[l]. » Que « Dieu regarde »
quelqu'un, c'est la plénitude du bonheur. Veux-tu voir,
quand le Seigneur regarde vers l'homme, de quel valeur
est le salut ? Pierre, un jour, était pour ainsi dire perdu et
avait été arraché de la consécration du rang apostolique, à
l'instigation du diable, par la bouche « d'une servante du
pontife[m] » ; mais dès que Jésus « eut regardé vers lui »
seulement, dès qu'il eut tourné vers lui les traits de son
doux visage, à l'instant Pierre, revenu en lui-même et
retirant son pied du précipice où il glissait, « pleura très

flevit inquit *amarissime*[n] atque ita respectus a Deo locum suum flendo recepit, quem negando perdiderat.

Respiciam ergo inquit *super vos, et augebo vos*[o]. Tamquam
50 si sol respiciat segetem et afferat fructus — quam utique si non respexisset, infructuosa mansisset — ita Deus segetem cordis nostri *respiciens* et radiis nos Verbi sui illuminans *auget nos* et multiplicat, ut ultra iam non simus *parvuli*[p], sed *magni* efficiamur, sicut *magnus factus est*
55 *Isaac*[q], et *magnus* factus est Moyses[r] et *magnus* Iohannes[s].

Et statuam testamentum meum vobiscum[t]. Vide quantae benedictiones promittantur, si mandata servemus. *Statuam* inquit *testamentum meum vobiscum. Et manducabitis vetera et vetera veterum, et eicietis vetera a conspectu novo-*
60 *rum*[u]. Quomodo *eicimus vetera a conspectu novorum?*
Vetera habuimus legem et prophetas[v], *vetera* autem *veterum* ea, quae ante legem fuerunt ab initio, cum mundus factus est. Venerunt Evangelia nova, venerunt et Apostoli. A conspectu horum eicimus *vetera*. Quomodo ea eicimus ?
65 Legem secundum litteram eicimus, ut statuamus legem secundum spiritum.

Possumus et hoc modo dicere : antequam veniret homo *de caelo* et nasceretur *homo caelestis*, eramus omnes *terreni* et *portabamus imaginem terreni*[w], sed ubi venit *homo*

---

7 n. Lc 22, 62 ‖ o. Lév. 26, 9 ‖ p. Cf. p. ex. Hébr. 5, 13 ‖ q. Cf. Gen. 26, 13 ‖ r. Ex. 11, 3 ‖ s. Cf. Lc 1, 15 ‖ t. Lév. 26, 9 ‖ u. Lév. 26, 9 ‖ v. Cf. Lc 16, 29 ‖ w. I Cor. 15, 47 s.

---

1. Après la citation de *Lév.* 26, 9, on lit : « De fait nous mangeons... ' l'ancienne ', les paroles des prophètes ; ' la très ancienne ', celles de la Loi ; et quand vint ' la nouvelle ', celles de l'Évangile, en vivant conformément à l'Évangile, nous rejetons l'ancienne récolte (la vétusté) de la lettre devant la nouvelle, et (Dieu) plante sa tente au milieu de nous, accomplissant sa prédiction : ' J'habiterai et je

amèrement[n] », et ainsi regardé par Dieu, retrouva en pleurant la place qu'il avait perdue en reniant.

« Je regarderai vers vous et je vous ferai croître[o]. » Si le soleil regarde la moisson, elle porte du fruit — et à coup sûr, s'il ne l'avait regardée, elle serait restée stérile —, de la même manière Dieu regarde la moisson de notre cœur et nous illumine des rayons de son Verbe : ainsi nous fait-il croître et grandir, pour que nous cessions d'être « tout-petits[p] », mais que nous devenions « grands », comme « devint grand Isaac[q] », devint « grand » Moïse[r], « grand » aussi Jean[s].

Nouveauté   « Je maintiendrai mon alliance avec vous[t]. » Vois combien de bénédictions sont promises, si nous gardons les commandements. « Je maintiendrai mon alliance avec vous. Vous mangerez l'ancienne et très ancienne récolte, vous rejetterez l'ancienne pour faire place à la nouvelle[u]. » Comment rejetons-nous l'ancienne pour faire place à la nouvelle[1]? Comme « ancienne » nous avons la Loi et les prophètes[v], et comme « très ancienne », ce qui fut avant la Loi, dès le commencement, quand le monde fut créé. Vinrent les Évangiles nouveaux, vinrent aussi les apôtres. Pour leur faire place, nous rejetons l'ancien. Dans quel sens le rejetons-nous? Nous rejetons la Loi selon la lettre, pour maintenir la Loi selon l'esprit.

On peut encore s'exprimer ainsi : avant que vienne l'homme « du ciel » et que naisse « l'homme céleste », nous étions tous « terrestres » et « portions l'image du terrestre[w] » ; mais quand vint « l'homme nouveau, qui fut créé

---

me promènerai au milieu d'eux '. » *In Matth.* 10, 15 fin, *GCS* 10, p. 20, 4 s. « Mais l'Évangile, qui est une alliance nouvelle, nous ayant dégagés de la vétusté de la lettre a fait luire dans la lumière de la connaissance la nouveauté jamais vieillie de l'Esprit, nouveauté propre à l'alliance nouvelle et qui était déposée dans toutes les Écritures. » *In Jo.* 1, 6, 36, *SC* 120, p. 79, tr. C. Blanc.

70 *novus, qui secundum Deum creatus est*[x], eiecimus *a conspectu*
    eius *vetera, deponentes veterem hominem et induentes novum*[y],
    qui secundum interiorem hominem renovatur de die in
    diem[z].

    Et ponam tabernaculum meum in vobis. Si haec habemus
75 in nobis, quae supra dicta sunt, si abiecto *vetere homine*
    innovatum est cor nostrum, venit ad nos Deus et habitat
    in nobis, qui dixit : *Et ponam tabernaculum meum in vobis,*
    et non vos abominabitur anima mea[aa]. Non nos *abominabitur*
    anima Dei, si observemus ea, quae scripta sunt. Verum-
80 tamen velim requirere, quid est *anima Dei.* Numquidnam
    putabimus quia Deus habeat animam sicut homo ?
    Absurdum est hoc sentire de Deo. Ego autem audeo et
    dico quia anima Dei Christus est. Sicut enim *Verbum*[ab]
    Dei est Christus et *Sapientia Dei et virtus Dei*[ac], ita et
85 anima Dei est. Et hoc modo dicitur quia : *Non vos abomi-*
    nabitur anima mea, id est Filius meus, sed *ambulabo inter*
    vos[ad]. Non mihi videtur quod hoc promittat Deus quia
    in terra Iudaeorum ambulaturus sit, sed quia, si qui
    meruerit ita puri esse cordis, ut Dei capax sit, in eo se
90 dicit *ambulare* Deus.

    Et vos eritis mihi populus. Ego Dominus Deus vester,
    qui eduxi vos de terra Aegypti, cum essetis servi, et contrivi
    iugum vinculi vestri[ae]. Vere *eduxit* nos de domo *servitutis*[af]
    servi enim *eramus peccati,* quia : *Omnis qui peccat, servus*
95 *est peccati*[ag]. Et *contrivit vinculum iugi nostri, iugi,* quod
    imposuerat super cervices nostras ille, qui nos *in captivi-*

    ---

    7 x. Cf. Éphés. 4, 24 ‖ y. Éphés. 4, 22 s. ‖ z. Cf. II Cor. 4, 16 ‖
    aa. Lév. 26, 11 ‖ ab. Cf. Jn 1, 1 ‖ ac. I Cor. 1, 24 ‖ ad. Lév. 26, 12
    ‖ ae. Lév. 26, 12-13 ‖ af. Cf. Ex. 13, 14 ‖ ag. Cf. Jn 8, 34

    ---

    1. J'adopte la conjecture de Baehrens, le parfait *eiecimus,* bien
    qu'il garde la leçon des manuscrits, le présent *eicimus* dans son texte ;
    malgré l'alternance, *venerunt... eicimus,* quatre lignes plus haut —

selon Dieu[x] », nous avons rejeté[1], pour lui faire place, ce qui est ancien, « nous dépouillant du vieil homme et revêtant l'homme nouveau[y] », « qui selon l'homme intérieur, se renouvelle de jour en jour[z] ».

Présence de Dieu libératrice

« Je placerai en vous ma demeure. » Si nous avons en nous ce qu'on a dit plus haut, si, le vieil homme rejeté, notre cœur s'est renouvelé, Dieu vient à nous et habite en nous, lui qui a dit : « Je placerai ma demeure en vous, et mon âme ne vous aura point en horreur[aa]. » « L'âme de Dieu ne nous aura point en horreur » si nous observons ce qui est écrit. Mais je voudrais pourtant rechercher ce qu'est « l'âme de Dieu ». Est-ce que vraiment nous penserons que Dieu a une âme comme l'homme ? Il est absurde d'avoir cette idée de Dieu. Pour moi, j'ose dire que l'âme de Dieu, c'est le Christ[2]. De même en effet que le Christ est « le Verbe de Dieu[ab], la Sagesse de Dieu et la puissance de Dieu[ac] », de même encore il est l'âme de Dieu. Et c'est en ce sens qu'il est dit : « Mon âme ne vous aura point en horreur », à savoir, mon Fils, mais « je me promènerai au milieu de vous[ad] ». Ce n'est pas, me semble-t-il, que Dieu promette qu'il va se promener dans la terre des Juifs, mais que si quelqu'un a mérité d'être un cœur si pur qu'il est capable de Dieu, Dieu dit qu'il se promène en lui.

« Et vous serez mon peuple. Je suis le Seigneur votre Dieu, qui vous ai fait sortir de la terre d'Égypte, alors que vous étiez esclaves, et j'ai brisé le joug de votre captivité[ae]. » Véritablement, « il nous a fait sortir de la maison de servitude[af] », « esclaves du péché que nous étions », car « quiconque pèche est esclave du péché[ag] ». Et « il a brisé les liens de notre joug », joug qu'avait placé sur nos têtes celui qui

---

où plusieurs manuscrits ont d'ailleurs *eiecimus* —, la lecture du verbe au passé est sans doute ici préférable.

2. « L'âme de Dieu, c'est son Fils unique. » *De princ.* 2, 8, 5, *SC* 252, p. 350, 221.

talem duxerat[ah] et peccatorum vinculis colligarat. *Contrivit*
ergo peccati *vinculum* et *iugum* nostrae captivitatis
excussit Dominus noster Iesus Christus et suum nobis
100 suave iugum[ai] fidei et caritatis et spei ac totius sanctitatis
imposuit. Ipsi gloria in aeterna saecula saeculorum[aj]!
Amen.

7 ah. Cf. II Cor. 10, 5 ‖ ai. Cf. Matth. 11, 30 ‖ aj. Cf. Rom. 11, 36

nous « avait conduits en captivité[an] » et attachés par les liens des péchés. Notre Seigneur Jésus-Christ a donc « brisé les liens » du péché, et secoué « le joug » de notre captivité, et il a placé sur nous son joug suave[ai] de foi, de charité, d'espérance et de toute sainteté. A Lui gloire pour les éternels siècles des siècles[aj] ! Amen.

NOTES COMPLÉMENTAIRES

21. Symbolisme des jours

A propos de la création s'est développé un symbolisme des six jours, du sixième, du septième, du huitième jours. « Le nombre six a une certaine parenté avec ce monde ; car c'est en six jours qu'a été créé ce monde visible », *hom.* 13, 5 début. « Le nombre six comporte une figure de ce monde qui fut achevé en six jours », *In Jud. hom.* 4, 2, *GCS* 7, p. 489, 23 s. Le sixième jour représente la vie d'ici-bas, « car Dieu a créé le monde en six jours », temps où il faut récolter des mérites..., *In Ex. hom.* 7, 5 fin, *GCS* 6, p. 212, 14 s. De ces six jours, on distinguait le sabbat, mais on s'élevait du sabbat liturgique et spirituel au sabbat eschatologique, cf. *hom.* 13, 5, et la note complémentaire 27. Sur l'efflorescence du thème, sur cette division du temps en six âges dans la tradition patristique, cf. H. DE LUBAC, *Catholicisme*, 4e éd. 1947, p. 119-124.

A saint Augustin se rattache Pascal : « Il sait aussi, comme saint Augustin, ... découvrir la disposition mélodique de la geste divine, dont le thème, des ' six jours ' aux ' six âges ' (*Pensées*, Lafuma 590, Brunschvicg 656), aux ' six pères des six âges ' (Laf. 283, Br. 655), à leurs six soirs et leurs six matins, permet de disposer analogiquement la sortie des ténèbres (Adam), la sortie de l'Arche (Noé), la promesse faite à Abraham, l'installation de la maison de David, l'aide constante de Dieu aux déportés de Babylone, la prédication de Jésus. L'analogie de la période sabbatique avec la période christique et la similitude des six victoires sur la nuit révèlent une fois de plus la structure répétitive du temps. Sans cesse interrompue, la ' communication avec Dieu ' (Laf. 281, Br. 613) est incessamment ' rétablie ', donnant la preuve du Messie *ab origine mundi*... » P. MAGNARD, *Nature et Histoire dans l'Apologétique de Pascal* (Belles Lettres), Paris 1975, IIe p., V. « L'histoire immobile », p. 203 et note.

Ici, la semaine signifie le temps de cette vie ; et le huitième jour, comme ailleurs, le siècle futur : « Comme le huitième jour symbolise le siècle futur, parce qu'il contient la vertu de la résurrection, ainsi le septième figure ce monde. » *Sel. in Ps.* 118, 64, *PG* 12, 1624 BC. Cf. *In Jo.* 2, 33 (27), *GCS* 4, p. 91 s. Voir J. Daniélou, *Sacramentum futuri*, Paris 1950, p. 55-94. Or, le thème avait fait son apparition plus tôt : « Nous célébrons le huitième jour où Jésus est ressuscité et où il est monté aux cieux. » Barnabé, 15, 8-9. « Nous pourrions démontrer que le huitième jour renferme un mystère. » Justin, *Dial.* 24, 1 ; cf. 41, 4 ; 138, 1. Sur le développement touffu que le thème allait prendre jusqu'à saint Augustin, cf. J. Daniélou, *Bible et Liturgie* (*Lex orandi* 11), Paris 1951, p. 303-328. Thème du dimanche, *id.*, p. 329-354.

22. Purification des péchés par la pénitence

« Le pécheur dont la purification graduelle fait l'objet de toute l'homélie à partir du § 5 est manifestement un chrétien, non un candidat au baptême. » Tout le développement est scandé de renvois à la guérison du baptême, de nouveau compromise : « trace du péché précédent », « signe de l'ancienne erreur » 5 fin ; en dépit du jugement redevenu sain, « action contre ce qui est droit et juste » 6 fin ; permanence de la vieille convoitise, et peut-être « péché qui mène à la mort », 7 fin ; « fruits de l'ancien vice », 8 fin ; substitution, à l'influence du Christ, de celle d'Épicure, du Malin, d'un hérétique, 9 ; nouveau pullulement d'œuvres mortes, 10 début. Même la mention de « l'eau vive » désigne ici, non le baptême, mais « la purification des péchés... par la pénitence », 10 fin ; « le pécheur, ... après avoir reçu la rémission de ses péchés par la pénitence... », 11 milieu. Et c'est l'excommunication qui est affirmée par l'expulsion « hors du camp », 10, et sa levée, par la réadmission aux « castra », 11. La purification, minutieusement décrite, est la pénitence faite par un chrétien après son baptême. D'après K. Rahner, *Doctrine*, p. 425, n. 13.

23. Expiation

La traduction du terme hébreu *kippér* par « expier » peut prêter à équivoque. Ce terme n'a pas le sens moderne : subir à cause d'une faute un châtiment douloureux. Il signifie « effacer le péché », et il est très souvent mis en parallèle avec le verbe « purifier ». Il caractérise l'action du prêtre qui fait « le rite de propitiation » (« d'absolution », *TOB*), et obtient le pardon en purifiant d'une impureté légale ou morale, cf. *Lév.* 4, 20.26.35 ; 5, 6.10.13.18.26, etc. Une chose impure (sanctuaire, autel) peut faire l'objet du rite autant qu'une personne, cf. *Lév.* 16, 20.33 ; *Éz.* 43, 26 ; 45, 20. Mais Dieu aussi peut être sujet du verbe et « faire acte de propitiation » (« absoudre », *TOB*), c'est-à-dire réconcilier l'homme avec lui en le purifiant de son péché ; il détruit le péché et pardonne au coupable, cf. *Deut.* 21, 8 ; *Éz.* 16, 33, etc. Consulter J. HERMANN, art. ἱλάσχομαι, *TWNT*, III, p. 302-311 ; A. MÉDEBIELLE, art. « expiation », *DBS*, col. 48-55 ; S. LYONNET, « De notione expiationis », *Verbum Domini* 37 (1959), p. 336-352 (avec étude sur *kippér* à Qumrân, p. 349-352). Tous ces renseignements sont groupés par A. JAUBERT, *La notion d'alliance dans le judaïsme au début de l'ère chrétienne* (*Patristica Sorbonensia* 6), Paris 1963, p. 166 (texte et notes).

Voir déjà P. RICŒUR, *Finitude et culpabilité, II, La symbolique du mal*, p. 94-98. Cf. p. 97 s., la n. 46 : « Ed. JACOB, *Les thèmes essentiels d'une théologie de l'Ancien Testament*, rattache le rituel sacrificiel aux thèmes du ' rachat ' et de la ' rançon ' et voit dans l'idée de *substitution* le noyau commun. Il subordonne la symbolisation de la mort du coupable à la communication de la vie divine au pécheur : ' Aussi l'essentiel du sacrifice n'est-il pas la mort de la victime mais l'offrande de sa vie ', p. 237. Dans un sens voisin, G. VON RAD, *Théologie de l'Ancien Testament*, t. I, tr. par. E. de Peyer, 2e éd., p. 238, cite ÖHLER, *Theologie des Alten Testament*, 1882², p. 431 : ' Dans le sacrifice n'est perpétré aucun acte de justice punitive et l'autel ne peut aucunement être comparé à un tribunal. ' Von Rad ajoute : ' L'expiation n'était donc pas un acte punitif, mais un événement salutaire '. »

24. Âme, homme

Pour l'âme, selon qu'elle possède plus ou moins de vertus, étaient tour à tour envisagés chaleur et refroidissement, *hom.* 9, 9 fin. Une alternative plus accusée s'offre, dit notre texte, d'abord à l'homme, puis à l'âme, § 11. Ou bien un dépassement, par la spiritualisation qu'est l'union intime avec le Seigneur et par la gloire de la résurrection qui apparente aux anges : réalisation de l'idéal originel proposé par le Créateur. Ou bien, à l'inverse, conséquence d'un choix malheureux, l'abaissement, par l'éloignement de Dieu qui est vérité et vie, jusqu'à la condition humaine actuelle d'abord, destinée à la mort naturelle et à la terre ; puis, si l'orientation se confirme, toujours à l'instigation du diable, le risque pour l'âme d'une mort mystérieuse, quoique non substantielle. Il y a là comme une identification de l'homme à l'âme, et une dépréciation de la « psychè » par rapport au « pneuma ». En filigrane se lit l'anthropologie d'Origène et son hypothèse de la chute de l'âme.

On connaît la division tripartite, esprit, âme, corps, et la difficulté de bien comprendre les deux premiers termes. L'esprit ou pneuma est dans l'être humain ce qu'il y a de plus noble, sorte de don divin, participant à l'Esprit Saint quoique distinct de lui : notion difficile à préciser comme chez saint Paul. Exempt de mal en lui-même, l'esprit est le pédagogue et le guide de l'âme. Celle-ci seule pécherait, *hom.* 2, 2. L'intelligence (« nous », « mens ») est la partie supérieure de l'âme, faculté qui reçoit le don divin, est docile à l'Esprit, capable de connaître Dieu, comme l'œil de l'âme. C'est à l'état de « nous » que l'âme aurait existé avant sa présence dans le corps, vivant selon l'esprit, de même nature que les anges. En tombant de sa ferveur, elle se serait « refroidie », de « nous » devenant « psychè » : ce rapprochement âme, froid (*psychè, psuchos* ou *psuxis*) venait des philosophes, PLATON, *Cratyle*, 399 de ; ARISTOTE, *De anima* I, 2, 405 b, etc. De l'âme, Origène connaît aussi les parties inférieures selon Platon : « thumos » et « epithumia », « ira et concupiscentia », irascible et concupiscible, « naturels à toutes les âmes », nécessaires à la vie, susceptibles de servir ou le corps ou l'esprit, *In Gen. hom.* 1, 17, 15 s. et 2, 6, 77 s., *SC* 7 *bis*, p. 70 s. et 112.

Mais la pensée d'Origène garde sa souplesse. « La trichotomie, qui ne peut être comprise que dans la perspective d'une anthropologie dynamique et non pas comme description statique d'une essence, n'est donc pas incompatible avec la distinction classique âme-corps. » H. DE LUBAC, *HE*, p. 157. Dans un même ouvrage alternent les deux schèmes. « L'homme est formé d'un corps, d'une âme et d'un esprit », écrit Origène ; et peu après : « J'appelle maintenant hommes les âmes placées dans des corps. » *De princ.* 4, 2, 4 et 7. *SC* 268, p. 312 et 328. Il mentionne l'union à Dieu de Moïse dans un lieu pur et saint « par son âme, son esprit et, je crois aussi par son corps, après avoir reçu un esprit divin », mais il donne plus loin la définition alors classique : « L'homme, c'est-à-dire l'âme usant d'un corps, appelée aussi l'homme intérieur. » *CC* 2, 51, 39 et 7, 38, 15 s., *SC* 132, p. 404 s. et 150, p. 100 s. Ainsi est attesté le passage du schème ternaire au schème binaire. La tendance à réduire le premier au second apparaît encore d'une autre manière. D'une part, on dit : « Notre homme intérieur est constitué d'esprit et d'âme. Disons que l'esprit est mâle, pour l'âme on peut la déclarer femelle. » *In Gen. hom.* 1, 15, *SC* 7 *bis*, p. 66 s., tr. L. Doutreleau. D'autre part, « l'homme intérieur » était assimilé à « l'âme », on vient de le voir, comme tel formant un couple avec le corps, plus généralement avec « l'homme extérieur ». Et les schèmes empruntés aux philosophes sont assouplis par l'analyse de la vie spirituelle. Sur ces questions complexes, voir H. DE LUBAC, *HE*, p. 154-166 ; H. CROUZEL, *Image*, p. 130-132 ; « L'anthropologie d'Origène dans la perspective du combat spirituel », *RAM* n° 124, 1955, p. 364-385.

25. Retournement de l'exemplarisme antique

« La Loi était l'ombre des biens futurs », *Hébr.* 10, 1 ; cf. 8, 5 ; *Rom.* 5, 14 ; *Col.* 2, 17. « Se rend-on compte de la hardiesse d'une telle expression ? Voit-on le bouleversement qu'elle supposait dans les idées reçues de l'exemplarisme antique et dans la façon naturelle de penser. Voici donc que le corps est futur par rapport à son ombre, et l'exemplaire par rapport à son ' type '. L'ébauche prépare l'archétype, l'imitation précède le modèle ! L'original devient la figure ! L'aube est un reflet du jour qu'elle annonce ! Voici que la Vérité est à venir : *futura Veritas* (*hom.* 13, 3) ; *secutura Veritas* ; *Veritas de terra orta est*. Paradoxe inouï : la Vérité n'est-elle pas antérieure à tout âge, n'est-elle pas le divin Logos dont Philon disait qu'il est le plus ancien des Fils de Dieu ? 'Jamais l'ombre n'existe avant le corps, ni la copie ne précède l'original ', dira encore TERTULLIEN (*Apol.* 47, 14, Waltzing, p. 100 s.). Or, telle est l'originalité déconcertante du Fait chrétien : il est la substance et le modèle, il est la Vérité dont l'ombre et le reflet se trouvent dans le fait juif antérieur : *Umbra Evangelii et Ecclesiae congregationis in Lege* (AMBROISE, *In Ps.* 38, 25, p. 203). C'est que le Fait chrétien se résume dans le Christ, le Christ qui, en tant que Messie, était à venir — *O Mellôn* — et devait être historiquement préparé comme le chef-d'œuvre est précédé par une série d'ébauches (cf. *hom.* 10, 1), mais qui en tant qu' ' Image du Dieu invisible ' et ' Premier-né de toute la création ', est l'Exemplaire universel... Postérieur dans la durée, mais antérieur comme l'éternité l'est au temps, le Christ nous apparaît précédé des hommes et des figures qu'Il a projetées de lui-même dans l'histoire du peuple juif. » H. DE LUBAC, *Catholicisme*, 4e éd. 1947, p. 140-142.

26. Mémorial

Rappel de Dieu à l'homme, rappel de l'homme à Dieu : deux acceptions du rite pour Origène. Bientôt prévaudra la première : les pains qui rappellent à l'homme le souvenir de Dieu, ce sont les paroles divines, à accueillir dans la prière et le repos près de Dieu, les « dominici corporis sacramenta », à recevoir avec un âme pure, *hom.* 13, 5 fin. Ici, § 3 début, est envisagée la seconde : offrande pour rappeler à Dieu et à sa miséricorde le souvenir des tribus, de l'homme. Or quelle valeur représentative a-t-elle, quel effet propitiatoire ? Prise matériellement, au sens propre, on ne voit pas. Mais comprise au sens spirituel, dans son rapport à la « grandeur du mystère », elle participe à l'efficacité de la vérité qu'elle préfigure : Vérité qu'est le Christ en son mystère, pain descendu du ciel donner la vie au monde selon Jean, offrande propitiatoire par la foi en son sang selon Paul. Dans le discours johannique, le Christ se disait Pain de vie, qui donne en nourriture d'éternité le pain de la parole et le pain du sacrement. Origène ne fait pas mention expresse de ce deuxième aspect « eucharistique ». Mais il poursuit ses références aux termes néotestamentaires, et du pain de proposition du mémorial antique, par le pain donné et le sang offert par le Christ, en arrive bel et bien au mémorial de la Cène, comme l'attestent et l'extrait cité des paroles de l'institution et le renvoi aux « ecclesiastica mysteria ». La rencontre entre Dieu et l'homme, l'acte propitiatoire s'effectuent par le Christ en son mystère total (on notera la mention de l'Église), que visait sans le savoir l'ancien rite, que célèbre expressément et réellement représente le nouveau rite, dont l'ancien n'était que l'image et la préfiguration. Voir la note complémentaire 25.

27. Sabbat

Le sabbat n'invite pas à un « repos oisif ». « Ce jour-là, dit l'Écriture, Dieu arrêta ses travaux », et non pas comme traduit Celse, « se reposa, ce qui n'est pas écrit. Mais la création du monde et le repos sabbatique réservé après elle au peuple de Dieu offrent matière à une doctrine ample, profonde et difficile à expliquer. » *CC* 5, 59, *SC* 147, p. 160 s. Une homélie traitera de cette fête entre autres. « Le jour du sabbat, il faut ne s'adonner à aucune des activités du monde, s'abstenir de tous les travaux du siècle, ne rien faire de mondain, se rendre libre pour les exercices spirituels, venir à l'Église, prêter l'oreille aux divines lectures et aux homélies, méditer sur les choses du ciel, se soucier de l'espérance (de la vie) future *(de futura spe)*, avoir devant les yeux le jugement à venir, avoir égard non aux choses présentes et visibles mais aux réalités invisibles et futures. Telle est l'observation du sabbat pour le chrétien. »

Certains traits peuvent rappeler des observances juives. Mais le chrétien les accomplit spirituellement... « ' Il ne porte pas de fardeau sur la route '. Le fardeau est tout péché, selon le prophète... Chacun reste à son lieu et n'en sort pas. Quel est donc le lieu spirituel de l'âme ? Son lieu est la Justice, la Sagesse, la Sanctification ; tout ce qu'est le Christ est le lieu de l'âme. De ce lieu il faut qu'elle ne sorte pas, afin qu'elle observe le vrai sabbat et célèbre par des sacrifices la solennité des sabbats, suivant la déclaration du Seigneur : ' Qui demeure en moi, moi je demeure en lui '. » Ainsi est intériorisée pour le chrétien l'observation du vrai sabbat.

Pour Dieu, le vrai sabbat est eschatologique. En ce monde, Dieu ne cesse d'être au travail, comme le montrent maintes citations (*Matth.* 5, 45, etc.) et la réponse du Seigneur aux Juifs qui l'accusaient d'enfreindre le repos sabbatique : « Mon Père travaille jusqu'à maintenant, et moi aussi je travaille » ; il montre par là qu'il n'y a point en ce siècle de sabbat où Dieu cesse de veiller à l'économie *(requiescere a dispensationibus)* du monde et aux destinées *(provisionibus)* du genre humain... Le vrai sabbat où Dieu cessera tous ses travaux sera donc le siècle futur, quand ' s'enfuiront douleur, tristesse et plainte ' et que ' Dieu sera tout en tous '. Ce sabbat, Dieu nous donne de le fêter avec lui... » *In Num. hom.* 23, 4, *GCS* 7, p. 215, 23 s., *SC* 29, p. 443 s., tr. A. Méhat, retouchée. Pour situer le thème par rapport à l'Écriture, à Philon et à la Patristique, voir les indications bibliographiques à la fin de la note complémentaire 21.

28. Culpa [mortalis]

La leçon *mortalis*, quoique bien attestée, ne laisse pas de faire difficulté. L'édition de Baehrens ne mentionne aucun manuscrit qui ne la contienne. Et c'est celle des manuscrits qu'avait suivie l'édition de Delarue. Celui-ci, toutefois, en signale quatre autres portant le texte abrégé « si aliqua culpa invenitur », l'un d'eux, il est vrai, par suite d'une rature. Mais la leçon *mortalis* est acceptée, parce qu'elle est celle de tous les bons manuscrits anciens, et qu'elle est d'ailleurs citée par le *Maître des sentences, l.* IV, *distinct.* 14. Cf. *PG* 12, 560 C.

Mais le texte ainsi établi fait question. A le suivre, il faudrait distinguer entre *culpa mortalis* et *crimen mortale,* soit deux espèces de péchés mortels ; identifier la *culpa mortalis* au *sermonis vel morum vitium,* aux *communia quae frequenter incurrimus,* et le *crimen mortale* à la *blasphemia fidei*; spécifier à quelle pénitence est soumise chaque sorte de péchés ainsi caractérisés. C'est néanmoins le texte tel quel que la plupart des historiens ont lu, quittes à diverger sur le sens de la pénitence dont parle Origène. Ils s'accordent naturellement à reconnaître que la deuxième sorte, « les crimes plus graves », pardonnés une seule fois, relèvent de la pénitence publique. Pour les péchés qui peuvent être pardonnés chaque fois et sans délai, Origène envisagerait la pénitence privée : mais celle-ci serait, d'après les uns, d'ordre sacramentel, avec absolution sans excommunication préalable ; d'après les autres, d'ordre non sacramentel, la confession n'ayant d'autre but que d'obtenir des conseils spirituels. Or, comment est-ce possible, s'il s'agit de péchés « mortels » ? Sur l'histoire de l'interprétation du texte, voir E. F. Latko, *Origen's concept of Penance,* Québec 1949, p. 115-117 ; K. Rahner, *Doctrine,* p. 71, n. 105.

La difficulté est donc de distinguer comme deux espèces *culpa mortalis* et *crimen mortale.* Pour y obvier, une correction avait été proposée. A. Arnauld, *De frequenti communione liber,* Louvain 1674, p. 198-200, demandait de lire *culpa moralis* : en effet, d'abord c'est une erreur facile que l'addition d'une seule lettre (peut-être influencée par l'expression suivante « in crimine mortali ») ; ensuite, l'erreur est ici flagrante en ce qu'elle introduit une contradiction dans le texte. Car « le défaut ou de parole ou de conduite » constitue, comme le montre la fin du paragraphe, une de ces fautes ordinaires fréquentes, « toujours susceptibles de pénitence, et il n'y a pas délai à leur rémission ». Or la rémission était-elle si facile au IIIe siècle ? Il s'agit donc de péchés véniels. A noter que cette correction, si on la rapproche de la distinction faite entre *delicta moralia* et *fidei crimen*, dans *In Num. hom.* 10, 1, *GCS* 7, p. 70, 6 s., paraîtra moins arbitraire qu'on ne l'a dit, notamment DELARUE qui résume l'argumentation, *PG* 12, 559, n. 26, ou D. PETAU, *De paenitentia publica et praeparatione ad communionem, l.* IV, *cap.* 9, Paris 1867, p. 360-362.

Cette solution n'ayant pas prévalu, pour lever la difficulté il restait : soit à revenir à la suppression de *mortalis*, ce que fait, sans autre justification que le renvoi à Delarue et Arnauld, E. R. REDEPENNING, *Origenes, eine Darstellung seine Lebes und seiner Lehre*, 2 vol., Bonn 1841, t. II, p. 51-52, *Rem.* 5 ; soit à tenir la traduction latine pour défectueuse, ce que pense O. D. WATKINS, *A History of Penance*, t. I, Londres 1920, p. 138 ; soit à soumettre à nouveau le texte à un examen rigoureux, comme le fit K. RAHNER, *o. c.*, p. 71-73, dont il faut transcrire partiellement l'argumentation ; car nous ne pouvons mieux faire que nous rallier aux conclusions qu'il en tire.

« Des arguments de poids nous détournent de supposer pareille distinction (entre *culpa mortalis* et *crimen mortale* comme deux espèces) dans l'original grec perdu. On ne la trouve nulle part ailleurs. Le *vitium sermonis*, qui serait ici désigné comme *culpa mortalis*, est rangé d'ordinaire parmi les fautes qui ne vont pas à la mort. Origène identifierait une *culpa mortalis* avec les « communia quae frequenter incurrimus », alors que ce « frequenter incurrimus » caractérise d'ordinaire la *culpa levis*. Une séparation si nette (à l'égard de la pénitence ecclésiastique) entre la *blasphemia fidei* et une autre *culpa mortalis* ne se retrouve ailleurs ni chez Origène ni chez d'autres auteurs. Si l'on admet que, dans la théologie origénienne, tout péché *mortel* (par conséquent aussi une *culpa mortalis*) sépare *eo ipso* le pécheur de l'Église, et que l'excommunication (qui, en fait, est unique) n'est que l'expression conforme à l'essence de la faute, on ne peut admettre en même temps qu'une *culpa* réellement *mortalis* puisse être effacée sans pénitence ecclésiastique comportant excommunication et « semper... et sine intermissione ».

Ces raisons, et d'autres qu'un souci de concision nous fait omettre (par exemple, *culpa* et *crimen* sont-ils, chez Origène et son traducteur, des concepts si différents qu'ils puissent encore se distinguer quand ils sont déterminés par le même *mortale* ?..., n. 113) inclinent à penser que « mortalis » après « culpa » doit être rayé comme une « dittographie » très ancienne qui se sera glissée à partir de « crimen mortale » dans le texte grec ou dans la traduction de Rufin. Cette suppression rend le texte plus intelligible. En tout cas, cette distinction entre *culpa mortalis* et *crimen mortale* est si singulière et si douteuse, que ce serait commettre une erreur de méthode que d'en tirer une conséquence quelconque au sujet de la théologie origénienne de la pénitence. »

TABLES ET INDEX

I. INDEX SCRIPTURAIRE

Les chiffres de droite renvoient aux tomes et aux pages. Les numéros de pages en caractères droits indiquent des citations, complètes ou importantes.

Dans les colonnes de gauche, les chiffres entre parenthèses renvoient à la numérotation de la Bible hébraïque ou de ses traductions.

ANCIEN TESTAMENT

Genèse

1, 1	I, *205*	17	II, 211
26	I, *95, 101, 167*; II, 193	19, 1 s.	II, *209*
		3	II, 211
27	I, *167*; II, *241*	20, 6	II, *223*
		21, 5	II, *293*
2, 9	II, *279*	22, 12	II, *293*
3, 1	II, 289	13	I, *155*
17	I, 219	24, 4-5	II, *15*
18	I, *219*	25, 27	II, 253
19	I, *105*; II, *77*	26, 13	II, *171, 297*
		27, 27	I, *299*
21	I, 277	28	II, 275
24	II, *91*	28, 1	II, *265*
4, 14	I, *215*	30, 5 s.	II, 217
16	I, *215*; II, *241*	32, 1-2	I, 105
		35, 23 s.	II, *217*
8, 8	II, *271*	38, 7	I, *227*
9, 26	II, *265*	28	II, 51
13, 2	I, 153	40, 20	II, *17*
5	II, *211*	22	II, *17*
14, 17 s.	II, *161*	41, 50	II, *229*
15, 5	I, 213	42, 20	II, *245*
18, 1 s.	II, *209*	37	II, *245*
6	II, *209*	38	II, *245*
		43, 9	II, 245

Hébreux

4, 12	II, 295
14	II, *93, 95, 165, 173*
5, 1	I, 103
6	II, 75
12 s.	I, *83*
13	II, *131, 171,* 297
14	I, *83,* 99, 185, 191, 237, *251*; II, *275, 283*
6, 7-8	II, 271
7, 5	II, *79*
10	II, *79, 161*
25	I, 79, *311*
27	I, *103*; II, 75, *169*
28	I, 103
8, 5	I, 207; II, *137*, 199
9, 4	I, *221*
7	I, *221*; II, *93*
10	II, *129*
11	I, *185, 305*
12	II, *167*
14	I, *77, 143,* 217, *349*
24	I, *79, 311*; II, 75, 117
28	II, *95*
10, 1	I, *99, 143*; II, *29, 131, 135, 165,* 197
4	II, *131, 167*
20	I, 79
28-29	II, 153
29	II, 155
11, 39	I, 317
12, 9	II, *161*

22	II, *131, 159, 161, 163, 181*
23	I, *77*
13, 12	I, *105*; II, *131*
15	II, *73*

Jacques

1, 15	II, 177
3, 18	I, *259*; II, 205
5, 9	II, *95*
14-15	I, 111
20	I, 109

I Pierre

1, 19	I, *161*
2, 9	I, 181, 273; II, 73, 117, *221*
22	I, *103, 121*; II, *175, 183*
24	I, 123
25	II, *221*
3, 18	I, 139
4, 8	I, 111
11	fin des homélies, hormis la 2e (*Rom.* 16, 27) et la 16e (*Rom.* 11, 36)
5, 4	II, 173
8-9	I, 135; II, 289

II Pierre

1, 4	I, 171
3, 13	I, *323*

II. INDEX DES NOMS PROPRES (ET ASSIMILÉS)

Les chiffres renvoient aux numéros des homélies (chiffres romains), des paragraphes et des lignes ; les chiffres en italique, à des mots inclus dans une citation.

AARON   IV, 9, 30 ; V, 2, 8.9 ; VI, 2, 92 ; 6, 72 ; VII, 1, *11* ; IX, 1, 13.*22*.54 ; 8, 2 ; XI, 1, 19 ; XII, 3, 12 ; XIII, 1, *46*. — A. et filii eius IV, 6, *2* ; 7, *6* ; 9, *28* ; 10, *2* ; V, 1, *2* ; 2, *3*.15.17.21.31.41 ; 12, *8*.*13*.*57* ; VI, 2, *2*.*10*.*14*.17.*26*.*32*.45.103 ; VII, tit.1 ; 1, *12*.92.*94* ; 2, 104 s. ; XIII, 1, *35* ; 3, *10* ; 5, *40*.*41* — Filii A. I, 3, *3*.6 ; 4, *2*.*3* ; IV, 7, *2* ; V, 2, 6 ; 6, *2* ; 12, *10* ; VI, 6, *1* ; XIII, 3, 45 ; (duo, Nadab et Abiud) IX, 1, *11*.cf.*20*.

ABIUD   IX, 1, *11*.53 ; 9, 104.

ABRAHAM   I, 2, 51 ; III, 3, 10 ; 8, *19* ; V, 2, 62.68.71 ; 11, 34 ; VII, 2, 123 ; VIII, 2, 37 ; IX, 4, *18* ; XI, 3, *17* ; XIII, 3, 50.51.*60* ; XIV, 4, 57 ; XVI, 7, 14.

ACHAB   IX, 8, 74.*75*.

ACTUS APOSTOLORUM   VI, 6, 59.

ADAM   II, 3, *43* ; VI, 2, *110* ; IX, 5, 37.

AEGYPTIUS   V, 3, *97* ; XIV, 1, *6* ; 2, 20.23.29.30.35.50.52.77 ; 3, *79*.89 ; (genus) XIV, 2, 26 ; (mater) XIV, 1, 23 ; (pater) XIV, tit. ; 1, 26.29 ; 2, 2.19.40.45 ; 3, 51.83 ; (totus) XIV, 2, 20.

AEGYPTUS   VIII, 3, 25 ; IX, 3, *25* ; XIV, 4, 40 ; XVI, 7, *92*.

AETHIOPIA   IX, 3, *26*.

AMALECHITAE   (invisibles) VI, 6, 86.

ANNA   XI, 1, 115.

ANNAS   1, 3, 6.

APOCALYPSIS   IV, 10, 56.

APOSTOLI   IV, 1, 17 ; 5, 82 ; V, 5, 9 ; VI, 3, 37.53 ; VII, 1, 92 ; 2, 107 ; 3, 41.49 ; 4, 42.48 ; 5, 45 ; VIII, 5, 43 ; IX, 8, 33 ; XVI, 7, 63; (nostri) VI, 3, 28; VII, 1, 97; (sancti) IV, 5, 62; VII, 3, 17. — Apostolorum (Ecclesia) II, 2, 47 ; IV, 7, 50 ; (fundamentum) XV, 3, *40* ; (litterae) X, 2, 111 s. ; (duo lumina Petrus et Paulus) VII, 4, 52. Cf. Actus.

APOSTOLUS (sc. Paulus)   I, 1, 41 ; 3, 24.35 ; 4, 53 ; 5, 22 ; II, 2, 63.73 ; 4, 54 ; III, 3, 18.52.62 ; 7, 27 ; 8, 83.93 ; IV, 1, 5.7 ; 2, 30.33 ; 3, 20 ;

1, 4 s., et cit. du *Ps.* 109, 4) ; (verus s. magnus) XII, 5, 6 ; cf. 1,
18 s. ; (sacrificium ... unum et perfectum) IV, 8, 1 s. ; (pacificans
per sanguinem crucis suae) IX, 5, 57 ; cf. I, 3, 25 et IV, 4, 30 s. ;
(in dextera Dei sedens) II, 5, *24* ; VII, 4, *62* ; (omnis viri caput)
IX, 2, *75.*77 ; cf. VIII, 9, 6 ; (sponsus) IX, 5, *62* ; X, 2, *95* ; XII, 5,
74 ; XIII, 2, 36 ; (ubique adest quaerentibus se) IX, 5, 122 ;
cf. XII, 4, 55.

Christi (adventus) III, 2, 53 ; (anima) XII, 5, 58 ; (..., Ecclesia
amicorum eius) V, 11, 20 ; (... sancta) III, 5, 14 ; (caput, Deus)
XII, 3, 37.*38* ; (caro) cf. cit. de *Jn* 6, 51 s. ; (... in crucem acta)
III, 1, 35 ; (... incontaminata) III, 1, 21 ; (... sancta) IV, 8, 9 s. ;
(... verum templum Dei facta est) X, 1, 36 ; (tunica carnis) IX,
2, 35 ; (natura carnis) III, 5, 19 ; (corporales virtutes) I, 4, 44 ;
(corporalis materia) III, 5, 15 ; (divinitas) I, 4, 46.48 ; III, 5, 14 ;
(fimbria, etc.) I, 4, *24* s. ; cf. IV, 8, 11 ; (hostia) I, 2, 69 ; (humilitas)
VIII, 11, 78 ; (ieiunium) X, 2, 79, cf. 54 ; (mortificatio) II, 4, 11 ;
(mysterium) XIII, 3, 66 ; (passio) I, 4, 50 ; III, 1, 29 ; 5, 25 ;
(... et resurrectio) XIII, 4, 15 ; (ex persona) XII, 2, 86 ; (effusio
sanguinis) III, 5, 33 ; (sanguis) III, 8, *116* ; (tribunal) IX, 7, *61.* —
(athletae) I, 4, 39 ; (corpus sumus) VII, 2, 73-156, *passim* ;
(Ecclesia) XII, 5, 66.cf.23 ; (Evangelium) XI, 2, 58 ; (fides) I, 1,
24 ; 4, 30 ; XII, 5, 15 ; XVI, 6, 60 ; (fundamentum) XIV, 3,
28.40 s. ; (g enus) XII, 5, 67.*72* ; (lex) XV, 2, 1 ; (milites) XVI, 7, 33 ;
(in mortem C. baptizari) II, 4, 68 ; (nuptiae) XII, 5, 7.17 ; (bonus
odor sumus) II, 2, *55* ; III, 7, *27* ; (plenitudo) XII, 2, *47* ; (prae-
dicatio) XII, 4, 75 ; (scientia) XVI, 6, *67* ; (... et caritas) I, 4, 31 ;
(sensus)V, 6, *17.*20 ; (sponsa) XII, 5, 75 ; 6, 18. — (figura) III, 1,
7 ; (forma et imago) III, 5, 6 ; (typus et imago) III, 8, 33 ; (typus
et umbra) III, 5, 9 ; (nomen, veritas) III, 8, 91.

Christum (qui crucifixerunt) X, 2, 91 ; (cognoscere secundum
carnem) I, 4, *54* ; (discere) IV, 2, *27* ; V, 5, *9* ; (imitari) IX, 2, 52 ;
(sequi) IX, 9, 41 ; 11, 4 ; X, 2, 59 ; XII, 4, 62 ; (Dominum depositum recipere) IV, 3, 22 ; (ad Christum iam Dominum conversa
Ecclesia) I, 1, 40 ; (ad C. venire) IX, 10, 7 ; (apud C. animarum
esse medicinam) VIII, 1, 29 ...

Christo (nulla consonantia cum Belial) IX, 11, *40* ; (credere)
XIV, 2, 33 ; (uni viro virginem castam exhibere) XII, 5, *9* s. ;
(nubere) XII, 5, *49.*53. — cum Christo (esse) II, 5, *25* ; (mortuus)
VII, 4, *61* ; (resurgere) X, 2, *76.* — in Christo (Deus erat) IX, 5,
56 ; (omnis benedictio spiritalis in caelestibus) XVI, 1, *33.38* ;
(credere) XIII, 5, 44 ; (homo effectus) III, 3, 61 ; (omnia posse)
XIII, 4, *80* ; (paedagogi, patres) VI, 6, 53 s. ; (parvuli) I, 4, 36 ;
(simplicitas fidei quae in C. est) XII, 5, *20*; 7, *32*; (... donec Christus
formetur in nobis per fidem) cf. XII, 7, 31 s. et VI, 6, *52* ; (qui

in C. est, nova creatura est) XII, 5, *30*. Cf. Iesus, Iesus Christus,
Pater.

CLEOPHAS IX, 9, 87.

CORINTHII III, 3, 52 ; XII, 5, 12.

CORNELIUS VII, 4, *104* s.109.

CRETENSES V, 7, *76*.

DABER XIV, 1, *10*.

DAN XIV, 1, *10*.

DANIEL IV, 5, 74.

DAVID III, 4, 71 ; IV, 5, 79 ; V, 4, 32 ; 9, 9.17 ; VIII, 3, 66 ; IX, 9,
85.91 ; XVI, 6, 10 ; (beatus) XVI, 4, 50 ; (magnus patriarcha)
XV, 3, 15 ; (propheta) XII, 3, 4.

DEUS *saepe*. Cf. Christus, Ecclesia, Filius, Pater, Verbum.

DEUTERONOMIUM VII, 6, 69 ; XVI, 2, 37.

DOMINUS *saepe*. Cf. Christus, Iesus, Iesus Christus, Salvator.

ECCLESIA I, 1, 41 ; II, 5, 69 ; III, 2, *15.16*.32.34.37 ; 7, 7 ; IV, 5,
22 ; 8, 40 ; 9, 18.19.22 ; V, 1, 17 ; 3, 70.85 ; 5, 12 ; 8, 37.43.49 ;
12, 74.75 ; VII, 1, 4 ; 5, 94 ; VIII, 1, 18.30 ; IX, 5, 117.120 ; 7,
84 ; 8, 59.71 ; 9, 29.35 ; X, 1, 1 ; XI, 1, 1.97 ; XII, 4, 37 ; 7, 27 ;
XIII, 4, 12 ; XIV, 1, 36 ; 2, 16 ; 3, 57.59 ; XVI, 2, 46 ; (Dei) IV,
2, 20.34 ; V, 3, 68.*98*.100 ; 12, 127 ; IX, 1, 38 ; 7, 71 ; X, 1, 52 ;
XI, 3, 39 ; (legi et prophetis et Evangelio ... unum est tabernaculum quae est E. Dei) VI, 2, 87 ; (Domini) V, 3, 97 ; (Christi)
XII, 5, 24.66 ; (... virgo, gloriosa) XII, 5, 24.*32* ; 6, *21* ; (amicorum
Christi) V, 11, 20 ; (apostolorum) II, 2, 47 ; IV, 7, 50.

Ecclesiae (aedificatio) I, 1, 53 ; (aedificium) IX, 7, 98 ; (animalia)
III, 3, 69.74 s. ; (auditores) II, 4, 23 ; (baptisma) VIII, 3, 73 s. ;
(corpus) I, 3, 14 ; VII, 2, 158.191 ; (doctores) VI, 6, 50.56 ; (episco-
pus) XI, 2, 54 ; (fides) VIII, 11, 74 ; (filii) VII, 5, 51 ; (in medio)
I, 1, 25 ; XII, 2, *88* ; (presbyteri) II, 4, *64* ; (pueri) V, 5, 8 ; (sacerdotium, -dos, -dotes) V, 3, 58.59.61.75 ; 12, 76 ; VI, 6, 47.50.64.85 ;
cf. IX, 1, 38.

— *Pl.*, IV, 8, 54 ; V, 4, 44 ; (Dei) III, 6, 32. Cf. Salvator.

EPAPHRODITUS IV, 9, *5*.

EPHESII XVI, 1, 29.

EPHREM XIV, 1, 24 ; XVI, 1, 52 ; (tribus) XIII, 4, *65*.

ESAIAS II, 5, 51 ; IV, 5, 64 ; VII, 1, 132 ; VIII, 5, 61 ; IX, 7, 4 ;
8, 3.13 ; XIV, 3, 49 ; XVI, 2, 53 ; 6, 32.

ESAU XV, 2, 18.

EVA XII, 5, *10*.

EVANGELISTA VII, 3, 50.

EVANGELIUM II, 4, 95 ; III, 2, 40 ; 3, 20.82 ; IV, 6, 25.66 ; 7, 48 ;

V, 3, 50 ; 12, 20 ; VI, 2, 57.80 ; 6, *55* ; VIII, 11, 163 ; IX, 5, 24 ;
9, 86 ; X, 2, 62 ; XI, 2, 64 ; XII, 2, 54 ; 4, 23 ; 5, 41 ; XIV, 3, 8 ;
XVI, 2, 93 ; 3, 11 ; (aeternum) IV, 10, *56* ; (-lii littera quae occidit)
VII, 5, 65.68. Cf. Christus, Ecclesia.

— *Pl.*, I, 4, 35 ; II, 1, 40 ; 4, 35 ; III, 1, 33 ; 2, 27 ; 5, 26 ; 8,
12.24 ; IV, 1, 8.13 ; 6, 20 ; 10, 49 ; V, 5, 57 ; 7, 65 ; 12, 131 ; VI,
2, 80 ; VII, 5, 70 ; VIII, 1, 3 ; IX, 4, 13 ; X, 2, 24 ; XII, 7, 24 ;
XIII, 2, 31 ; XIV, 3, 72 ; 4, 53 ; XVI, 3, 22 ; (nova) XVI, 7, 63 ;
(et in -liis littera quae occidit) VII, 5, 59 s. ; (lex et prophetae
et -lia in unum semper veniunt...) VI, 2, 83 ; (semper lex cum
-liis) VI, 2, 80 s. ; (lex et -lia invicem sibi consonant) VI, 3, 30 ;
(fidei veritas unum eundemque Deum legis et -liorum tenet) V,
1, 35 ; (in lege et -liis unum atque eundem inesse sanctum Spiritum) XIII, 4, 26.

Excelsus (-i filii) IX, 11, *9* ; XI, 2, *28*.
Exodus VI, 6, 31 ; XII, 4, 84 ; XIV, 2, 28 ; 3, 72.
Ezechiel IV, 5, 14 ; V, 5, 32 ; 8, 22 ; VII, 2, 138.

Filius (Deus missus) VIII, 2, 24 ; (Altissimi) XII, 2, *29* ; (caritatis)
VII, 2, *23* ; (Dei), II, 4, 31 ; VIII, 2, *21*.cf.24 ; IX, 1, 48 ; XI, 2,
42.61 ; (... unigenitus) V, 3, *23* ; (hominis) VIII, 3, *63* ; IX, 7,
52 ; 8, *65*. Cf. Christus, Pater, Trinitas.

Gabaonitae V, 8, 62.
Gabriel XII, 2, 27.
Gamaliel VII, 4, *24*.
Genesis II, 3, 46 ; XIII, 3, 50 ; XVI, 1, 50.
Graeci V, 7, 78 ; cf. III, 6, 47.

Hebraei I, 3, 35 ; II, 3, 12 ; VII, 2, 117 ; IX, 2, 7.15 ; XI, 2, 39 ;
XII, 5, 62 ; XV, 2, 13. Cf. Paulus.
Heli IV, 5, 48.
Helias XVI, 1, *62* ; (homo Dei) III, 3, 77.
Helisaeus III, 3, 11.
Her (filius Iuda) V, 4, 64.
Herodes VIII, 3, 26.
Hieremias (Ie-) VII, 1, 131 ; VIII, 3, 33.48 ; 5, 70.90 ; IX, 2,
63.64 ; XII, 5, 77.
Hierusalem (Ie-) I, 3, *11*.21 ; VIII, 2, 30 ; VIII, 5, *94* ; X, 1, 29 ;
2, 7.77 ; (caelestis) X, 1, 33 ; (... mater) XI, 3, 5.*9*.26.*44* ; XII, 4,
29.

Iacob II, 3, 45.*47.48* ; VII, 2, 124 ; XIV, 4, 39.44 ; XV, 2, 11.*12*.16 ;
XVI, 1, 51.52.61 ; 3, 5.7.
Iacobus Cf. Apostolus.

1, 14 ; XIII, 4, 58 ; (reliquus) III, 5, 31. — Filii Is. I, 2, 3 ; V, 2,
6.18.36.37.39.53.55 ; 10, 47 ; 12, 72 ; VI, 2. *5.8* ; VII, 1, *17* ; VIII,
2, *2* ; IX, 3, *21* ; XIII, 1, *24.33* ; 3, *9* ; 6, 24 ; XIV, 1, *6* ; (= laici)
V, 3, 96.

ISTRAHEL (= Iacob) XIII, 4, 70.

ISTRAHELITA XIV, 1, *8* ; 2, 29 s. ; 3, 84.89.91 — *Pl.*, V, 8, 64.

ISTRAHELITES (verus) XIV, 3, 54.

ISTRAHELITICUS (mater) XIV, 2, 43 ; (nomen) XIV, 1, 19 ; (origo)
XIV, 2, 22.

ISTRAHELITIS (mulier) XIV, tit. 1 ; 1, *6.7.8*.25.29 ; 2, *2.8*.19.40 ;
3, 51.78.*80*.

IUDA(s) (patriarcha) XIV, 4, 38.43.45.48 ; (tribus) VIII, 4, *37* ;
5, *94* ; XIII, 4, 62.63. Cf. Her.

IUDAEA XIII, 2, 10.*11*.

IUDAEUS V, 1, 22.24 ; (in manifesto, visibilis) V, 1, *23.25*.29 ; (in
occulto, invisibilis) V, 1, *23.26*.29 ; 2, 57. — *Pl.*, III, 1, 32. 43 ;
3, 6 ; IV, 7, 53 ; V, 8, 43 ; VII, 3, 54 ; 5, 88 ; 6, 93 ; X, 1, 6 ; 2,
2.25.78 ; XII, 1, 7.13 ; 2, 14.16 ; 4, 42 ; XIII, 1, 16 ; 4, 30 ; XVI,
2, 18.26 ; 7, 88 ; (in manifesto) IV, 7, 31.

IUDAICUS (intelligentia) III, 3, 14 ; (fabulae) III, 3, 112 ; VI, 3,
59 ; XII, 4, 52 ; (superstitiones) XII, 5, 23.

LACEDAEMONII VII, 5, 92.

LAZARUS (pauper) IX, 4, *14.17* ; XIV, 4, 56.*58*.

LEVI VII, 1, *27* ; XI, 3, 16 ; (tribus) XIII, 4, 63.

LEVITA XV, 1, *17.20* ; 3, 9.12. — *Pl.*, V, 3, 93 ; IX, 9, 10 ; XV,
3, 19 ; XVI, 2, 10.

LEVITICUS (intelligentia) XV, 3, 4 ; (ordines) XV, 1, 26 ; (possessio)
XV, 1, 21.

LEVITICUS (liber) I, 1, 11 ; 2, 1 ; II, 1, 1 ; VIII, 3, 48 ; XV, 1, 2 ;
XVI, tit. ; 1, 14.48 ; 2, 1.

LOT XIII, 3, 51.54.

MANASSES XIV, 1, 24 ; XVI, 1, 52.

MARCION VIII, 9, 19.

MARIA (mater Iesu) I, 1, 1 ; VIII, 2, 14.19.46 ; 4, 27 ; XII, 4, 23.

MARIA MAGDALENE IX, 5, 13.

MELCHISEDECH XI, 3, *17* ; (secundum ordinem M.) III, 2, *50* ; V,
3, *37* ; XII, 1, *3* ; 4, *54*.

MESOPOTAMIA VIII, 2, 38.

MOYSES I, 2, *2*.28 ; II, 1, 2.*67* ; 3, *43* ; III, 6, *3* ; IV, 1, 2.18 ; 2, *3* ;
6, *2* ; 7, 51 ; 9, 32 ; 10, 2.27 ; V, 1, *1* ; 2, 2.7 s. ; 5, 4.6 ; 11, *1* ; 12,
1.24 ; VI, 2, *7.26* s. ; 3, *2.15*.27.44.65 ; 6, *1.3*.72.74.81 ; VII, 4,
34; 5, 15; VIII, 2, *1*; IX, 1, *19.22*; XI, 3, 7; XII, 3, 15; XIII, 1,
17.*23*.26; 6, 24; XIV, 1, *9.12*.31; 2, 74; 3, *74*.75; XV, 1, 2; XVI,

5, 11.20 ; XVI, 7, 32 ; (iustus) XVI, 5, 53 ; (Hebraeus ex Hebraeis, secundum legem pharisaeus) VII, 4, 22 ; (scientissimus pontificum et peritissimus sacerdotum) IV, 6, 40. Cf. Apostoli, Apostolus.

PENTECOSTE (in die -tes) II, 2, 44.46. Cf. Pascha.

PETRUS IV, 4, 18 ; V, 12, 116 ; VI, 2, 84 ; VII, 4, *55*.60.66.69.*73.96* s. ; 5, 45 ; IX, 1, 39 ; 9, 34 ; XVI, 7, 41. Cf. Apostoli, Apostolus.

PHARAO VIII, 3, 25 ; (impius) XVI, 3, 9.

PHARISAEI III, 2, 51 ; V, 7, 66 ; X, 2, 93.

PHILIPPENSES IV, 9, 4.

PILATUS X, 2, 24.36.*42*.

PROVERBIA XI, 1, 92 ; XVI, 5, 47 ; 6, 2.

PSALMUS (57, 4) VIII, 3, 93 ; (80, 4) IX, 5, 79 ; (118, 140) IX, 9, 85 — *Pl.*, (31, 5) III, 4, 72 ; (35, 7) III, 3, 70 ; (35, 9) XVI, 2, 111 ; (108, 7 et 18, 13) V, 9, 9.17.

RAAB VIII, 10, 97.

REGNORUM LIBRI IV, 5, 47.

ROMANI VII, 5, 92 ; XII, 5, 47.

RUBEN XIV, 4, 38.41.47.

SALOMITH XIV, 1, *10*.

SALOMON (Sol-) X, 2, 19 ; XI, 1, 92 ; XII, 4, 18 ; XIII, 4, 76 ; XVI, 5, 47.57 ; 6, 1 ; (sapientissimus) III, 8, 5 ; XVI, 4, 41.

SALVATOR I, 4, 47 ; II, 4, 16.38 ; III, 3, 82 ; IV, 4, 40.55 ; 10, 35 ; V, 2, 74 ; 3, 50 ; VII, 1, 110 ; 3, 53 ; VIII, 10, 83.108 ; IX, 6, 38 ; X, 2, 63 ; XVI, 4, 24 ; (magnus sacerdos) XII, 1, 23 ; (meus) VII, 2, 6 ; (noster) VII, 2, 3 ; IX, 2, 39 ; 5, 27. — Salvator (noster Deus) IV, 8, *22* ; (Dominus Iesus) II, 5, *21* ; (et Dominus meus) V, 3, 37 ; VII, 3, 44 ; (= Dominus et rex) VII, 1, 43. — Dominus (et) Salvator II, 4, *42* ; III, 3, 39 ; (meus) IX, 2, 30 ; 5, 47 ; cf. XVI, 6, *14* ; (noster) IV, 1, 14 ; 10, 71 ; V, 7, 19 ; VII, 5, 34 ; IX, 5, 5 ; X, 2, 58 ; XIII, 2, 12 ; (pontifex) IX, 8, 42 ; cf. XII, 4, 45 ; (ipse est Aaron, filii vero eius apostoli eius sunt..., verus pontifex... veri sacerdotes) VII, 1, 90 s., 107 ; (pontificum pontifex et sacerdotum sacerdos) IV, 6, 63 ; (... Iesus Christus) VII, 5, 7 ; (... qui caput et auctor est totius corporis ... vult in isto corpore Ecclesiae suae ... velut anima habitare) VII, 2, 150.157.

SAMUEL VIII, 11, 44 ; XI, 1, 115.

SATANAS XIV, 4, *86* ; XVI, 6, 10.*77*.

SCRIPTURA VII, 1, 27.129 ; 3, 9 ; 4, 14 ; VIII, 3, 17 , 5, 32 ; IX, 11, 1.16 ; XI, 2, 45 ; XII, 3, 19 ; 4, 2.6.23 ; XIII, 2, 62 ; 5, 21 ; XIV, 1, 4 ; 2, 23.76 ; 4, 81 ; XV, 2, 9 ; XVI, 2, 85 ; 5, 16 ; 6, 24 ; (divina) II, 4, 49 ; V, 5, 15 ; 8, 13 ; 9, 30 ; VII, 1, 21 ; 4, 6 ; XIII, 4, 66 ; XIV, 2, 7 ; 3, 81 ; 4, 50 ; XVI, 2, 45 ; (sancta) V, 1, 42 ; (prophetica)

XVI, 5, 28 ; (nulla alia tertia) V, 9, 30. — Scripturae (anima, corpus, spiritus) V, 1, 50 s. cf. 5, 48 ; (umbra, veritas) VIII, 5, 46.

  Pl., III, 8, 73 ; IV, 5, 13 ; 9, 15 ; V, 1, 30 ; 5, 18 ; 7, 37.39 ; VII, 1, 3 ; VIII, 2, 19 ; 9, 15 ; IX, 7, 67 ; 8, 63 ; 9, *88* ; X, 2, 105 ; XII, 2, 67 ; XIII, 3, 48 ; XIV, 2, 33.41 ; 3, 72 ; 4, 13 ; XVI, 1, 19 ; 2, 33 ; 4, 39 ; (divinae) IV, 5, 19 ; V, 1, 31 ; 3, 31.106 ; 4, 5.22 ; 5, 26.31.42.46 ; 9, *42* ; VII, 1, 134 ; 4, 9.42 ; VIII, 1, 1 ; IX, 7, 77 ; XI, 1, 4.7 ; XV, 3, 21.28 ; XVI, 1, 54 ; (... = cibi) V, 5, 56 ; (sanctae) VI, 2, 56 ; XIV, 2, 56.

SEM   XVI, 1, 51.56.60.

SEPTUAGINTA   (interpretes) XII, 5, 63.

SERAPHIM   IX, 7, *5*.13.*29*.

SINA   VI, 2, *8.9*.

SOENE   IX, 3, *26*.

SOL IUSTITIAE   IX, 10, 20 ; (Dominus et Salvator noster) XIII, 2, 12.

SPIRITUS SANCTUS   V, 2, 93 ; VI, 2, 76 ; VIII, 3, 31.50.59 ; 11, 172 ; IX, 2, 36 ; XVI, 6, 42 ; (depositum) IV, 3, 23. — Spiritus sancti (gratia) V, 12, 105 ; VI, 2, 70.74 ; XIII, 6, 31 ; (lavacrum regenerationis...) IV, 8, *24* ; (lex) VI, 6, 95 ; (praesentia) II, 2, 53 ; VIII, 2, 48 ; (primitiae advenientis S. s.) II, 2, 47 ; (unitas) XIII, 3, 66 ; (verba) VI, 6, 38 ; IX, 9, 83.91 ; (virtus septemplex) VIII, 11, 160 ; (virtus septemplicis gratiae) III, 5, 23 ; (voluntas) XIII, 1, 32. — Spiritus V, 5, 12 ; VI, 5, *17* ; 6, 80 ; VIII, 10, *110* s. ; XIII, 1, 6 ; (meus) V, 2, *94* ; (Dominus et Deus S. est) IV, 1, *6* s. ; (Dei) III, 2, *30* ; (... nostri) II, 2, *25* ; (Domini) I, 1, *43* ; V, 2, *90*. cf.*89* ; X, 2, *68* ; (gratiae) XI, 2, *44* ; (divinus et propheticus) VIII, 3, 55. — Spiritus (fructus) II, 2, *73* ; V, 12, *41* s. ; (gladius) XVI, 7, *34* ; (gratiae) VI, 2, 67 ; VIII, 11, 170 ; IX, 1, 9 ; (societas) IV, 4, 11.*13* ; (voluntas) XIII, 6, 27. Cf. Filius, Pater, Testamentum, Trinitas ; *Index III*, Écriture.

SUSANNA   I, 1, 30 s.

SYNAGOGA   II, 2, 3. — Synagogae (culpa) II, 4, 9 ; (peccatum) II, tit. 3 ; 1, 34 s. ; (vitulus) II, 3, 63.

TESTAMENTUM   (Dei) VII, 6, 35.*40*.41 ; VIII, 10, *40*.

TESTAMENTUM   Vetus VII, 4, 47 ; VIII, 3, 24 ; (Veteris -ti velamen) VI, 1, *3* ; (de lectione V. T. velamen) VIII, 5, 36 ; XIII, 2, *3* ; (intrumentum vetus) VII, 1, 103. — T. Novum VII, 1, 103 ; VIII, 3, 26 ; (Novi -ti leges) VII, 1, 35. — (non solum in V. T. ' occidens littera '... est et in N. T.) VII, 5, 60 s. ; (V. et N. T. esse ' unum '... et unum Spiritum in utroque instrumento ... in lege et Evangeliis unum atque eundem inesse sanctum Spiritum XIII, 4, 24 s. — (duo -ta) V, 9, 26.

III. INDEX ANALYTIQUE

Les chiffres renvoient aux tomes et aux pages.

137 s., 315 ; II, 105 s., 249, 291 ; corruption de la c. I, 279 ;
destruction 141 ; II, 249 ; v. orgueil. — Dans l'Écriture,
c. pure et sainte de la parole de Dieu, nourriture solide, doctrine
parfaite I, 249 s. cf. 243 ; c. nouvelle ou ancienne 239-247 ;
ou bien est synonyme de la lettre I, 67... cf. Écriture sainte.

Charité I, 219 ; II, 117, 239 ; parfaite 259 ; plus grande que l'espérance et la foi I, 113 ; abondance de la ch. obtient la rémission
109 s. ; ardeur II, 119 ; étendue I, 193 ; jointure 323 ;
joug suave II, 301 ; lampe et lumière 205 ; lumière de la ch.
et de la paix 123 ; ch. fruit de l'Esprit I, 101, 259 ; cf. huile.

Charnel : Loi et bénédictions II, 263 ; figures spirituelles et non
charnelles, à ne pas prendre en charnels I, 339. Cf. Écriture
sainte, maître, mère, père ; *Index II* : Istrahel.

Chasteté I, 87, 139, 183 ; II, 79, 139, 163 ; de corps et d'esprit,
cf. I, 87 ; de Jean-Baptiste et de Jérémie II, 79 ; du prêtre
I, 183, cf. 199, 289, 293 ; doctrine sur la ch. II, 275.

Chrême, cf. onction.

Chrétien I, 109, 331 ; II, 139, 269 ; religion I, 205 ; ch. et
catholique II, 233. — *Pl.*, I, 331 ; II, 141. Cf. abstinence, jeûne.

Cicatrice de la lèpre, du péché de l'âme, cf. *hom. VIII,* 5, *passim.*

Ciel : firmament du c. II, 255 ; cime des cieux 123...

Circoncision charnelle et spirituelle I, 205 s., 281 ; II, 21 s. ; du
cœur I, 205, cf. 207 ; pour les Juifs II, 23, 187 ; pour les
chrétiens 23.

Coeur : four capable d'un double embrasement I, 227 s., cf. 263 ;
II, 97 s., 221 s. ; signifie l'âme raisonnable 221 ; contrit I, 179 ;
droit 341 ; enflammé des croyants II, 119 s. ; renouvelé, pur,
capable de Dieu 299 ; lieu de la parole de Dieu 135, des obla-
tions spirituelles I, 201, des saintes pensées 279 ; espace de
notre c. planté d'arbres II, 281, cf. 277 s. ; moisson... 297 ;
de la parole de Dieu qui est semée, le Christ naît dans le c.
des auditeurs 195 ; prières d'un cœur pur 219. *Pl.*, 287 ; des
auditeurs 271... Cf. componction, oreille.

Colère I, 87, 113, 137, 145, 261, 281, 305 ; II, 39, 97, 121, 219 ;
enivre l'âme I, 305 ; esprit de c. II, 193, 291 ; c. divine I,
219 ; cf. II, 105.

Colombe : sa simplicité I, 113 ; comment elle échappe à l'épervier
155 s. ; petits de c. 71, 113...

Combat spirituel I, 349 ; impliqué par chaque commandement II, 265,
291 lois et sanctions, récompense ou peine, cf. *hom. XVI.* Cf. chair.

Commandements du Seigneur à ne pas suivre I, 115 s. ; cf. précepte.

Commencants, cf. perfection.

Commun veut dire impur I, 265 ; homme, pécheur qui appartient à
beaucoup de démons 265...

Communauté à l'ordination du prêtre I, 279 ; réunion des vertus de l'âme 279. Cf. péché.

Communion dans l'Esprit, ... avec le Père et son Fils, Jésus-Christ, ... avec le Père et le Fils et avec le Saint-Esprit I, 171...

Complice I, 127. — Complicité 143.

Componction du cœur I, 147 ; espoir de c. ou de repentir II, 113.

Conception avec souillure II, 179, dont Marie fut exempte cf. 15 ; c. des âmes saintes 195.

Concorde fruit de l'Esprit I, 259.

Concubine israélite II, 217.

Concupiscence I, 85. Cf. convoitise.

Confesser son péché I, 111, 137, 141 ; II, 255. Cf. admonestation, aveu.

Conscience I, 85, 167 ; II, 101 ; bonne I, 219 ; II, 219 ; libre 223 ; pure d'œuvres mauvaises 219 ; c. d'une faiblesse personnelle I, 103 ; du péché 215 ; II, 101, 177, 191, 249. *Pl.*, I, 125, 221.

Conscient de son salut I, 99, 257...

Contact qui rend impur ou qui rend pur I, 129 s. Cf. cadavres.

Continence I, 87, 199 ; II, 107, 109, 139, 283 ; frein de la c. I, 85.

Conversion du péché, procède en trois étapes II, 63...

Convoitise II, 37 ; du cœur, rejetée par Jésus I, 129, 281 ; de l'avarice 87 ; de la chair II, 117 ; d'une femme I, 129 s. ; II, 97 ; du monde, de la chair et des yeux 147. *Pl.*, I, 191 ; II, 103 ; de la chair I, 273 ; des plaisirs et des richesses II, 273.

Copie : un sanctuaire, c. du véritable II, 75 ; c. et ombre I, 207 ; ombre et c. II, 137, 199. — *Pl.*, c. et types *(formas)* II, 77.

Corbeille de perfection et ce qu'elle signifie I, 231.

Corporel : matière c. du sang de Jésus I, 79 ; sacrifices 249 ; luttes II, 263 ; bêtes 289 ; bénédictions, cf. *hom. XVI.*

Corps d'un patriarche, d'un prophète, d'un défunt I, 129 ; mort 135 ; du Seigneur II, 221 ; de sa nature humaine I, 105... Cf. Écriture sainte ; *Index II* : Christus, Salvator.

Correction fraternelle, cf. admonestation.

Couleur vive de la lèpre, sa signification II, 35.

Coupe : de l'ombre à la vérité de la c. spirituelle I, 327.

Crainte de Dieu I, 261 ; II, 239, 253 ; esprit de la c. de Dieu 195 ; c. et tremblement I, 215.

Créateur : les hérétiques nient que Dieu C. soit Père du Christ II, 213, cf. 233.

Création du monde I, 205 ; cf. II, 165 conduite à sa perfection suprême I, 315.

Créatures raisonnables faites par Dieu I, 251 ; c. autres que le monde 289. Cf. nouveau, monde.

Croix   I, 123 ; II, 89 ; heure de la c. 89 ; temps   I, 307 ;   ma croix   II, 117.   Cf. bois, sang.

Crucifié : le monde est c. pour moi et moi pour le monde   II, 117. Cf. *Index II* : Iesus Christus.

Décalogue   II, 151.

Délit, cf. faute.

Démons   I, 265 ; II, 289, 295 ; Amalécites invisibles ennemis du peuple   I, 297 ;   amants de l'âme   II, 191 ;   mis en fuite par les docteurs fidèles   295 ;   beaucoup possèdent le pécheur   I, 265. Cf. diable.

Dénonciation du péché   I, 121, 125, 137.   Cf. admonestation.

Dépôt   I, 163 s. ; l'âme et le corps, l'image et la ressemblance de Dieu confiée à l'âme, le Christ, l'Esprit, le sens spirituel   167 s. ; la paix du Seigneur   II, 207.

Désert où on envoie le bouc émissaire   II, 81 s. ; spirituel   85 ; de l'enfer   89.

Désespoir   I, 109 ; II, 113.

Désirs obscènes, saints d. enivrent l'âme   I, 305.

Diable   I, 111, 141, 157, 229 ; II, 89, 125, 221, 295 ;   adultère   193 ; le pire des « acheteurs »   261 ;   lion   I, 135 ; II, 289 ;   grand monstre marin que mettrait à mort le Seigneur...   19 ;   le d. et ses anges   193, 287 ;   ... les esprits malins, les démons impurs   283. Cf. image.

Diaboliques : actions   II, 189 ;   spectacles   103.

Dialectique   I, 239.

Dieu auteur et tête de toutes choses   I, 289 ;   tête du Christ   II, 177...   Cf. bonté, Créateur.

Discernement du bien et du mal   I, 185, 191 ; II, 99, 283.

Disciples   I, 163, 189, 213, 243 ; II, 57, 139 ;   distingués des foules par Jésus   I, 185, 199 ; cf. II, 223.

Discipline du chrétien plus rigoureuse   I, 109 ;   main de la d.   85.

Docteurs des Juifs   I, 189 ;   dans l'Église   I, 295 ; cf. II, 259 ;   *(sing.)* I, 83 ;   fidèles   II, 295 ;   soi-disant   I, 331 ;   corrompu   II, 41.

Doctrine (dogme)   I, 235 ;   céleste II, 71 ;   humaine   I, 239 ; ecclésiastique et apostolique II, 257 ;   corrompue 139 ;   parfaite I, 237, 239 ;   profonde 317 ;   saine 221 ;   la plus vraie 329 ; des prêtres 291 ;   joug de la d. évangélique II, 187 ;   cf. arbre. — *Pl.*, divines II, 59 ;   les unes secrètes dans l'Église, d'autres inférieures I, 221.

Douceur   I, 275. — Doux   275 ;   d. visage de Jésus   II, 295 ;   les doux   II, 235, 257.

Dragon : Satan   II, 287. — *Pl.*, d. volants, ou puissances hostiles des pires démons   II, 289.

Eau pour l'holocauste, préfigurant le baptême I, 83 s. ; pour la purification du lépreux, préf. un aspect de la pénitence II, 51 ; eau jaillie du côté du Sauveur 51 ; jaillissant pour la vie éternelle 105.

Écarlate : dans l'Écriture joue un rôle par rapport au salut, le cordon é. figure le sang du Christ II, 49 ; péchés comme l'é. I, 179.

Ecclésiastique (homme d'Église) II, 233 ; Origène I, 69 ; mystères II, 209. Cf. doctrine, foi.

Économie divine II, 131 ; de la sagesse divine I, 103 ; de la chair du Christ I, 83, cf. 105 ; double économie cf. II, 155 ; cette période de l'é. I, 307 ; cf. II, 95.

Écriture sainte. Précaution dans le choix de ses termes II, 241, qui conviennent I, 153, sans rien d'inutile I, 73, 77, 115, 241, 331, 333 ; II, 13, 15, 59, 77, 109, 219, 265, 273 ; cf. I, 293 ; II, 189. Sa richesse de sens nous surpasse I, 103, 155, 233 ; pour mieux comprendre, Origène assure sa méthode, cf. apologie ; il prie I, 229, 269, et invite ses auditeurs à prier, cf. auditeurs.

I. *Deux sens* : « Nous défendons et la lettre et l'esprit » II, 233.

A. Sens littéral : — La lettre I, 67, 69, 99, 165, 167, 173, 189, 199, 205, 233, 289, 341 ; II, 71, 199, 225, 233, 289 ; la lettre qui tue I, 67, dans l'Ancien et aussi le Nouveau Testament I, 339 ; selon la lettre I, 67, 147, 149, 159, 169, 175, 197, 199, 201, 235, 243, 281, 283, 329, 339, 343 ; II, 21, 79, 181, 183, 201, 227, 233, 285, 297. — L'histoire I, 69, 127 ; II, 115, 227, 229 ; selon l'histoire I, 125 ; II, 11, 251, 253 ; historique : interprétation I, 269, précepte 305 ; — charnel : sens II, 233, loi, observation, bénédictions 263 s., précepte I, 119 ; comprendre, etc. *carnaliter* II, 109 ; *corporaliter* 169, 269, 271... — Voile : de la face de Moïse enlevé par l'Évangile I, 189 ; de la lecture de l'A.T. enlevé par le Seigneur II, 29 ; de (la lecture de) l'A.T. enlevé des yeux de qui s'est converti au Seigneur I, 269, cf. 69 ; II, 201 ; de la lettre (comparé à celui de la chair du Verbe de Dieu), enlevé par le prêtre I, 67, cf. 81 ; d'un sens trop grossier 241. — Le sens obvie à dépasser s'il a une apparence immorale cf. II, 259, ou indigne cf. I, 163, 205, 227 s., 341, ou absurde 69, 129 ; II, 289 s. « Nous rejetons la Loi selon la lettre pour maintenir la Loi selon l'esprit » II, 297. Cf. allégorie, copie, esquisse, figure, image, ombre, symbole, type et, au sens de leur accomplissement, vérité.

B. Sens spirituel. Comparé à la divinité du Verbe I, 67. — Esprit : l'Esprit divin caché à l'intérieur sous le voile de la lettre » I, 67 ; la volonté (l'intention) de l'E. II, 119, 225 ; Cf. 71 et I, 297 ; les paroles du Seigneur, non seulement sont spirituelles, elles sont esprit et vie 165 ; esprit 99, 163, 167,

Entrailles au figuré, la divinité du Christ I, 105, 143 ; laver ses e. c'est purifier sa conscience 85, cf. 225...

Envie I, 87, 261, 305 ; II, 97 ; esprit d'e. 193 ; flèches de l'e. 291.

Épaule(s) signifiant œuvres et travail I, 263, 283 ; droite(s) sign. œuvres droites 261, 263 ; « séparée », « prélevée », part du prêtre, symbole de l'action sacerdotale 257, 261, 271, 299, 323, 327.

Épervier : rapace I, 353 ; figure le diable 157. Cf. colombe.

Épines et chardons, soucis du siècle, convoitise des plaisirs et des richesses II, 272.

Épousailles du Christ II, 185-189. Cf. *Index II* : Christus, Ecclesia, Verbum.

Espérance I, 113 ; future 261 ; de notre vocation II, 291 ; colonnes de l'esp. I, 193 ; joug suave II, 301.

Esprit chez l'homme, distinct de l'âme et ne pèche pas I, 101 ; opposé à la chair, voir chair ; e. et puissance d'Élie II, 267. — *Pl.*, malins 293 ; du mal 289. Cf. Écriture sainte, prophétique.

Esquisse chez les Juifs, une certaine esquisse et image de la vérité II, 167.

Étoiles à l'intérieur de toi I, 213.

Eucharistie, cf. chair et sang, pain et vin.

Évangélique : lois II, 137 ; mystères I, 339 ; paroles II, 283 ; précepte I, 127 ; cf. doctrine.

Évêque II, 155, 191, 231, 239.

Fables juives, cf. *Index II* : iudaicus.

Face de Dieu I, 215 ; II, 75, 241. Cf. *Index II* : Moyses.

Faiblesse humaine I, 85, 171 ; notre f. II, 133 ; f. de la chair 107. Cf. femme.

Faim et soif d'entendre la parole de Dieu II, 105.

Farine, cf. fleur de farine.

Faute (délit) diffère du péché I, 223 s. — *Pl.*, des saints II, 259 ; ordinaires, toujours susceptibles de pénitence et de rachat sans délai 257...

Fécondité : temps de f. II, 105.

Femme : sa faiblesse ou fragilité I, 75, cf. 193 ; l'hémorroïsse 131, 189, cf. 81 ; la veuve adonnée aux plaisirs 133 ; libre II, 217 ; figure l'âme moins capable de donner que de recevoir la semence de la parole 41 ; « belle captive », doctrine acceptable d'origine païenne I, 347 s. Cf. convoitise, impureté, purification, Vierge Marie.

Fêtes solennelles contenant les figures de mystères célestes II, 71, cf. 91 s., 197. Cf. azymes, Pâque, Pentecôte.

Feu : Dieu, feu dévorant, purificateur I, 217 ; apporté par le Sauveur 217, 229 ; II, 75, 115 ; céleste I, 83 ; divin, donné par Dieu aux hommes II, 75 ; de l'autel ou du Seigneur I, 79, 83, 181, 223, 261 ; II, 107 s., 113 s., ; feux sacrés des divins autels I, 101 ; feu intérieur à l'homme II, 119 s. ; extérieur à l'autel propre aux pécheurs 107 s. ; profane I, 71 s., 121. Cf. foi, langues, nature, peine.

Figure *(figura)* : Jésus f. de la Vigne (véritable) I, 313 ; le sacrifice pour le péché qu'offre le pontife f. de celui du Christ 121 ; le Christ immolé, unique sacrifice parfait que les autres avaient précédé en type et en f. 189 ; le cordon d'écarlate f. du sang sacré jailli du côté du Sauveur II, 49 ; f. des habits qu'il faut laver 99 ; le revêtement de la tunique sacrée f. du mystère de la résurrection 77 ; l'hysope f. dans la purification des péchés 49 ; chameaux f. d'âmes stupides cf. 291 ; le ciel désigné par la f. et l'image du sanctuaire intérieur 117 ; type et f. que présente le précepte littéral de l'oblation des morceaux I, 197. — *Pl.* solennités de la Loi contenant les f. des mystères célestes II, 71 ; f. mystiques de la chair des sacrifices I, 243 s. ; dans les descriptions des sacrifices f. et types II, 75 ; dans les livres divins, f. spirituelles et non charnelles, à ne pas prendre en charnels I, 339. — *figulariter appellari* I, 104. Cf. symboles.

(forma) presque chaque victime a quelque trait de la f. et de l'image du Christ I, 143 ; de la grâce réservée à ce qui restera d'Israël « le reste du sang répandu à la base de l'autel » est la f... *(forma* 145 ; *figura* 255) ; des deux agneaux f. *(figura, forma)* II, 61 ; figure de la maquette d'argile, représentations *(formae)* « des images de la vérité » 131 ; f. des deux boucs et de leurs sorts *(figura)* 87, *(forma)* 89 ; f. de la chasteté, le lin I, 183 ; sicle du sanctuaire, f. de notre foi 155 ; f. diverses II, 133. Cf. image, tribus.

Firmament, cf. ciel.

Fleur de farine I, 69, 71, 91, 97, 109... ; peut signifier cette vie commune 97 ; provient des moissons de la terre (des paraboles) 157 ; prescrite à qui se purifie du péché II, 63 ; un dixième d'épha I, 187, 197 ; offerte sous trois formes, la principale réservée aux prêtres 185 s., 237 s. ; pains de f. de farine pétris dans l'huile de la charité 113 ; trois mesures d'un dixième évoquant le mystère de la Trinité II, 63 ; pains (de proposition) de deux dixièmes 211 s. ; Abraham servit des pains de f. de farine, Lot des pains de farine 209 s.

Foi I, 89, 113, 155, 317 ; II, 39, 43, 103, 171, 257 : droite 255 ; intacte I, 159, 161 ; II, 105 ; parfaite I, 219 ; simple II, 187 ; totale I, 191 ; virginale et simple II, 189 ; en Dieu 209, 211 ;

Grâce de Dieu I, 243 ; du Seigneur 209 ; II, 199 ; de la sagesse multiforme de Dieu, 271. Cf. baptême, pénitence, sacerdoce ; *Index II* : Spiritus Sanctus.

Graisse des victimes I, 93, 103, 253 s... ; peut signifier l'âme sainte de Jésus... 143, l'Église de ses amis pour lesquels il dépose son âme 255.

Grammaire I, 329.

Grand : furent appelés grands Moïse, Jean-Baptiste, très grand Isaac II, 171 s. ; g. des grands, Jésus 173 ; après lui, personne ne fut appelé g. 171 s. Cf. pontife, prêtre.

Gril I, 71, 91, 227 s. ; dans l'Écriture, évoque le sens obvie, historique, littéral, le corps 231.

Habiller : Moïse ou la Loi de Dieu lave et habille le pontife et les prêtres : ce que cela veut dire, cf. *hom. VI*. Cf. vêtement.

Haine : fureur de la h. I, 87.

Herbe : suc de telle h. I, 303. — *Pl.*, salutaires II, 9 s.

Hérétique II, 233 ; duplicité h. I, 161. — *Pl.*, 175, 205 ; II, 157, 213 ; certains ont une juste idée du jugement à venir I, 347.

Histoire (ou lettre), cf. Écriture sainte.

Holocauste du jeune taureau, qui figure le Christ I, 73 s. ; dépecé membre à membre 79 s. ; h. de sa chair grâce au bois de la croix 83 ; h. du chrétien 85 s. ; en chacun de nous II, 117...

Homicide I, 281 ; II, 183 ; (personne) I, 189, 253.

Homme : le genre humain I, 73 ; celui qui, fait à l'image et la ressemblance de Dieu, vit spirituellement 95, 101, 167 ; II, 193 ; dit encore h. intérieur 241 ; placé devant un choix entre la vie et la mort 125 ; cf. microcosme. — « Homme prêt » 85 ; peut signifier le Christ 87, 89, le texte divin 97, la raison 99, Pilate 135. — h. animal I, 97 ; terrestre, céleste II, 297 ; vieil h., h. nouveau I, 323 ; II, 299 ; extérieur, intérieur I, 303, 323 ; II, 187, 299 ; h. intérieur, ses sens I, 151, cf. 67, sa santé, ses progrès II, 169 ; h. parfait 171 ; devenu h. dans le Christ I, 133 ; h. de Dieu 133 s. ; d'Église, cf. ecclésiastique. Peut passer de sa condition à l'ordre des anges par la gloire de la résurrection II, 125. Cf. mâle, péché.

Honneurs II, 247.

Huile pour les offrandes I, 71, 91... ; pour l'onction des prêtres 197 s , évoque la miséricorde qui doit être débordante chez les prêtres 199 ; employée dans le sacrifice de salut, non dans le sacrifice pour le péché 233 ; pour la fleur de farine 185... ; à la cinquième purification du lépreux II, 61 s., donnant à son pain saveur de miséricorde 63 ; mise sur la tête comme pour allumer la lumière véritable et le feu de la science 63 s. ; pour

les sept aspersions, afin d'expulser les sept démons et attirer la
vertu septuple du Saint-Esprit 65 s. ; huile pure pour la lumière
199 s. ; h. de Dieu ou d'allégresse qui constitue le Christ 173,
183, 185 ; parfume ta tête de l'h. de jubilation, de l'h. d'allégresse,
de l'h. de miséricorde 137 ; h. de miséricorde sur l'offrande
I, 99, 195 ; h. de la charité 113 ; h. de la miséricorde divine,
céleste 97 s. ; h. d'olive, figure la paix II, 205 ; h. de charité,
de paix et des autres vertus I, 87 ; h. de la miséricorde et des
bonnes œuvres II, 203, 205 ; h. du péché et du pécheur 137...
Cf. image, onction.
Huitième vêtement du pontife I, 293 s.
Humble et doux I, 275 ; doux et humble de cœur, le Sauveur II,
137.
Huméral I, 273, 283 s. ; parure des épaules du pontife, des œuvres
283, 285, 287, cf. 289.
Humiliation (jour d') II, 137.
Humilité I, 275 ; du Christ II, 59, maître d'h. 137.
Hypocrite : âme I, 275 ; auditeurs 295.
Hysope II, 49. Cf. figure.

Idoles : autels et i. d'Athènes II, 183.
Ignorance : nuit et obscurité de l'i. II, 123. Cf. péché.
Image divine, i. et ressemblance de Dieu, dépôt confié à l'âme I,
167 ; subsiste dans l'esprit de l'homme 101, cf. homme ; i. du
céleste et du terrestre II, 297 ;   ... transformé en l'i. toujours
plus glorieuse (de la gloire du Seigneur) II, 137 ; i. de Dieu,
ou du diable I, 169.
Terme, associé ou non à d'autres, appliqué à des éléments
figuratifs dans leurs rapports à la (aux) vérité(s) ou réalité(s) d'ordre
historique ou/et célestes, bref au Christ total en son mystère :
Esquisse et i. de la « vérité » chez les Juifs « prenant les types pour
la vérité », « celui qui est véritablement Grand Prêtre » *(bis)*,
« le Sauveur » II, 167 ; i. de cette observance ponctuellement
gardée, *id.* ; « Toute victime porte le type et l'i. du C., et combien
plus le bélier jadis substitué à Isaac par Dieu pour être immolé »
I, 155 ; « Presque chaque victime a quelque trait de la figure et de
l'i. du C. », dont l'offrande fit cesser « toutes les victimes qui
l'avaient précédé en type et en ombre » 143. Deux sanctuaires :
le Ier à comprendre « comme cette Église où nous sommes maintenant établis dans la chair » ; l'autre, « le ciel où Jésus a pénétré
et paraît devant la face de Dieu en notre faveur » ; « c'est donc le
lieu du ciel et le trône même de Dieu qui sont désignés par la
figure et l'i. du sanctuaire intérieur » II, 115, 117. Les prescriptions relatives aux pains du « mémorial » sont « une image anticipée

(praeformata) de la vérité future » si on les rapporte « à la grandeur du mystère...» «du pain qui descend du ciel..., et du mémorial dont parle le Seigneur... », et aux « mystères de l'Église » 209. Dans les sept aspersions, « l'i. de l'huile » signifie « le don de la grâce de l'Esprit » pour la purification totale des convertis 67. Certains actes des pères, arrivés *in figura*, furent des *formae et imagines* de réalités futures », relatés à titre d'exemples pour la réadmission des pécheurs dans « l'héritage et la communauté des saints » 259.   Des fêtes : l'intelligence prophétique, illuminée par l'« Esprit » reconnaît « la vérité même et non l'ombre ou l'i de la vérité » 197; Moïse, d'après le céleste modèle *(forma)*, a transmis au peuple « les types et les i. de ce qu'il avait vu » 199.   « La Loi possède l'ombre des biens à venir, non l'i. même des réalités » cite Origène ; d'où il infère : ce qui est écrit de la lèpre aussi est « une ombre, ayant ailleurs l'i. de la vérité » ; donc après « l'ombre de l'Écriture », voir « sa vérité » 29.   Plus loin il interprète. « La Loi qui possédait l'ombre des biens à venir », il l'a transformée en « l'i. même des réalités » ; à preuve, conformément au rapport maquette/chef-d'œuvre (cette « figure »), « il y eut comme des représentations *(formae)* modelées en argile, où s'exprimaient les i. de la vérité » : d'une part, la Jérusalem terrestre et son temple, le pontife purifiant le peuple avec le sang d'animaux, l'autel et les sacrifices ; d'autre part, « celui qui était le véritable temple de Dieu (et le temple de son corps) », révélateur « des mystères de la Jérusalem céleste », « le véritable pontife » sanctifiant les croyants par son sang, « l'Agneau véritable qui s'est offert à Dieu en victime », cf. 131.   Toutes les institutions provisoires ont fait place à la personne et à l'action du Christ. Cf. prêtre.

Imitateur du Christ II, 183. — Imitation de Dieu cf. I, 169. — Imiter le Christ   II, 79.

Immortel : le Christ   I, 123. Cf. âme.

Impassible : le Christ   I, 123.

Impie   I, 169, 189, 253.   — *Pl.*, II, 247, 259, 275, 283, 285.

Impiété   II, 153, 293 ; du cœur   I, 111, 141 ; du sacrilège   123.

Imposition des mains, rituelle et figurée   I, 85... ;   sacramentelle   111.

Impur, cf. aliments, animaux, lèpre.

Impureté   II, 87, 293 ; du péché   I, 131 ; de la chair   II, 73 ; des lèvres   239, cf. 101 ; des habits et du corps   57 s. ; de la femme qui conçoit et enfante   11 s., 17 ; de la naissance   15 s. ; esprit d'i.   193 ; trois lois sur les sacrifices pour i. de personnes   I, 125-143 ;   trois causes et trois espèces d'i.   249-253 ; i. mêlée à la sagesse païenne   349.

Inaccessible : le Saints des saints, sauf une fois l'an   II, 93.

Incorruption : habit d'i.   I, 279.

Incrédule : le peuple I, 123, cf. 255 s.   — Incrédulité (au temps de l') II, 181.

Incroyance (mal de l')   I, 123.

Indignité   II, 97.

Infection du péché   I, 103 ; de la lèpre   II, 11, 35, 47, 53 ; de nos blessures   I, 311.

Injustice   I, 111, 125 ; II, 293. — *Pl.*, II, 247 ; des fils d'Israël 83. Cf. fruit.

Instigateur, cf. accusateur.

Intégrité de la chair, de l'âme   II, 185.

Intelligence   I, 169, 195, 199, 223, 297, 347... ; suave odeur de l'i. II, 119 ; divine   I, 261 ; spirituelle, cf. Écriture sainte.

Intercession du Sauveur cf.   I, 311 s... ; de l'offrande des pains II, 207 ; humaine   103 ; i. et admonestation de tous à propos du pécheur   45.

Intérieur, cf. homme, sanctuaire, voile.

Ivresse de vin, mère de tous les vices, enfante la luxure comme sa fille aînée, débilite le corps et l'âme   I, 301 s. ; des passions   305 ; (spir.) bonne, promise aux saints   307 s. ; i. de jour qui désigne la joie de l'âme et l'allégresse de l'intelligence   309. Cf. nuit.

Jalousie   I, 87, 305 ; II, 97.

Jeûne des Juifs   II, 129, 133, 139 ; du Christ   139 ; des chrétiens 95, 137-141 ; du carême et des quatrième et sixième jours de la semaine   139 ; loué par les apôtres   141 ; j. et abstinence   I, 113 ; cf. II, 139.

Joie fruit de l'Esprit   I, 101, 259 ; cf. ivresse.

Joug de la doctrine évangélique   II, 187 ; de notre captivité   301 ; j. suave de foi, de charité, d'espérance et de toute sainteté   301.

Jour : du jugement   II, 101, 243. — *Pl.*, j. de fête, cf. *hom. XIII*. Cf. année, naissance, propitiation, rémission, semaine.

Jubilation, cf. huile

Juge (Pilate) II, 135 ; du siècle 103 ; terrestre 103.   — Chez le juste j., mesure de la peine, 159.

Jugement divin   I, 347 ; *(pl.)* II, 247, futur   I, 345 s. ; secret du j.   I, 317 ; *(pl.)* j. de Dieu   II, 247 ; cf. jour ; j. injuste de ceux qui président l'Église   239 ; (faculté)   I, 169.

Juste : sa réussite   II, 57 ; sa sécurité   285 s. — *Pl.*, les Nazaréens 57.

Justice   II, 85, 109, 117, 127, 173, 177, 219, 229 ; arbre de la j. 279 s. ; pensées de j. 99 ; semailles selon la j.   I, 287. Cf. fruit, soleil, sortir.

Laïc   I, 237. *Pl.*, 221.

Lame d'or sacrée, cf. mitre.

Lampe dans le culte et au sens spir.   II, 199-207 ;   cf. I, 181... ;
cf. charité, science.

Langues de feu   I, 99.

Laver : office de Moïse, de la Loi   I, 273 s. ; l. ses entrailles et ses
pieds, se purifier la conscience et recevoir le plein effet du sacrement
de baptême   83 s.

Législateur   I, 67, 69, 93, 135, 147, 159, 173, 175, 181, 187, 243,
245, 249, 251, 259, 271, 329 ; II, 13, 15, 19, 33, 47 ; cf. 269 ; piété
et clémence du l.   255.

Lèpre   I, 257 ; II, 9, 11 ... ; six espèces, figurant des espèces de péché,
blessures, cicatrices, taches de l'âme du lépreux   25-43 ; leur
purification   43-69.

Lépreux de l'Évangile   I, 257 s. ; II, 11.

Levain signifie une doctrine humaine   I, 239 ; l. de malice...   113,
251 ; vieux l.   251 ; II, 107. Cf. azymes, pain.

Lévite (au sens spir.) ; celui qui est sans cesse en présence de Dieu
et au service de sa volonté   II, 257. *Pl.*, I, 221 ; II, 115.

Lèvres, cf. purification.

Liberté incréée II, 289 ;   de parler 45 ;   sans frein 189.

Lieu terrestre   I, 105 ;   pur (hors du camp)   103 ;   saint   187, 193.
215 ; II, 61... ; où était parvenu Moïse..., dans l'Église de Dieu, la
foi parfaite, la charité... la foi intègre, la sainte conduite I, 219...
dans le cœur, l'âme raisonnable, pure   II, 221, cf. 225.

Lin figure la chasteté I, 183 ; bandes de l. 183, 293, 295 ; II, 77, 79 ;
pagne I, 181, 293, 295 ;   tunique 181 ; II, 77, 79,   et ceinture 79 ;
tiare 79.

Livres, cf. volumes.

Logium ou rational   I, 273, 285 ; signe de la sagesse fondée sur la
raison   285, cf. 289 ;   porte « la manifestation » et « la vérité »
273, 285, 287.

Loi de Dieu I, 253, 273... ;   du Seigneur 113 ; II, 299... ;   du
Christ   253 ; du Saint-Esprit   I, 297 ; divine   II, 163 ; éternelle
I, 201 ; l. de Dieu, lois humaines   343 ; lois de la lutte   II, 263 ;
loi de la nature   241.

Lot accueille les anges   II, 209. Cf. fleur de farine.

Louange, cf. sacrifice. *Pl.*, de Dieu   I, 243.

Lumière : ma l., le Seigneur II, 289 ; l. cultuelle et spirituelle
197-207 ;   incompatible avec les ténèbres   I, 171 ; II, 127, 177 ;
œuvres de l., de ténèbres   I, 263, cf. 171 ;   de la science   193,
287, de la science de Dieu   II, 201 ; de la science et de la sagesse
de mon Grand Pontife   175 ; l. du monde, les disciples   I,

213 ; les deux lumières des apôtres, Pierre et Paul 331. Cf.
charité, lampe ; *Index II* : Pater.

Lune à l'intérieur de toi   I, 213.

Luxure   I, 199. Cf. ivresse, vin.

Main de la discipline   I, 85 ;   droite, œuvres pures   II, 67. —
Pl., les œuvres   I, 259 ; cf. II, 255 ;   parfaites, du seul Jésus
175. Cf. imposition.

Maisons des prêtres et des lévites, vente et rachat, symbolisme,
cf. *hom. XV*.

Maître corporel, charnel, respect qui lui est dû   II, 161.

Majesté divine   I, 341 ;   du Seigneur   163 ;   Seigneur de m.   123,
183, 229 ; II, 161.

Maladie du péché, rend l'âme basse et petite   II, 169.

Mâle : homme supérieur à la femme   I, 75, cf. 85, et à l'enfant   193,
cf. II, 41 ; présent m., qui ignore le péché   I, 85.

Malice   I, 113, 179, 273 ; II, 83, 87, 139, 147, 177, 279 ;   ancienne I,
173 ;   m. des fautes II, 113.   Cf. levain.

Malin : traits enflammés du M.   II, 39, 111. — *Pl.*, esprits   II,
67, 293.

Manger « le péché »   I, 217 s. ; « la poitrine mise à part et l'épaule
prélevée ou séparée »   323-327.

Manifestation et vérité   I, 273, 285, 287 ; II, 93.

Maquette d'argile   II, 129 s.

Marie : le Verbe de Dieu revêtu d'une chair tirée d'elle   I, 67,
a conçu sans semence humaine, est nommée femme parce que de
sexe féminin et nubile   II, 13-15 ; son corps sans souillure   179 ;
sa pauvreté   25. Cf. *Index II* : Maria, Virgo.

Martyre : remet les péchés   I, 109, 111 ;   gloire du m. II, 117.

Matin : premier temps, lettre de la Loi   I, 197, 199...

Maudire, cf. *hom. XIV*.

Médecin   I, 303 ; II, 9 s. *(pl.)* 11, 49 ; titre donné à notre Seigneur
Jésus-Christ   9 ; m. en même temps que le Seigneur des corps et
des âmes   I, 303, 311 ;   Jésus, médecin céleste   II, 11.

Médecine des âmes auprès du Christ   II, 11 ;   m. de Dieu   33 ;
institut de m. qu'est l'Église   11.

Méditer l'Écriture, la Loi... cf. nombreuses cit. du *Ps.* 1, 2.

Membres dépecés du jeune taureau, m. intérieurs de l'intelligence
spirituelle   I, 81 ;   nous sommes m. du corps du Christ   315,
319 s. ; nos m. terrestres   I, 85 ; II, 117, 293.

Mémoire   I, 169, 195.

Mémorial : de l'oblation personnelle I, 187, 195 ;   des douze pains
de proposition II, 207, 219 ;   dont parle le Seigneur 209.

Mensonge   II, 167.

Mère selon la chair, à vénérer comme la m. selon l'esprit   II, 159-163. Cf. *Index II* : Hierusalem.

Microcosme : l'homme   I, 211 s.

Miel   I, 71.

Mines de péchés (cf. parabole)   II, 83.

Ministère charnel   I, 281. Cf. prêtre.

Ministres de Dieu, les anges   II, 85 ;   de l'Église   I, 219.

Miséricorde   I, 107, 195 ; II, 119, 137 ;   de Dieu   I, 101, 215... ; œuvres de m. 195 ; II, 209 ;   pensées 99.   Cf. huile.

Mitre   I, 273, 285 ;   superposée à la tiare du pontife   289 s. ;   avec une lame d'or sacrée 273,   où est inscrit le nom de Dieu, tête de toutes choses 289...

Moeurs barbares et sauvages   I, 275...

Moisson   II, 281, 297 ; de l'âme   281 ; de notre cœur   297. *Pl.*, spirituelles cf.   I, 157 ;   *(rationabiles)*   II, 277.

Monde   I, 173, 289, 321 ; II, 23, 83, 91, 95, 117, 147, 287 ;   structure du m. I, 325 ;   tâches 269 ;   cf. création ;   m. entier II, 201, 269, 295 ;   m. en petit, l'homme I, 213 ;   m. intérieur 213. — Ce monde 67, 307 ; II 13, 15, 45, 83, 161, 179, 209, 213, 219, 263, 287 ;   ... les parties inférieures de la création 203 ;   aspect extérieur de ce m. 225 ;   éléments 137 ;   prince 169, *(pl.)* I, 183 ;   ... régisseurs du m. II, 91, de ce m. de ténèbres 89.   Cf. convoitise, lumière, sagesse.

Monnaie du Seigneur, d'une valeur éprouvée, ou sans valeur   I, 157 s.

Monter (spir.) d'âme et d'esprit I, 333 ;   de l'ombre à la vérité 331...

Morceaux : oblation de m. en suave odeur   I, 197 s. ;   m. des pains multipliés, brisés par les disciples, ou m. de la lettre de la Loi, brisée par les prêtres   I, 199.

Mort commune   II, 159 ;   corporelle, présente   155 ;   due au diable et au péché 125 s. ;   donnée en punition 249 ;   purification du péché 243 ;   moins grave que le châtiment à subir après elle 247 s. ;   victorieuse I, 217...   Cf. péché, vie.

Mur de la doctrine ecclésiastique et évangélique   II, 257. Cf. foi.

Mystère (trinitaire) digne de la Divinité I, 251 ;   du Christ II, 211 ; de son sacrifice I, 121 ;   du pain véritable II, 209 ;   de la création et de la résurrection de la chair I, 251... *Pl.*, du Verbe de Dieu 251 ;   de la divinité du Christ 143 ;   cachés 191, devant être révélés par le Seigneur II, 211 ;   nouveaux, grâce au Christ connus du monde I, 173 ;   de l'Église II, 209 ;   du Royaume de Dieu I, 185 ; II 223 ;   célestes 71 ;   saints 225 ; à venir 129 ;   de la Jérusalem céleste 131 ;   dans l'Écriture, cf. Écriture sainte.

Naissance de Jésus II, 169 ; le jour de n., célébré par les pécheurs, maudit par les saints 17-21.

Nature divine I, 171 ; divine du Sauveur 83 ; il a pris la n. d'un corps terrestre II, 77 ; les habits de notre n., notre chair et notre sang qu'il a lavés vers le soir 87 ; n. de la chair du Christ I, 143 ; le corps de sa n. humaine 105 ; n. raisonnable II, 215 ; n. du feu I, 83 ; de la foi 159, des passions 351... Cf. loi, péché, tribus.

Neige : la parole de Dieu II, 271.

Noces permises aux faibles II, 275... Cf. *Index II* : Christus.

Nom (de Dieu) II, 227 s. ; gravé sur la lame d'or au front du pontife I, 289 ; du Seigneur 243...

Nombres à signification symbolique : un, cf. II, 215 ; deux 207 215, 219 ; trois, cf. 63 ; cinq I, 151 ; II, 293 ; six 207, 217, 219 ; dix 211 s. ; douze 107, 215 ; cent 293 ; un dixième 213 ; deux dixièmes 207, 213, 215, 217... Cf. semaine.

Nourriture (spir.) du Christ, faire la volonté de celui qui l'a envoyé I, 327 ; de l'esprit : lecture divine, prières assidues, prédication de la doctrine II, 107. Cf. aliment, perfection.

Nouveau : cantique I, 323 ; ciel et terre 323 ; créature II, 187 ; habits 141 ; homme(s) I, 323 ; jour, lumière 199 ; II, 205 ; coupe, vigne I, 323 ; vin 173, 309 s., 323 ; II, 141 ; cf. cit. de *II Cor.* 5, 17 ; chair des sacrifices et paroles I, 241 s. Cf. *Index II* : Testamentum.

Nuit temps présent de la vie I, 241 ; II, 205 ; ivresse de n. I, 309.

Obéissance I, 179 s., 191.

Oblation : loi de l'o. I, 185 s. ; ...

Odeur forte et désagréable de certaines plantes II, 11 ; o. suave de l'oblation, *saepe...* ; o. suave de l'intelligence 119 ; bonne o. du Christ, cf. *Index II* : Christus.

Œuvres, cf. épaules, mains ; qualité de nos œuvres I, 267 ; bonnes ou mauvaises 87, 107... ; droites 263. Cf. lumière.

Œil guide du corps I, 319.

Offrandes de l'homme, de l'âme, du chef, de la communauté I, 71, 91 s...

Oiseaux signifiant des hommes I, 331 s.

Olives emblème de la paix II, 205, cf. huile ; bois d'olivier, l'homme juste et saint 281.

Ombre. Le terme, comme celui d'image, s'applique à des figuratifs de l'A. T., culte, fêtes, observances, institutions... « L'Écriture contient des vérités célestes, selon l'Apôtre ' Ils célèbrent un culte, copie et o. des réalités célestes ' » I, 207 ; c'était « une ombre des biens à venir » 283 ; « nous ne sommes plus soumis

du peuple   217 ; II, 135.   — Jésus n'a pas fait de péché, mais
a été fait péché pour nous   I, 121 ; victime offerte et prêtre qui
qui l'offre, il détruit le p. du monde   217.

Le péché diffère de la faute   I, 225 ; faute, ou péché de la tête
II, 43, 59. Diversité de péchés   I, 177 ; II, 191 ;   p. en pensée,
en parole, en action   57 s., 139, 181, cf. 101 ; grave ou léger
cf. 257 ;   qui mène à la mort I, 177, 223 ; II, 157, 191 ;   mortel
177, cf. 257 ; la maladie du p.   rend l'âme basse et petite 169 ;
la nature du p. est analogue à la matière que le feu consume :
bois, paille, foin I, 217 ; II, 237, 261 ;   il est finalement absous par
la mort ou détruit par le feu éternel II, 243 s...   Cf. aveu,
conscience, manger, mort, pénitence, purification, rémission.

Peine du péché d'après la Loi et l'Évangile II, 151-159,   Paul
II, 249 ; p. de mort   II, 155, 243 s., elle est purification du péché
243 ; p. future cf. 159, du feu éternel 163, 245. *Pl.*, 155 s. ; passagères, éternelles 247 s. Cf. juge.

Pénitence : obtient la rémission I, 111,   une seule fois pour les
crimes graves, toujours pour les fautes ordinaires   II, 257 ; le
don de la grâce de l'Esprit est signifié par l'image de l'huile   67 ;
cf. I, 111 ; le péché mortel doit être rejeté par la p. d'une satisfaction complète II, 177 ;   larmes de la p. 255, cf. 155 et I, 111,
113 ; place pour la p.   II, 261 ;   refuge dans la p.   159, 249 ;
appeler à la p. 9 ; amener à la p. I, 225 ; tourner son esprit vers
la p.   II, 113 ; demander la p.   153 ;   faire p.   I, 75, 173, 233,
311 ; II, 61, 83, 257. Cf. adultère, pardon, purification, rémission
sacrifice.

Pénitents   II, 249.

Pensée du Christ   I, 233. *Pl.*, mauvaises, bonnes   259, 263 ; saintes
279...

Pentecôte : le jour de la P.   I, 99 ;   la solennité, fête des prémices
II, 93.

Perdu (objet)   I, 165, 173 s. ; « perte »   175.

Père selon la chair, à vénérer comme le p. selon l'esprit   II, 159-163 ;
le p. de famille de la parabole   I, 157. Joseph nommé p. de Jésus
en raison de son fidèle dévouement   II, 179.

Perfection dans l'intelligence et l'œuvre, dans la foi et les actes,
que représentent le prêtre et le lévite   II, 257 s... ; tendre à la
perfection   109 ; degrés vers la perfection (et nourriture appro-
priée) : commençants   I, 81 ; II, 171 ;   encore charnels   I, 237 ;
tout petits   81, 185 ; II, 131, 171, 273, 297 (le lait de la parole) ;
progressants   I, 81,   faibles   81, 185, 237 ; II, 171, 275 (les
légumes) ;   parfaits   I, 81 99, 173, 183, 185, 191, 237, 251 ; II,
171, 275 (nourriture solide) ; cf. athlètes — débuts de la Loi,
progrès chez les prophètes, perfection dans les Évangiles I, 81.

faibles et pécheurs 103, néanmoins tenus à être sobres 301, 305, parfaits en tout... 237, cf. 221, zélés 261, judicieux 295, assidus à l'étude et à la prière 295 s. ; à leur entretien contribuent des parts de victimes 93, 187, 221..., et des dons d'âmes pieuses 147 ; leur héritage est le Seigneur 301. Cf. ordination, rémission.

Sont devenus p. tous ceux qui ont été oints de l'onguent du saint chrême II, 117, selon la promesse de Dieu, p. du Seigneur cf. les cit. de *I Pierre* 2, 9 ; chaque âme est p. du Seigneur I, 181 ; au sens spirituel, est p. l'âme consacrée à Dieu II, 257 ; au sens moral, un p. et ses fils signifient l'esprit *(mens)* et ses sens spirituels I, 85. Cf. sacerdoce.

Prière du Sauveur I, 319 s. ; p. toujours et partout II, 95 s., cf. 107 ; p. et supplications I, 107 ; vigilance et pureté des p. II, 219. Cf. auditeurs, cœur, Écriture sainte, encens.

Procréation : la chair du Seigneur ne s'est prêtée ni au mariage ni à la p. d'enfants II, 77.

Profession : chrétien et catholique par la croyance de la foi et la p. du nom II, 231.

Progrès de Jésus... en âge de l'âme II, 169 ; cf. foi. — Progressant, cf. perfection.

Promesse future II, 235. Cf. pontife.

Prophète : Moïse I, 321 ; II, 129 ; Élisée I, 129 ; Psalmiste (19) I, 259 ; (32) 213 ; (34) 321 ; (35) II, 275 ; (44) 185 ; (75) 201 ; Isaïe I, 141, 173, 265, 275 ; II, 31, 101, 195, 289 ; Jérémie I, 157, 213 ; II, 17, 33 ; Ézéchiel I, 135, 175, 241, 321 ; II, 125, 191 ; Osée I, 217, 229, 287 ; II, 187 ; Amos II, 105 ; Zacharie I, 153 ; II, 87 s., 99.

Prophètes I, 67, 81, 317 ; Loi et p. II, 131, 203 ; saints p. et apôtres I, 179 ; fondement des apôtres et des p. II, 261 ; Loi, p., Évangiles viennent toujours et demeurent dans une seule gloire I, 275. Cf. tente.

Prophétique esprit II, 167, 289 ; divin et p. 19 ; intelligence II, 197 ; paroles 163, 175 ; parole de la Loi et parole p. 201 ; déclarations p. et apostoliques 159.

Propice : Dieu I, 227 ; II, 71, 73, 91, 95, 121, 209 ; le Père 95 ; le Seigneur I, 235.

Propitiation (de p. ou propitiatoire) rites et jours I, 225 s., 235, 247 ; II, 15, 61, 71, 91-95, 121 s., 137, 207 s. ; du Sauveur I, 309 s. ; II, 91-95, 121 s., cf. 137, 209.

Propitiatoire et sur lui les deux chérubins II, 73, 93, 115, 121.

Providence I, 353 ; II, 190. Cf. économie.

Prudence I, 133 ; II, 109 ; arbre de la p. 279 s.

Puissance II, 247 ; cf. cit. de *Matth.* 28, 18. *Pl.*, P. hostiles 89, des pires démons 289.

Puissants : sous les coups des p. II, 247.

Pur de cœur I, 169, cf. 261 s. ; *(pl.)* 87, 151 ; II, 223 ; pur de corps et d'esprit I, 285...

Pureté II, 163, 203 ; donation en perpétuelle p., du gage de notre chair qu'Il avait transportée avec lui auprès du Père 91 ; arbre de la p. 279 ; dignité 43 ; sommet 55 ; p. de cœur I, 267 ; II, 255.

Purification des péchés par la pénitence grâce au Christ II, 51, et non plus par supplice corporel 157 s. ; p. et satisfaction 259 ; la p., en trois étapes, ne peut se faire sans le mystère de la Trinité 63 ; progrès entre les p. 55. — P. de la femme 15, 23 s. ; des lèvres et des membres 101 s. Cf. lèpre.

Quadrupèdes signifiant des hommes I, 331-335.

Rachat des fautes ordinaires, sans délai II, 257. Cf. maisons.

Raison I, 107, 135, 285 ; II, 35 ; intérieure à nous, opère le discernement du bien et du mal 99 ; agir contre la r. 35 ; vivre selon la r. I, 135 ; demander raison de la foi 285 ; le jugement de la r. vivante II, 37.

Raisonnable : créature II, 215 ; doctrine I, 349, *(pl.)* 353 ; intelligence II, 99 ; lois cf. 341 ; nature 215 ; science I, 325. Cf. âme. — *Sensus rationabilis*, qui est en nous I, 168 ; *rationabili sensu*, au sens spirituel I, 86 ; *rationabiliter* id. 136, 188, ou spirituellement 94. Cf. moisson.

Rational, cf. logium.

Rayons du Verbe de Dieu II, 297.

Récapitulation des diverses victimes en Jésus I, 143, cf. 155 ; cf. des rites 271.

Récompense I, 227 ; réservée à l'âme 345 ; de la victoire à la lutte corporelle II, 263. Cf. centuple, spirituel.

Réconcilié avec Dieu II, 67.

Regarder : Dieu regarde vers l'homme II, 295 ; Jésus regarda vers Pierre 295 ; le soleil regarde la moisson, et Dieu r. la moisson de notre cœur 297.

Règle du combat II, 263. *Pl.*, r. de vie I, 301.

Reins des victimes I, 93, 103 ; figurent la matière corporelle que le Christ nous avait chastement empruntée 143 ; r. ceints 181.

Religion I, 135 ; chrétienne 205 ; notre r. 345 ; sentiment de r. 107.

Remède II, 11. *Pl.*, Jésus, parce qu'il est médecin et en personne le Verbe de Dieu, rassemble pour ses malades des r. tirés... des sens mystérieux de ses paroles 11.

Rémission des péchés. Le sang du Verbe répandu en ... II, 123 ; notre jour de propitiation, celui où nous fut donnée la ... (Pâque) 137 ; la présence du Saint-Esprit (Pentecôte) accorde la r... I, 99 ; r. du p. qu'offrent les Évangiles : baptême, martyre, aumône, pardon donné aux autres, ramener un pécheur, surabondance de charité, pénitence (sacramentelle), 109 s. ; offrir la foi comme prix obtient du Christ la ... 155, cf. 159 ; offrir un sacrifice de pénitence..., confesser son péché, c'est en mériter la rémission 141 : ministres et prêtres de l'Église accordent au peuple la ... 219 ; après la ..., il subsiste une cicatrice II, 37 ; purification, après la ... par la pénitence 59 ; année de la rémission I, 245, où le Seigneur ... admet les affligés à la rémission et accorde le salut à ceux qui confessent leurs fautes II, 255. Cf. année.

Reptiles signifiant des hommes I, 333 s.

Ressemblance : nous modeler à la r. du Christ victime I, 89 ... Cf. image.

Restitution, cf. I, 147 s.

Résurrection d'un grand nombre I, 123, — de Jésus II, 89, 173, 213 ; de la chair I, 251 ; II, 23. Cf. anges.

Rhétorique I, 239 ; arguments r. II, 269.

Riche : de r. qu'il était, le Christ s'est fait pauvre II, 25 ; le r. de la parabole 85, 247.

Richesses II, 247 ; propres ou étrangères I, 153 s. ; du siècle présent 153. Cf. convoitise.

Robe de Jésus II, 89. *Pl.,* deux r. du prêtre I, 181, cf. 277 ; de Paul, leur signification 182 s.

Rocher spirituel, le Christ I, 329.

Roi : NSJC, non pas roi du peuple, mais r. des rois I, 277. Cf. *Index II* : Salvator.

Royal, cf. ordre.

Royaume des cieux I, 283 ; II, 141, 235 ; de Dieu I, 173 ; II, 235 ; *Pl.,* célestes I, 207 ; des cieux 173 ; II, 237.

Sabbat : jour de s., repos des âmes II, 221 ; année sabbatique I, 245.

Sacerdoce (ministériel) grâce et ministère, nom et dignité, titre et mérite I, 291 s. ; (universel) donné à toute l'Église de Dieu et au peuple des croyants II, 73 ; cf. les cit. de *I Pierre* 2, 9 ; de l'âme I, 181 ; exercé dans le premier sanctuaire II, 117.

Sacerdotal : devoirs I, 219 ; propriété II, 259, cf. 251 ; rites I, 279 ; sens s. et signification lévitique II, 257 ; services 147.

Sacrement du baptême I, 83 ; *(pl.)* du Corps du Seigneur II, 221. — *Sacramentum ((-ta)* signifie plus souvent rite(s) cf. I, 230, 234, (sacerdotaux) 271, (pontificaux) 281 ; ou bien secret

Sainteté I, 251 ; joug suave de toute s. II, 301... Cf. sacrifice ; v. *hom. XI*, 1.

Sanctifié : quiconque touche à l'oblation des dons sacrés ? plutôt qui touche la chair du sacrifice « le Christ immolé » I, 189 ; la tunique de la chair du Christ II, 77 ; les habits du pontife 117 ; la grâce du Saint-Esprit par qui est s. tout ce qui est saint 225.

Sanctuaire : deux s. dans la tente du témoignage ou le temple du Seigneur..., au sens spir. l'un visible et accessible, cette Église..., l'autre invisible et inaccessible, le ciel, II, 115 s. ; s. véritable 75, celui que Jésus ne quitte jamais, qui n'est pas un lieu, que nous ne quittons qu'en péchant 181 s.

Sang des victimes ne doit pas être consommé I, 255 ; à l'holocauste du jeune taureau en offrande ou pour le péché, les sept aspersions du sang indiquent la grâce aux sept dons du Saint-Esprit... I, 93, 145 ; le sang qui oignait les quatre cornes figure la passion rapportée par les quatre Évangiles 93, 145, le reste répandu autour de la base de l'autel fait comprendre que le s. de Jésus fut répandu à Jérusalem et qu'il aspergea l'autel d'en haut I, 77, et encore le reste d'Israël dont le salut est espéré aux derniers jours 145, 255 ; à la purification du lépreux, l'eau vive et le s. annoncent l'eau et le s. jaillis du côté du Sauveur II, 51 ; le s. de l'alliance 153 ; du Grand Prêtre véritable 167, du Seigneur I, 125 ; II, 223. Cf. cit. de *Col.* 1, 20 et *Jn* 6, 53.55 ; *Index II* : Christus, Verbum.

Santé du jugement II, 35.

Satisfaction : chaque pécheur obtient du diable comme prix de son péché la s. de son désir II, 261. Cf. purification.

Science I, 133, 261, 279, 343, 347 ; II, 141, 283... ; de Dieu I, 85, 289, 291, 325 ; II, 201 ; de la foi I, 291 ; de la Loi 281 ; des réalités secrètes et parfaites 173 ; cf. II, 211 ; de toutes choses I, 249, cf. 247, 325 ; être illuminé par Dieu du don de s. 209 ; s. venant du ciel (à l'apôtre Pierre) 333 ; s. transmise à Paul, de la doctrine la plus vraie 329 ; arbre de la s. II, 281, de la s. du bien et du mal 279 ; clarté de la s. 123 ; feu 65 ; lampe I, 181 ; s. chez nos ennemis (païenne) 349. Cf. lumière, sagesse ; *Index II* : Christus.

Scribes I, 129.

Secrets des pensées I, 141 ; des nouveaux mystères, grâce au Christ connus du monde 173...

Séculier : activités I, 151 ; affaires II, 145, 273.

Sel I, 71 ; II, 207 ; s. de la terre I, 107.

Semailles spir. II, 283 ; selon la justice I, 287.

Semaine : temps de la vie présente, car c'est en six jours que le monde fut achevé II, 23 ; huitième jour, le siècle futur 23 ; après les sept s. de Pâque, la Pentecôte 93.

Semence de la parole ou du Verbe de Dieu I, 295 ; II, 41, 193 s., 281 s. ; diverses 283.

Semer : autre qui sème (l'âme), autre qui est ensemencé (la chair ou l'esprit) I, 101...

Sens spirituel qui est en nous I, 169 ; les cinq s. spirituels de l'homme intérieur 151, cf. 85. Cf. goût, odeur, oreilles, regard, toucher ; Écriture sainte.

Septième année, année de la rémission ou sabbatique I, 245.

Septuple : la grâce du Saint-Esprit I, 145 ; la vertu du S.-E. II, 67.

Sépulture religieuse I, 135.

Serment I, 139..., cf. 129 ; faux s. 165, 175.

Sicle : nom de monnaie I, 177 ; s. saint (ou du sanctuaire) 145 s., 153, 155, 157, 159, 177 ; monnaie du Seigneur 157, à qui on doit comparer le Christ 155 ; figure notre foi 155, 159. Cf. monnaie.

Siècle aimer le s. II, 87 ; flots du s. I, 351 ; occupations, etc., 151, 185, 269, 301, 303 ; II, 99, 145, 273, 291 ; ce s. et le s. à venir I, 345 ; ce s. présent II, 77 ; s. présent, s. futur I, 349 ; II, 23, 83, 247 ; consommation du s. I, 215 ; id., jour nouveau du s. futur II, 205. Pl., 247 ; les s. des s., fin des homélies. Cf. juge, richesses.

Simplicité et innocence II, 253 ; s. d'esprit 255 ; de la confession (de foi) 187. Cf. colombe, foi.

Sobre : l'auditeur II, 273 ; s. en tout, les prêtres I, 301.

Sobriété mère de toutes les vertus I, 301.

Soir : c'est au s. que nous fut donnée la venue du Sauveur en qui est offert l'esprit de la Loi I, 199 ; Jésus a lavé... les habits de notre nature vers le s. II, 87 s. ; maintenant c'est le s. 205.

Soleil : le s. se couche, le monde prend fin II, 95 ; s. à l'intérieur de toi I, 213. Cf. regarder ; Index II : Sol.

Solennités de la Loi qui contiennent les figures des mystères célestes II, 71, 197 s. ; des Azymes, de Pâque, de la propitiation 93.

Sort non pas au sens de hasard II, 97 ; deux s. : s., choix, part du Seigneur, s. du bouc émissaire, chassé dans le désert 81-91, 97...

Sortir : Jésus-Christ sorti de Dieu II, 45, ne sort jamais du sanctuaire 181 s. ; le prêtre sort vers le lépreux pour achever sa purification 45 s. ; qui pèche sort du sanctuaire 183, du camp de deux manières, ... du chemin de la justice, de la Loi de Dieu, puis de l'assemblée et de la communauté des saints 229 s., sort de la vérité... et par là, du camp de l'Église 239 ; sortir loin de la face de Dieu 241, à l'extérieur du camp 241...

Souillure charnelle et morale II, 221 ; dans la conception et l'enfantement 11 s., 179 s. ; s. d'iniquité et de péché 21. *Pl.*, s. de la bouche 239 ; des passions 73 ; des péchés I, 275 ; des vices 277.

Spectacles II, 147 ; diaboliques 103 ; du cirque 121.

Spirituel : rocher, le Christ I, 329 ; (= l'homme sp.) 97 ; II 125 ; « l'homme animal » n'a en lui rien de sp... I, 97 ; aliment, boisson I, 329, cf. 199 s. ; bénédiction II, 265 ; coupe I, 327 ; combat 349 ; enseignement 243 ; grâce 297 ; loi 177, 245, 249, 297 ; II, 163, 263, 265, et cit. de *Rom.* 7, 14 ; observance I, 353 ; œuvre II, 271 s. ; paroles I, 163, 243 ; récompense II, 263 ; sacrifice (oblation) I, 79 ; *(pl.)* 201, 281. Cf. bêtes, circoncision, figure, moisson, sens spirituels ; Écriture sainte, sens spirituel.

Suavité de l'encens I, 195 ; encens de la s. 99. Cf. vertu.

Substance, cf. âme, Trinité.

Succès II, 247.

Superstitions juives II, 187.

Supplications : rites de s. II, 71 ; s. pour les douze tribus par le mémorial 207.

Supplices II, 153 ; 159 ; dignes de la faute 155 ; temporels, éternels 245. Cf. purification.

Symboles, figures et tournures allégoriques de mystères à venir II, 129.

Table : t. pure (pour les pains de proposition) II, 207, 217 ; t. du puissant Apôtre, son cœur, son âme, où le pain est offert au Seigneur 217. Cf. alliance.

Taureau : jeune t. sans tache, offert en holocauste par l'homme (le genre humain), comme le veau gras de la parabole, figure Jésus I, 73 s., la chair du Verbe de Dieu 79 s., la chair du Christ immaculée 123 ; offert en holocauste une fois en offrande, une fois pour le péché 103 ; jeune t. sacrifié au jour de propitiation II, 81 ; au sens moral, la chair I, 85, notre chair et son orgueil 95 ; se consacrer à Dieu comme un jeune t. premier-né II, 147.

Témoin : Paul I, 317 ; t. d'une faute I, 125 s., 137.

Tempérance : arbre à l'intérieur de nous II, 279.

Temple (des Juifs) I, 189 ; de Dieu, du Seigneur, à Jérusalem II, 131 s. ; véritable t. de Dieu, le Christ, son corps, sa chair 131 ; fonction de pontife exercée à l'intérieur du t. de ton âme, t. du Dieu vivant I, 291, cf. 213 s. ; être séparé et consacré à l'intérieur du t. de Dieu, au sens non point local mais spirituel II, 147 s...

Tentations, cf. siècle.

Vie : à l'origine, choix proposé entre la mort et la v. II, 125 s. ;
la v. ne peut coexister avec la mort 177 ; la destruction de la
chair donne la v. à l'esprit 249 ; arbre de la v. 281 ; cette
v. 27, 245, 247 ; ... ordinaire I, 97 ; mer de cette v. 351 ;
v. présente 99, 247, 345 ; II 23, 163, 211, 249 ; v. future I, 345...
Cf. *Index II* : Christus, Iesus Christus, Verbum.

Vierge Marie, cf. Marie ; *Index II* : Virgo.

Vierges sages I, 177, et sottes 87, 117 ; II, 203.

Vigilance, cf. prière. — Vigilants dans la science, la foi et la conduite
I, 89.

Vigne dont il était la figure (le Christ total dont Jésus était la f.)
I, 313.

Vignerons de la parabole I, 75.

Vin : s'abstient de v. « pour s'approcher de l'autel », le pontife I,
299, 301, 305, le Christ 307 s. ; v. doux 99 ; vin de l'allégresse,
nouveau dans le royaume de Dieu 309 s. ; v. nouveau, vieilles
outres 173, 323 ; II, 141 ; signifie le sang de Jésus 89 ; ce qui
réjouit l'âme des auditeurs 283 ; v. source de luxure I, 301 ;
cf. II, 139.

Virginité de l'âme, la simplicité de la foi au Christ II, 185.

Visage : doux v. de Jésus II, 295.

Visions d'Isaïe II, 289 ; d'Ézéchiel I, 229 s., 319 ; de Pierre 333.

Voile, dans le sanctuaire II, 73, 115, 199 ; symbolise la chair de
Jésus pénétrant au ciel I, 79 ; II, 127. Cf. Écriture sainte.

Voix de Dieu II, 197.

Vol I, 165, 173, 175 ; II, 103, 183.

Voleurs I, 173 ; II, 233 ; mauvais, bons I, 173 ; injustes II, 247.

Volumes (livres) divins I, 69, 211, 339 ; II, 49, 209, 245, 281.

TABLE DES MATIÈRES

TEXTE ET TRADUCTION

NOTES COMPLÉMENTAIRES

TABLES

NIHIL OBSTAT :

Lyon, 18 juin 1981
C. MONDÉSERT, s.j.
L. DOUTRELEAU, s.j.

IMPRIMI POTEST :

Paris, 20 juin 1981
H. MADELIN, s.j.
Praep. Prov. Gall.

IMPRIMATUR :

Lyon, 18 octobre 1981
J. ALBERTI
cens. dep.

SOURCES CHRÉTIENNES

LISTE COMPLÈTE DE TOUS LES VOLUMES PARUS

N. B. — L'ordre suivant est celui de la date de parution (n° 1 en 1942) et il n'est pas tenu compte ici du classement en séries : grecque, latine, byzantine, orientale, textes monastiques d'Occident ; et série annexe : textes para-chrétiens.

Sauf indication contraire, chaque volume comporte le texte original, grec ou latin, souvent avec un apparat critique inédit.

La mention *bis* indique une seconde édition. Quand cette seconde édition ne diffère de la première que par de menues corrections et des *Addenda et Corrigenda* ajoutés en appendice, la date est accompagnée de la mention « réimpression avec supplément ».

24 bis. PTOLÉMÉE : **Lettre à Flora.** G. Quispel (1966).

25 bis. AMBROISE DE MILAN : **Des Sacrements. Des Mystères. Explication du Symbole.** B. Botte (réimpr. de la 2ᵉ éd., 1980).

26 bis. BASILE DE CÉSARÉE : **Homélies sur l'Hexaéméron.** S. Giet (réimpr. avec suppl., 1968).

27 bis. **Homélies Pascales**, t. I. P. Nautin. *En préparation.*

28 bis. JEAN CHRYSOSTOME : **Sur l'incompréhensibilité de Dieu.** J. Daniélou, A.-M. Malingrey, R. Flacelière (1970).

29 bis. ORIGÈNE : **Homélies sur les Nombres.** A. Méhat. *En préparation.*

30 bis. CLÉMENT D'ALEXANDRIE : **Stromate I.** *En préparation.*

31. EUSÈBE DE CÉSARÉE : **Histoire ecclésiastique,** t. I. Livres I-IV. G. Bardy (réimpression, 1965).

32 bis. GRÉGOIRE LE GRAND : **Morales sur Job,** t. I. Livres I-II. R. Gillet, A. de Gaudemaris (1975).

33 bis. **A. Diognète.** H. I. Marrou (réimpr. avec suppl., 1965).

34. IRÉNÉE DE LYON : **Contre les hérésies,** livre III. F. Sagnard. *Remplacé par les nᵒˢ 210 et 211.*

35 bis. TERTULLIEN : **Traité du baptême.** F. Refoulé. *En préparation.*

36 bis. **Homélies Pascales,** t. II. P. Nautin. *En préparation.*

37 bis. ORIGÈNE : **Homélies sur le Cantique.** O. Rousseau (1966).

38 bis. CLÉMENT D'ALEXANDRIE : **Stromate II.** *En préparation.*

39 bis. LACTANCE : **De la mort des persécuteurs.** 2 vol. *En préparation.*

40. THÉODORET DE CYR : **Correspondance,** t. I. Y. Azéma (1955).

41. EUSÈBE DE CÉSARÉE : **Histoire ecclésiastique,** t. II. Livres V-VII. G. Bardy (réimpression, 1965).

42. JEAN CASSIEN : **Conférences,** t. I. E. Pichery (réimpression, 1966).

43 bis. JÉRÔME : **Sur Jonas.** *En préparation.*

44. PHILOXÈNE DE MABBOUG : **Homélies.** E. Lemoine. Trad. seule (1956).

45. AMBROISE DE MILAN : **Sur S. Luc,** t. I. G. Tissot (réimpr. avec suppl., 1971).

46 bis. TERTULLIEN : **De la prescription contre les hérétiques.** *En préparation.*

47. PHILON D'ALEXANDRIE : **La migration d'Abraham.** *Epuisé.* Voir série « Les Œuvres de Philon ».

48. **Homélies Pascales,** t. III. F. Floëri et P. Nautin (1957).

49 bis. LÉON LE GRAND : **Sermons 20-37.** R. Dolle (1969).

50 bis. JEAN CHRYSOSTOME : **Huit Catéchèses baptismales inédites.** A. Wenger (réimpr. avec suppl., 1970).

51 bis. SYMÉON LE NOUVEAU THÉOLOGIEN : **Chapitres théologiques, gnostiques et pratiques.** J. Darrouzès (1980).

52 bis. AMBROISE DE MILAN : **Sur S. Luc,** t. II. G. Tissot (réimpr. avec suppl., 1976).

53 bis. HERMAS : **Le Pasteur.** R. Joly (réimpr. avec suppl., 1968).

54. JEAN CASSIEN : **Conférences,** t. II. E. Pichery (réimpression, 1966).

55. EUSÈBE DE CÉSARÉE : **Histoire ecclésiastique,** t. III. Livres VIII-X. G. Bardy (réimpression, 1967).

56. ATHANASE D'ALEXANDRIE : **Deux apologies.** J. Szymusiak (1958).

57. THÉODORET DE CYR : **Thérapeutique des maladies helléniques.** 2 volumes. P. Canivet (1958).

58 bis. DENYS L'ARÉOPAGITE : **La hiérarchie céleste.** G. Heil, R. Roques, M. de Gandillac (réimpr. avec suppl., 1970).

59. **Trois antiques rituels du baptême.** A. Salles. Trad. seule. *Epuisé.*

60. AELRED DE RIEVAULX : **Quand Jésus eut douze ans.** A. Hoste, J. Dubois (1958).

61 bis. GUILLAUME DE SAINT-THIERRY : **Traité de la contemplation de Dieu.** J. Hourlier (réimpression, 1977) .

62. IRÉNÉE DE LYON : **Démonstration de la prédication apostolique.** L. Froidevaux. Nouvelle trad. sur l'arménien. Trad. seule (réimpr. 1971).

63. RICHARD DE SAINT-VICTOR : **La Trinité.** G. Salet (1959).

64. JEAN CASSIEN : **Conférences**, t. III. E. Pichery (réimpr., 1971).

65. GÉLASE Iᵉʳ : **Lettre contre les Lupercales et dix-huit messes du sacramentaire léonien.** G. Pomarès (1960).

66. ADAM DE PERSEIGNE : **Lettres**, t. I. J. Bouvet (1960).

67. ORIGÈNE : **Entretien avec Héraclide.** J. Scherer (1960).

68. MARIUS VICTORINUS : **Traités théologiques sur la Trinité.** P. Henry, P. Hadot. Tome I. Introd., texte critique, traduction (1960).

69. Id. — Tome II. Commentaire et tables (1960).

70. CLÉMENT D'ALEXANDRIE : **Le Pédagogue**, t. I. H. I. Marrou, M. Harl (1960).

71. ORIGÈNE : **Homélies sur Josué.** A. Jaubert (1960).

72. AMÉDÉE DE LAUSANNE : **Huit homélies mariales.** G. Bavaud, J. Deshusses, A. Dumas (1960).

73 bis. EUSÈBE DE CÉSARÉE : **Histoire ecclésiastique**, t. IV. Introd. générale de G. Bardy et tables de P. Périchon (réimpr. avec suppl., 1971).

74 bis. LÉON LE GRAND : **Sermons 38-64.** R. Dolle (1976).

75. S. AUGUSTIN : **Commentaire de la 1ʳᵉ Épître de S. Jean.** P. Agaësse (réimpression, 1966).

76. AELRED DE RIEVAULX : **La vie de recluse.** Ch. Dumont (1961).

77. DEFENSOR DE LIGUGÉ : **Le livre d'étincelles**, t. I. H. Rochais (1961).

78. GRÉGOIRE DE NAREK : **Le livre de Prières.** I. Kéchichian. Trad. seule (1961).

79. JEAN CHRYSOSTOME : **Sur la Providence de Dieu.** A.-M. Malingrey (1961).

80. JEAN DAMASCÈNE : **Homélies sur la Nativité et la Dormition.** P. Voulet (1961).

81. NICÉTAS STÉTHATOS : **Opuscules et lettres.** J. Darrouzès (1961).

82. GUILLAUME DE SAINT-THIERRY : **Exposé sur le Cantique des Cantiques.** J.-M. Déchanet (1962).

83. DIDYME L'AVEUGLE : **Sur Zacharie.** Texte inédit. L. Doutreleau. Tome I. Introduction et livre I (1962).

84. Id. — Tome II. Livres II et III (1962).

85. Id. — Tome III. Livres IV et V, Index (1962).

86. DEFENSOR DE LIGUGÉ : **Le livre d'étincelles**, t. II. H. Rochais (1962).

87. ORIGÈNE : **Homélies sur S. Luc.** H. Crouzel, F. Fournier, P. Périchon (1962).

88. **Lettres des premiers Chartreux**, tome I : S. BRUNO, GUIGUES, S. ANTHELME. Par un Chartreux (1962).

89. **Lettre d'Aristée à Philocrate.** A. Pelletier (1962).

90. **Vie de sainte Mélanie.** D. Gorce (1962).

91. ANSELME DE CANTORBÉRY : **Pourquoi Dieu s'est fait homme.** R. Roques (1963).

92. DOROTHÉE DE GAZA : **Œuvres spirituelles.** L. Regnault, J. de Préville (1963).

93. BAUDOUIN DE FORD : **Le sacrement de l'autel.** J. Morson, É. de Solms, J. Leclercq. Tome I (1963).

94. Id. — Tome II (1963).

95. MÉTHODE D'OLYMPE : **Le banquet.** H. Musurillo, V.-H. Debidour (1963).

96. SYMÉON LE NOUVEAU THÉOLOGIEN : **Catéchèses.** B. Krivochéine, J. Paramelle. Tome I. Introduction et Catéchèses 1-5 (1963).

97. CYRILLE D'ALEXANDRIE : **Deux dialogues christologiques.** G. M. de Durand (1964).

98. THÉODORET DE CYR : **Correspondance**, t. II. Y. Azéma (1964).

99. ROMANOS LE MÉLODE : **Hymnes.** J. Grosdidier de Matons. Tome I. Introduction et Hymnes I-VIII (1964).

100. IRÉNÉE DE LYON : **Contre les hérésies**, livre IV. A. Rousseau, B. Hemmerdinger, Ch. Mercier, L. Doutreleau. 2 vol. (1965).

101. QUODVULTDEUS : **Livre des promesses et des prédictions de Dieu.** R. Braun. Tome I (1964).

102. **Id.** — Tome II (1964).

103. JEAN CHRYSOSTOME : **Lettre d'exil.** A.-M. Malingrey (1964).

104. SYMÉON LE NOUVEAU THÉOLOGIEN : **Catéchèses.** B. Krivochéine, J. Paramelle. Tome II. Catéchèses 6-22 (1964).

105. **La Règle du Maître.** A. de Vogüé. Tome I. Introd. et chap. 1-10 (1964).

106. **Id.** — Tome II. Chap. 11-95 (1964).

107. **Id.** — Tome III. Concordance et Index orthographique. J.-M. Clément, J. Neufville, D. Demeslay (1965).

108. CLÉMENT D'ALEXANDRIE : **Le Pédagogue,** tome II. Cl. Mondésert, H. I. Marrou (1965).

109. JEAN CASSIEN : **Institutions cénobitiques.** J.-C. Guy (1965).

110. ROMANOS LE MÉLODE : **Hymnes.** J. Grosdidier de Matons. Tome II. Hymnes IX-XX (1965).

111. THÉODORET DE CYR : **Correspondance,** t. III. Y. Azéma (1965).

112. CONSTANCE DE LYON : **Vie de S. Germain d'Auxerre.** R. Borius (1965).

113. SYMÉON LE NOUVEAU THÉOLOGIEN : **Catéchèses.** B. Krivochéine. J. Paramelle. Tome III. Catéchèses 23-34, Actions de grâces 1-2 (1965).

114. ROMANOS LE MÉLODE : **Hymnes.** J. Grosdidier de Matons. Tome III. Hymnes XXI-XXXI (1965).

115. MANUEL II PALÉOLOGUE : **Entretien avec un musulman.** A. Th. Khoury (1966).

116. AUGUSTIN D'HIPPONE : **Sermons pour la Pâque.** S. Poque (1966).

117. JEAN CHRYSOSTOME : **A Théodore.** J. Dumortier (1966).

118. ANSELME DE HAVELBERG : **Dialogues,** livre I. G. Salet (1966).

119. GRÉGOIRE DE NYSSE : **Traité de la Virginité.** M. Aubineau (1966).

120. ORIGÈNE : **Commentaire sur S. Jean.** C. Blanc. Tome I. Livres I-V (1966).

121. ÉPHREM DE NISIBE : **Commentaire de l'Évangile concordant ou Diatessaron.** L. Leloir. Trad. seule (1966).

122. SYMÉON LE NOUVEAU THÉOLOGIEN : **Traités théologiques et éthiques.** J. Darrouzès. Tome I. Théol. 1-3, Éth. 1-3 (1966).

123. MÉLITON DE SARDES : **Sur la Pâque (et fragments).** O. Perler (1966).

124. **Expositio totius mundi et gentium.** J. Rougé (1966).

125. JEAN CHRYSOSTOME : **La Virginité.** H. Musurillo, B. Grillet (1966).

126. CYRILLE DE JÉRUSALEM : **Catéchèses mystagogiques.** A. Piédagnel, P. Paris (1966).

127. GERTRUDE D'HELFTA : **Œuvres spirituelles.** Tome I. **Les Exercices.** J. Hourlier, A. Schmitt (1967).

128. ROMANOS LE MÉLODE : **Hymnes.** J. Grosdidier de Matons. Tome IV. Hymnes XXXII-XLV (1967).

129. SYMÉON LE NOUVEAU THÉOLOGIEN : **Traités théologiques et éthiques.** J. Darrouzès. Tome II. Éth. 4-15 (1967).

130. ISAAC DE L'ÉTOILE : **Sermons.** A. Hoste, G. Salet. Tome I. Introduction et Sermons 1-17 (1967).

131. RUPERT DE DEUTZ : **Les œuvres du Saint-Esprit.** J. Gribomont, É. de Solms. Tome I. Livres I et II (1967).

132. ORIGÈNE : **Contre Celse.** M. Borret. Tome I. Livres I et II (1967).

133. SULPICE SÉVÈRE : **Vie de S. Martin.** J. Fontaine. Tome I. Introduction, texte et traduction (1967).

134. **Id.** — Tome II. Commentaire (1968).

135. **Id.** — Tome III. Commentaire (suite), Index (1969).

136. ORIGÈNE : **Contre Celse.** M. Borret. Tome II. Livres III et IV (1968).

137. ÉPHREM DE NISIBE : **Hymnes sur le Paradis.** F. Graffin, R. Lavenant. Trad. seule (1968).

138. JEAN CHRYSOSTOME : **A une jeune veuve. Sur le mariage unique.** B. Grillet, G. H. Ettlinger (1968).

139. GERTRUDE D'HELFTA : **Œuvres spirituelles.** Tome II. **Le Héraut.** Livres I et II. P. Doyère (1968).

251. Grégoire le Grand : **Dialogues.** Tome I. Introduction, bibliographie et cartes. A. de Vogüé (1978).

252. Origène : **Traité des principes.** Tome I. Livres I et II : Introduction, texte critique et traduction. H. Crouzel et M. Simonetti (1978).

253. **Id.** — Tome II. Livres I et II : Commentaire et fragments. H. Crouzel et M. Simonetti (1978).

254. Hilaire de Poitiers : **Sur Matthieu.** Tome I. Introduction et chap. 1-13. J. Doignon (1978).

255. Gertrude d'Helfta : **Œuvres spirituelles.** Tome IV. **Le Héraut.** Livre IV. J.-M. Clément, B. de Vregille et les Moniales de Wisques (1978).

256. **Targum du Pentateuque.** Tome II. **Exode et Lévitique.** R. Le Déaut et J. Robert. Trad. seule (1979).

257. Théodoret de Cyr : **Histoire des moines de Syrie.** Tome II. **Histoire Philotée (XIV-XXX), Traité sur la Charité (XXXI)** et Index. P. Canivet et A. Leroy-Molinghen (1979).

258. Hilaire de Poitiers : **Sur Matthieu.** Tome II. Chap. 14-33, appendice et index. J. Doignon (1979).

259. S. Jérôme : **Commentaire sur S. Matthieu.** Tome II. Livres III et IV, index. É. Bonnard (1979).

260. Grégoire le Grand : **Dialogues.** Tome II. Livres I-III. A. de Vogüé et P. Antin (1979).

261. **Targum du Pentateuque.** Tome III. **Nombres.** R. Le Déaut et J. Robert. Trad. seule (1979).

262. Eusèbe de Césarée : **Préparation évangélique,** livres IV, 1 - V, 17. O. Zink et É. des Places (1979).

263. Irénée de Lyon : **Contre les hérésies,** livre I. A. Rousseau, L. Doutreleau. Tome I. Introduction, notes justificatives et tables (1979).

264. **Id.** — Tome II. Texte et traduction (1979).

265. Grégoire le Grand : **Dialogues.** Tome III. Livre IV, tables et index. A. de Vogüé et P. Antin (1980).

266. Eusèbe de Césarée : **Préparation évangélique,** livres V, 18 - VI. É. des Places (1980).

267. **Scolies ariennes sur le concile d'Aquilée.** R. Gryson (1980).

268. Origène : **Traité des principes.** Tome III. Livres III et IV : **Texte** critique et traduction. H. Crouzel et M. Simonetti (1980).

269. **Id.** — Tome IV. Livres III et IV : commentaire et fragments. H. Crouzel et M. Simonetti (1980).

270. Grégoire de Nazianze : **Discours 20-23.** J. Mossay (1980).

271. **Targum du Pentateuque.** Tome IV. **Deutéronome,** bibliographie, glossaire et index des tomes I - IV. Trad. seule. R. Le Déaut (1980).

272. Jean Chrysostome : **Sur le sacerdoce (dialogue et homélie).** A.-M. Malingrey (1980).

273. Tertullien : **A son épouse.** C. Munier (1980).

274. **Lettres des premiers Chartreux,** tome II : les moines de Portes. Par un Chartreux (1980).

275. Pseudo-Macaire : **Œuvres spirituelles,** t. I. V. Desprez (1980).

276. Théodoret de Cyr : **Commentaire sur Isaïe.** Tome I : Introduction et sections 1-3. J.-N. Guinot (1980).

277. Jean Chrysostome : **Homélies sur Ozias.** J. Dumortier (1981).

278. Clément d'Alexandrie : **Stromate V.** Tome I : Introduction, texte et index par A. Le Boulluec ; traduction de P. Voulet (1981).

279. **Id.** — Tome II : commentaire, bibliographie et index par A. Le Boulluec (1981).

280. Tertullien : **Contre les Valentiniens.** Tome I : introduction, texte et traduction. J.-C. Fredouille (1980).

281. **Id.** — Tome II : commentaire et index. J.-C. Fredouille (1981).

282. **Targum du Pentateuque.** Tome V. **Index analytique.** R. Le Déaut (1981).

283. Romanos le Mélode : **Hymnes.** J. Grosdidier de Matons. Tome V. Hymnes XLVI - LVI (1981).

284. Grégoire de Nazianze : **Discours 24-26.** J. Mossay (1981).

285. FRANÇOIS D'ASSISE : **Écrits.** Th. Desbonnets, Th. Matura, J.-F. Godet, D. Vorreux, o.f.m. (1981).
286. ORIGÈNE : **Homélies sur le Lévitique.** M. Borret. Tome I : Introduction et Hom. I-VII (1981).
287. **Id.** — Tome II : Hom. VIII-XVI, Index (1981).
288. GUILLAUME DE BOURGES : **Livre des guerres du Seigneur.** Gilbert Dahan (1981).
289. LACTANCE : **La colère de Dieu.** C. Ingremeau (1982).

Hors série :

    Directives pour la préparation des manuscrits (de « Sources Chrétiennes »). A demander au Secrétariat de « Sources Chrétiennes », 29, rue du Plat, 69002 Lyon.
    La Règle de S. Benoît. VII. Commentaire doctrinal et spirituel. A. de Vogüé (1977).

SOUS PRESSE

EUSÈBE DE CÉSARÉE : **Préparation évangélique, livre XI.** G. Favrelle et É. des Places.
ORIGÈNE : **Commentaire sur S. Jean.** Tome IV. L. XIX - XX. C. Blanc.
IRÉNÉE DE LYON : **Contre les hérésies, livre II.** A. Rousseau et L. Doutreleau.
CYPRIEN DE CARTHAGE : **A Donat et La vertu de patience.** J. Molager.
JEAN CHRYSOSTOME : **Panégyriques de S. Paul.** A. Piédagnel.
Les Règles des saints Pères. A. de Vogüé.

PROCHAINES PUBLICATIONS

THÉODORET DE CYR : **Commentaire sur Isaïe,** t. II. J.-N. Guinot.
ORIGÈNE : **Philocalie 1-20** et **Lettre à Africanus.** M. Harl.
BASILE DE CÉSARÉE : **Contre Eunome.** L. Doutreleau, G. M. de Durand, B. Sesboué.
EUSÈBE DE CÉSARÉE : **Préparation évangélique, livres XII-XIII.** É. des Places.
GUILLAUME DE SAINT-THIERRY : **Le miroir de la foi.** J. M. Déchanet.
TERTULLIEN : **La Pénitence,** Ch. Munier.
ÉGÉRIE : **Journal de voyage.** P. Maraval.
JEAN CHRYSOSTOME : **Commentaire sur Isaïe.** J. Dumortier.

SOURCES CHRÉTIENNES

(1-289)

Également aux Éditions du Cerf

LES ŒUVRES DE PHILON D'ALEXANDRIE
publiées sous la direction de

R. ARNALDEZ, C. MONDÉSERT, J. POUILLOUX.

Texte grec et traduction française.

1. **Introduction générale. De opificio mundi.** R. Arnaldez (1961).
2. **Legum allegoriae.** C. Mondésert (1962).
3. **De cherubim.** J. Gorez (1963).
4. **De sacrificiis Abelis et Caini.** A. Méasson (1966).
5. **Quod deterius potiori insidiari soleat.** I. Feuer (1965).
6. **De posteritate Caini.** R. Arnaldez (1972).
7-8. **De gigantibus. Quod Deus sit immutabilis.** A. Mosès (1963).
9. **De agricultura.** J. Pouilloux (1961).
10. **De plantatione.** J. Pouilloux (1963).
11-12. **De ebrietate. De sobrietate.** J. Gorez (1962).
13. **De confusione linguarum.** J.-G. Kahn (1963).
14. **De migratione Abrahami.** J. Cazeaux (1965).
15. **Quis rerum divinarum heres sit.** M. Harl (1966).
16. **De congressu eruditionis gratia.** M. Alexandre (1967).
17. **De fuga et inventione.** E. Starobinski-Safran (1970).
18. **De mutatione nominum.** R. Arnaldez (1964).
19. **De somniis.** P. Savinel (1962).
20. **De Abrahamo.** J. Gorez (1966).
21. **De Iosepho.** J. Laporte (1964).
22. **De vita Mosis.** R. Arnaldez, C. Mondésert, J. Pouilloux, P. Savinel (1967).
23. **De Decalogo.** V. Nikiprowetzky (1965).
24. **De specialibus legibus.** Livres I-II. S. Daniel (1975).
25. **De specialibus legibus.** Livres III-IV. A. Mosès (1970).
26. **De virtutibus.** R. Arnaldez, A.-M. Vérilhac, M.-R. Servel et P. Delobre (1962).
27. **De praemiis et poenis. De exsecrationibus.** A. Beckaert (1961).
28. **Quod omnis probus liber sit.** M. Petit (1974).
29. **De vita contemplativa.** F. Daumas et P. Miquel (1964).
30. **De aeternitate mundi.** R. Arnaldez et J. Pouilloux (1969).
31. **In Flaccum.** A. Pelletier (1967).
32. **Legatio ad Caium.** A. Pelletier (1972).
33. **Quaestiones in Genesim et in Exodum. Fragmenta graeca.** F. Petit (1978).
34 A. **Quaestiones in Genesim, I-II** (e vers. armen.) (1979).
34 B. **Quaestiones in Genesim, III-IV** (e vers. armen.) (en préparation).
34 C. **Quaestiones in Exodum, I-II** (e vers. armen.) (en prépar.).
35. **De Providentia, I-II.** M. Hadas-Lebel (1973).

IMPRIMERIE A. BONTEMPS
LIMOGES (FRANCE)

Éditeur nº 7468 - Imprimeur nº 1516-81
Dépôt légal : Janvier 1982